Les Fruits

par

LES RÉDACTEURS DES ÉDITIONS TIME-LIFE

ÉDITIONS TIME-LIFE ● AMSTERDAM

TIME-LIFE BOOKS

DIRECTRICE DES PUBLICATIONS POUR L'EUROPE: Kit van Tulleken
Responsable de la conception artistique: Ed Skyner
Responsable du service photographique: Pamela Marke
Responsable de la planification: Gillian Boucher
Responsable de la documentation: Jackie Matthews
Responsable de la révision du texte: Ilse Gray

CUININER MIEUX
Secrétaire de rédaction de la collection: Ellen Galford
Coordination: Deborah Litton

COMITÉ DE RÉDACTION POUR LES FRUITS
Secrétaires de rédaction: Louise Earwaker, Nicoletta Flessati
Responsable de l'Anthologie: Tokunbo Williams
Rédaction: Alexandra Carlier, Sally Crawford, Eluned James
Documentaliste: Caroline Baum
Maquette: Mary Staples
Préparateurs de copie: Charles Boyle, Kate Cann,
Frances Dixon, Sally Rowland
Documentalistes pour l'Anthologie: Stephanie Lee, Debra Raad
Correctrice: Judith Heaton
Service de la rédaction: Molly Sutherland

SERVICE DE FABRICATION DE LA COLLECTION
Responsable de la fabrication: Ellen Brush
Responsable de la qualité: Douglas Whitworth
Responsables de la coordination: Jane Lillicrap, Linda Mallett,
Iconographie: Ros Smith
Département artistique: Janet Matthew.
Service de la rédaction: Lesley Kinahan, Debra Lelliott,
Sylvia Osborne

ÉDITION FRANÇAISE
Direction: Monique Poublan, Michèle Le Baube
Secrétariat de rédaction: Cécile Dogniez, Nouchka Pathé
avec la collaboration de: Laurence Giaume
Traduit de l'anglais par: A. M. Thuot et D. Laufer
Titre original: Fruits

© 1983 Time-Life Books B.V.
All rights reserved. First French printing.

No part of this book may be reproduced in any form or by any
electronic or mechanical means, including information storage and
retrieval devices or systems, without prior written permission from the
publisher, except that brief passages may be quoted for review.
TIME-LIFE is a trademark of Time Incorporated U.S.A.

ISBN 2-7344-0140-1
ISSN en cours

Couverture: juste avant de servir, on arrose ici
des poires avec le jus dans lequel elles ont cuit.
Pour qu'ils soient plus tendres, on a poché les
fruits dans un sirop de sucre à la cannelle. En fin
de cuisson, on ajoute un peu de vin pour colorer
et parfumer le jus des poires *(page 46).*

LE CONSEILLER PRINCIPAL
Richard Olney, d'origine américaine, vit et travaille en France
depuis 1951, où il fait autorité en matière de gastronomie. Il est
l'auteur de *The French Menu Cookbook* et de *Simple French
Food* pour lequel il a reçu un prix. Il a également écrit de
nombreux articles pour des revues gastronomiques en France et
aux États-Unis, parmi lesquelles les célèbres *Cuisine et Vins de
France* et *La Revue du Vin de France.* Il a dirigé des cours de
cuisine en France et aux États-Unis et il est membre de plusieurs
associations gastronomiques et œnologiques très renommées,
entre autres l'Académie Internationale du Vin, la Confrérie des
Chevaliers du Tastevin et la Commanderie du Bontemps de
Médoc et des Graves.

LES CONSEILLERS POUR LES FRUITS:
Pat Alburey est membre de l'Association of Home Economists de Grande-Bretagne. So
longue expérience en matière culinaire comprend la préparation des plats à photogra
phier, l'enseignement et la création de recettes. On lui doit la plupart des séquence
photographiques de cet ouvrage.
David Schwartz, originaire de Caroline du Nord, a préparé plusieurs des plat
photographiés dans cet ouvrage. Il a tenu différents restaurants à Londres et au
États-Unis. Il est l'auteur d'un livre sur le chocolat.

LE PHOTOGRAPHIE:
Bob Komar habite Londres et a été formé à l'école des Beaux-Arts de Hornsey et de
Manchester. Il s'est spécialisé dans les photos culinaires et les portraits.

LES CONSEILLERS INTERNATIONAUX:
France: *Michel Lemonnier,* normand d'origine, a collaboré à *Cuisine et Vins de France* e
à la *Revue du Vin de France* de 1960 à 1981 et écrit régulièrement dans plusieur
publications gastronomiques. Cofondateur et vice-président de l'association Les Amitié
gastronomiques internationales, il est membre de la plupart des Confréries et Académie
viti-vinicoles de France, et surtout de l'Académie Internationale du Vin où il fut le parrai
de Richard Olney. Il partage sa vie entre le midi de la France et le Maroc
Grande-Bretagne: *Jane Grigson,* diplômée de l'université de Cambridge, a grandi dan
le Nord de l'Angleterre. Depuis la parution de son livre *Charcuterie and French Por
Cookery,* en 1967, elle a publié un certain nombre d'ouvrages culinaires, parmi lesque
Good Things, English Food et *Jane Grigson's Fruit Book.* Elle est correspondante de l
rubrique gastronomique du supplément en couleurs de l'*Observer* de Londres depu
1968. *Alan Davidson* est l'auteur de *Fish and Fish Dishes of Laos, Mediterranea
Seafood* et *North Atlantic Seafood.* Il est le fondateur de *Prospect Books,* publication
érudites sur la gastronomie et l'art culinaire et des *Oxford Symposia,* qui traitent d
l'histoire culinaire. **Allemagne Fédérale:** *Jochen Kuchenbecker* a une formation de che
cuisinier, mais a travaillé pendant dix ans comme photographe culinaire dans plusieur
pays européens avant d'ouvrir son propre restaurant à Hambourg. *Anne Brakemeier,* qu
vit également à Hambourg, a écrit des articles sur la cuisine dans de nombreu
périodiques allemands. Elle est coauteur de trois livres de cuisine. **Italie:** *Massim
Alberini* partage son temps entre Milan et Venise. C'est un écrivain gastronomique trè
connu et un journaliste qui s'intéresse particulièrement à l'histoire de la cuisine. Il a écri
18 ouvrages dont *Storia del Pranzo all'Italiana, 4000 Anni a Tavola, 1000 Ricett
Storiche* et *La Tavola all'Italiana.* **Pays-Bas:** *Hugh Jans* vit à Amsterdam où il traduit de
livres et des articles de cuisine depuis plus de vingt-cinq ans. Il a écrit plusieurs ouvrages
Bistro Koken et *Sla, Slaatjes, Snacks, Koken in een Kasserol* et *Vrij Nederland
Kookboek.* Ses recettes sont publiées dans plusieurs magazines néerlandais. **États-Unis
Carol Cutler** vit à Washington D.C. et est l'auteur de *The Six-Minute Soufflé and Othe
Culinary Delights* qui fut primé. *Judith Olney* a reçu sa formation culinaire en Angleterr
et en France. Elle est l'auteur de deux livres.

Une aide précieuse a été apportée pour la préparation de cet ouvrage par les membre
du personnel des Éditions Time-Life dont les noms suivent: *Maria Vincenza Alois
Joséphine du Brusle* (Paris): *Janny Hovinga* (Amsterdam); *Berta Julia* (Barcelone)
Elisabeth Kraemer (Bonn); *Ann Natanson, Mimi Murphy* (Rome); *Bona Schmid* (Milan)

TABLE DES MATIÈRES

Au fil des saisons

Pour le botaniste, un fruit est un organe végétal, issu de l'ovaire de la fleur, qui contient les graines. Pour le commun des mortels, cette définition est un peu sèche : à la fois symboles et délectables réalités, les fruits nous apparaissent comme la preuve de la féconde générosité de la nature. Il faut labourer, sarcler, travailler la sueur au front pour gagner notre pain quotidien et récolter céréales et légumes. Mais les fruits, semble-t-il, poussent tout seuls sur les arbres, les lianes et les buissons ; on pourrait presque croire qu'il n'y a qu'à tendre la main pour les cueillir. Depuis l'Antiquité, l'allégorie de la prospérité n'est-elle pas une corne d'abondance débordant d'une profusion de fruits ?

Mais, en Occident, cette libéralité se nuance toujours d'une certaine mise en garde : selon la légende grecque, la déesse Perséphone se vit condamnée à vivre aux Enfers pour avoir goûté à une grenade, et c'est pour avoir croqué la pomme qu'Adam et Eve furent chassés du paradis terrestre. Que l'on veuille ou non les faire passer pour suspects, les fruits sont absolument irrésistibles. A-t-on jamais inventé rien de plus délicieux qu'une fraise ? De plus suave et de plus beau qu'une mangue ? Devant tant de munificence, le moins que l'on puisse faire est de s'en réjouir et d'apprendre à l'apprécier : tel est le propos de ce livre.

Il s'ouvre sur une série de guides largement illustrés contenant une documentation de base sur toutes sortes de fruits, depuis la simple pomme jusqu'à l'exotique papaye, sans oublier les fruits gras, dont la tradition culinaire est aussi ancienne que celle des fruits charnus. Le reste de l'introduction présente, en explications détaillées, la façon de peler et de préparer les fruits pour les consommer crus ou cuits avec le minimum de perte ; on y trouvera aussi le secret des crèmes qui se marient si bien avec les fruits. Ceux-ci, souvent, ne nécessitent aucune espèce de cuisson : il suffit de savoir les présenter sur la table avec art.

Aussi le premier chapitre traite-t-il des préparations non cuites, telles que salades de fruits colorés agrémentées d'un peu de sirop de sucre *(page ci-contre et page 30)*, alliances de fruits et de fromages, sorbets et gelées. Dans le deuxième chapitre sont présentés les desserts à base de fruits cuits — depuis les poires pochées au vin rouge jusqu'aux soufflés raffinés et au savant « diplomate » en couches superposées *(page 66)*. Le troisième chapitre est consacré à l'utilisation des fruits, frais ou secs, dans les plats salés — potages, sauces, farces, ainsi que le célèbre canard à l'orange *(page 86)* et les exquises cailles au raisin *(page 88)*.

La seconde partie de cet ouvrage présente une anthologie de plus de deux cents recettes aux fruits, provenant de tous les pays du monde et représentatives de la cuisine traditionnelle comme de la gastronomie moderne.

Notre constant souci, dans les démonstrations de la première partie aussi bien que dans les recettes, a été de mettre en valeur les qualités spécifiques des fruits, non de les masquer. En matière de préparation de fruits, il convient de soutenir judicieusement la nature, sans jamais l'étouffer sous l'artifice.

Certes, l'homme est sans cesse intervenu dans la nature pour créer les variétés que nous connaissons aujourd'hui et qui résultent de plusieurs millénaires de patients efforts. Des fouilles archéologiques ont révélé qu'il y a huit mille ans des pommiers cultivés produisaient des fruits beaucoup plus gros que leurs cousins sauvages, et les bananes ont une histoire non moins longue. Il en est ainsi, d'ailleurs, de la plupart des fruits ; même ceux du Nouveau Monde — l'ananas, par exemple — n'ont cessé de s'améliorer depuis l'époque des Grandes Découvertes.

Les savoureuses variétés de fruits qui ornent nos tables doivent autant aux générations humaines successives qui ont présidé à leur rigoureuse sélection et à leurs multiples hybridations qu'aux souches sauvages dont elles sont issues. Il s'en est suivi un accroissement considérable de la production en général et du nombre des variétés disponibles de chaque espèce.

Les pommes illustrent de façon frappante le travail créateur des horticulteurs à travers les âges. L'historien romain Pline l'Ancien en connaissait une douzaine de variétés ; les Européens du Moyen Age, quelques vingtaines ; chaque siècle apporta ses progrès, de plus en plus nombreux et rapides, au point que, en 1911, l'*Encyclopaedia Britannica* pouvait affirmer sans se tromper qu'il en existait deux mille variétés dénommées.

On compte actuellement un nombre beaucoup plus important de variétés de pommes, et il s'en crée constamment de nouvelles. Toutes bien sûr ne sont pas des réussites. Lorsque l'on s'évertue, pour des raisons de commodité d'expédition et de vente, à produire des fruits de taille, de forme et de couleur standardisées, c'est souvent au détriment de leur goût. Par ailleurs, beaucoup de variétés anciennes ont disparu : au temps de Pline, on avait réussi à obtenir une pomme sans pépins — prouesse qui n'a jamais été renouvelée. Il reste que le choix d'excellentes pommes dont nous disposons aujourd'hui est sans doute infiniment plus vaste qu'en aucune époque de l'histoire — et cela est également vrai d'un grand nombre d'autres fruits.

C'est une prolifération incessante des espèces et des variétés qui caractérise l'histoire des fruits. L'un des plus féconds pays fruitiers du monde fut la Chine, organisée en société depuis des millénaires, et dont les territoires géographiques, selon les périodes, s'étendaient dans les zones tempérées, subtropicales et tropicales.

Une fruit comme la banane est originaire du Sud-Est asiatique, région qui fut englobée dans l'Empire chinois entre 7000 et 8000 av. J.-C.; des peintures murales attestent même que la banane s'était répandue en Inde dès le XVIIe siècle av. J.-C. Au XVIe siècle de notre ère, on l'implanta avec un vif succès en Amérique du Sud et aux Caraïbes — contrées d'où viennent de nos jours la plupart des bananes consommées en Europe.

De même, les agrumes — de l'orange au kumquat aigre-doux — furent d'abord cultivés en Chine et dans le Sud-Est asiatique; grâce aux efforts et à l'esprit d'entreprise des horticulteurs, ils se répandirent peu à peu vers l'ouest. Les oranges parvinrent en Inde au début de notre ère et, peu après, en Italie; elles gagnèrent l'Espagne en passant par l'Afrique du Nord, puis, au XVIe siècle, les Espagnols l'exportèrent dans le Nouveau Monde et plantèrent des orangeraies en Floride, au Mexique, en Amérique du Sud et, finalement, en Californie. Dans chaque pays, sous chaque climat, les oranges ont pris un caractère particulier: celles de Californie diffèrent de celles d'Espagne et de celles du Moyen Orient; et toutes ne ressemblent sans doute que de fort loin aux oranges que l'on cultivait en Chine il y a des millénaires.

Les abricots, les pêches — et peut-être aussi les prunes — sont également d'origine chinoise. La culture de ces fruits a suivi, vers l'ouest, le trajet des routes commerciales, jusqu'à Samarkand, puis, au-delà, jusqu'au pied du Caucase, à la limite de l'Arménie et du nord de la Perse — contrée toute de vergers et de cours d'eau, qui était le jardin du monde antique. Poursuivant leur avance, ces fruits se répandirent dans le sud de l'Europe et sur le pourtour de la mer Méditerranée.

De la région méditerranéenne elle-même proviennent de nombreux fruits. Depuis les temps anciens, dattes, figues et amandes jouent un rôle important dans l'alimentation et le commerce des régions situées au voisinage des côtes et jusqu'en Asie Mineure. A partir du Moyen Age, la culture du melon, parent présumé de la courge, prit de l'extension en Italie; le melon Ogen, par exemple, excellente variété nouvelle, est né dans le kibboutz du même nom, en Israël, vers 1960.

En général, les fruits connus en Europe à la fin du Moyen Age et sous la Renaissance, l'étaient déjà dans l'Antiquité grecque et romaine. La découverte du Nouveau Monde et l'expansion simultanée du commerce dans les régions tropicales révélèrent quantités de fruits nouveaux aux Européens — du moins, à ceux qui voyageaient. Dans leurs récits, ils parlaient en termes extasiés des mangues de l'Inde, mais sans avoir eu la possibilité d'en rapporter chez eux, en raison de la longueur des voyages; quant aux graines et aux boutures, elles dépérissaient sous nos latitudes.

A partir du XVIIe siècle cependant, les techniques et le matériel s'améliorant, on put pratiquer à grande échelle la culture en serres. Louis XIV, dont le goût pour les fruits exotiques n'avait d'égal que les possibilités financières, encouragea les horticulteurs de ses jardins royaux à cultiver — pas toujours avec succès — toutes sortes de plantes tropicales: depuis les ananas jusqu'aux fruits de la passion. En Angleterre, des gentilshommes jardiniers animés des mêmes ambitions s'évertuaient à lutter contre les rigueurs de leur climat; au XVIIIe siècle, des lords anglais rivalisaient entre eux dans la production de l'ananas.

Les gens du commun, eux, durent attendre la mise en service des cargos, puis des navires frigorifiques et enfin des transports aériens rapides pour goûter, sans se ruiner, aux produits tropicaux. De nos jours, les fruits des pays lointains sont distribués toute l'année dans la plupart de nos villes; aux étalages des boutiques et des marchés, ils côtoient familièrement les fruits de nos vergers.

Les fruits dans le menu

Dans la composition d'un repas, il est de tradition que les fruits apparaissent au dessert, sous forme de salade ou d'autre entremets. Il n'y a aucune raison de les confiner dans cet emploi. En hors-d'œuvre, on peut présenter pamplemousses, melons, figues et amandes fraîches; on ne pense pas toujours à servir des grenades, des pêches ou des prunes en vinaigrette.

Frais ou secs, les fruits font souvent partie des ingrédients du plat principal; et des fruits alliés au fromage peuvent parfaitement terminer un repas simple ou même un peu apprêté. Bien entendu, le vin qui accompagne les fruits se choisit en fonction de la place de ces derniers dans le menu et de leur nature même. Si le repas s'ouvre sur des fruits, un vin blanc jeune, encore très fruité lui aussi, sera préféré à un vin plus vieux et complexe, dont la subtilité risquerait d'être dominée par la combinaison de sucre et d'acidité présente dans les fruits. Il faut également prendre en compte la teneur en sucre d'un plat principal accommodé aux fruits — un lapin braisé aux pruneaux, par exemple. Un vin rouge jeune, frais et fruité — un Saint-Joseph rouge des Côtes du Rhône ou un Bourgueil du Val de Loire — s'alliera mieux au goût sucré qu'un vin plus âgé ou d'une structure plus élaborée. Avec le fromage — qui marque par excellence le moment de la dégustation des meilleurs vins —, le choix des fruits se limitera aux pommes, aux poires et aux fruits gras, ces derniers formant un mariage particulièrement réussi aussi bien avec les fromages qu'avec les vins.

Pour couronner un repas, il suffit de verser un fond de vin rouge dans une coupe de fraises: si le vin est un peu passé, vous assisterez à l'une des plus extraordinaires métamorphoses qui puissent se produire sous les doubles auspices des fruits et du vin: la vigueur des fruits frais ranime le vin, et le vin exalte le parfum des fruits. Un autre miracle s'opère si l'on verse sur des baies un vin rouge jeune et fruité: les deux saveurs se font mutuellement valoir.

Les partenaires privilégiés des desserts aux fruits plus classiques sont, par exemple, un grand Sauternes ou un Tokay Aszu de Hongrie, deux vins faits de raisins partiellement desséchés par la «pourriture noble» du champignon *Botrytis cinerea*. Leur arôme capiteux se marie avec presque tous les fruits; mais l'alliance d'un bon Sauternes et d'un dessert à base de pommes offre un charme incomparable. En revanche, servir un vin avec un sorbet aux fruits risque de déprécier l'un et l'autre. La règle, en effet, veut que tout dessert aux fruits soit moins sucré et, de préférence, moins froid que le vin qui l'accompagne.

Les melons : fruits ou légumes

Par une chaude journée, une tranche de melon glacé désaltère autant qu'une boisson, ce qui n'a rien de surprenant puisque la chair du melon renferme près de 95 % d'eau. Ce fruit rafraîchissant, cultivé en Égypte depuis des millénaires, ne fit son apparition qu'au XVe siècle dans le nord de l'Europe, où il fut accueilli comme un produit rare. A l'heure actuelle, le melon est de plus en plus répandu.

La volumineuse pastèque, avec sa chair écarlate croquante et ses graines noires, diffère beaucoup des autres melons, que l'on peut classer en trois catégories : les melons brodés, les cantaloups et les melons d'hiver, qui mûrissent plus tard.

Les melons brodés, comme l'espèce Gallia (ci-dessous), se reconnaissent à leurs reliefs marqués. L'écorce des cantaloups peut être soit côtelée et irrégulière, soit lisse. Les deux principales variétés sont le Charentais, dont le Cavaillon, et l'Ogen (ci-dessous), souvent de taille assez réduite pour que l'on puisse servir un demi-melon par convive. Cantaloups et melons brodés ont une chair très parfumée, tantôt verte, tantôt orangée. Les melons d'hiver, tel le melon vert d'Espagne, se caractérisent par une chair pâle, au parfum moins prononcé. Comme ils mûrissent lentement, ils se gardent plus longtemps que les autres et, de ce fait, coûtent en général moins cher.

Pour choisir un bon melon, soupesez-en plusieurs dans la main et prenez le plus lourd. Les cantaloups et les melons brodés doivent être parfumés, à peine tendres à la base. Ils ne se lavent pas. Les graines, une fois grillées, seront servies à l'apéritif. L'écorce devient une coupe pour les salades ; celle, plus épaisse, des melons d'hiver et de la pastèque peut se confire ou entrer dans la préparation de conserves.

Pastèque

Melon brodé Gallia

Cantaloup Ogen

Melon d'Espagne

Cantaloup Charentais

Les fruits à pépins : une chair ferme

Parmi les fruits à pépins, la pomme est sans doute la plus répandue. L'ancêtre de la plupart des pommes que nous connaissons aujourd'hui fut probablement la minuscule pomme sauvage. Toutefois, l'homme l'a tellement améliorée par la culture au fil des siècles qu'il en existe actuellement plus de 3000 variétés à gros fruits parfumés.

Les pommes diffèrent par la couleur, le goût et la texture. Ainsi, la peau, verte et lustrée pour la Granny Smith, peut être striée de rouge, comme la Starking Delicious, mouchetée dans le cas de la Cox's Orange Pippin, ou brun-rouge, rêche, telle la Reinette. La chair est tantôt croquante ou cotonneuse, tantôt acidulée ou sucrée. La plupart conviennent pour la cuisson, qu'il s'agisse d'en faire des desserts ou des plats salés. Les variétés fermes, Reinette ou Cox, par exemple, ne s'écrasent pas une fois cuites. Prenez toujours des fruits sains, sans tache. Les plus fermes se gardent plusieurs semaines, enveloppées individuellement et étalées dans un endroit frais et aéré.

A la différence de la pomme, la nèfle se trouve plus difficilement dans le commerce. Cependant, le néflier croît à l'état sauvage dans toute l'Europe. Par la taille et la forme, la nèfle ressemble à une petite pomme, avec une peau brune, formant d'un côté un cratère bordé de calices. Contrairement aux autres fruits, elle se mange lorsque sa chair, blanche ou verte, vire au brun et commence à blettir, deux à trois semaines après la cueillette ou, mieux, après les premières gelées. Pour la savourer, prélevez-en la pulpe onctueuse à la cuillère, mélangez-la à du fromage blanc ou de la crème fraîche, ou faites-en des conserves ou une sauce pour accompagner viandes et gibier.

La bibasse, ou nèfle du Japon, se cultive abondamment dans le bassin méditerranéen. Ce fruit jaune, orange ou brun-rouge a une chair juteuse, un peu surette. Achetez-le ferme, bien coloré, à peine marbré. Les nèfles du Japon sont délicieuses crues ; cuites, elles relèvent les compotes. Bien qu'elles se gardent plusieurs jours au frais, utilisez-les dès que possible après l'achat.

La pomme sauvage et le coing, très différents l'un de l'autre, ont les mêmes

Granny Smith

Starking Delicious

Reinette

Cox's Orange Pippin

Nèfles

emplois culinaires. Trop âpres pour être mangés crus, ils sont parfaits pour les confitures, gelées et autres conserves, parce que très riches en pectine. Choisissez des pommes sauvages de couleur vive, non ridées. Le coing, aromatique, excellent lorsque sa peau est dure, duveteuse et dorée, s'apprête aussi en compote ou au four. Sa pulpe au goût franc, un peu acide, vire du jaune au rose à la cuisson. On l'utilise souvent en petites quantités pour parfumer d'autres fruits cuits: quelques tranches, par exemple, réparties dans une tarte aux pommes ou aux poires, rehaussent merveilleusement la saveur du dessert. Pommes sauvages et

coings se conservent de la même façon que les pommes fermes.

La poire, qui rivalise de popularité avec la pomme, apparaît moins longtemps sur les étalages; malgré sa peau résistante, sa chair se tale aisément. Achetez-les et utilisez-les juste mûres. Une poire est bonne à manger lorsque la chair cède légèrement sous le pouce près de la queue et qu'elle exhale son arôme. A maturité, ce fruit se garde une semaine environ dans un endroit frais.

Comme les pommes, les poires ont été cultivées de façon extensive, d'où l'existence d'innombrables variétés. Seules quelques-unes sont vendues dans le commerce. Les

meilleures ont été mises au point il y a peu de temps: la Doyenné du Comice, par exemple, n'est apparue qu'en 1849. Elles diffèrent beaucoup les unes des autres, depuis la Conférence, pointue, à peau vert foncé mouchetée de roux et à chair rose ivoire, jusqu'à la Comice, grosse, ovale, jaune pâle, à pulpe jaune. La William, de la même couleur que la Comice, se resserre à mi-hauteur; la Beurré Hardy a une forme ronde, une peau rêche, vert bronze, et une chair rosée. Dans bien des recettes, les poires peuvent remplacer les pommes. Pour la cuisson, préférez-les un peu fermes.

Doyenné du Comice

Beurré Hardy

William

Conférence

Coings

Bibasses ou nèfles du Japon

Pommes sauvages

9

Les fruits à noyau : de la mangue à la cerise

Hormis la mangue, fruit tropical, et la datte, surtout cultivée au Moyen-Orient, les fruits à noyau prospèrent dans les régions tempérées du monde entier. On en dénombre certes divers hybrides et variétés, mais tous ont une chair pulpeuse et une peau fine. Comme ils sont tendres à maturité, manipulez-les avec soin et utilisez-les le jour de l'achat ou de la cueillette. Toutefois, ils se gardent une semaine environ au frais.

La pêche et la nectarine, ou brugnon, sont deux espèces très voisines, à cette différence près que la première a une peau duvetée et que la seconde est lisse, comme la prune, et généralement plus sucrée que

la pêche. L'une et l'autre ont une chair juteuse, blanche, jaune orangé ou rouge. Selon que la pulpe adhère plus ou moins au noyau, on parle de fruits à noyau adhérent ou détaché : tel est le cas des pêches blanches et des nectarines, excellentes crues, parce que très parfumées. Toutes les variétés peuvent se manger crues, pochées, en compote ou en tarte.

Comme la pêche, l'abricot a une chair pâle ou orangée, avec un noyau plus ou moins adhérent. A maturité, sa peau est jaune orangé. Avec son parfum ensoleillé, il intervient aussi bien dans les plats sucrés que salés, et se marie parfaitement avec l'agneau et le porc.

Les cerises se divisent en trois variétés :

douces, acides et aigres-douces. Ces dernières, ou cerises anglaises, sont des hybrides comme la Royale, à peau rouge ou noire. Les cerises de table douces, à fruits pourpres, noirs ou rosés, peuvent être croquantes comme les bigarreaux Burlat ou Reverchon, ou charnues et tendres, telles les guignes. Parmi les cerises acides, les plus courantes sont la Montmorency, la Griotte et la Morello, qui se prêtent uniquement à la cuisson, pour la confection de plats sucrés ou salés, et de conserves. Les deux autres catégories se mangent crues ou cuites. Dans tous les cas, préférez les fruits fermes.

La prune, dont on compte maintes varié-

Pêche blanche

Pêche jaune

Brugnon ou nectarine

Abricot

Dattes

Mangue

tés, est un autre fruit à noyau. La prune de Damas, petit fruit bleu noir à peau dure, trop acide pour être mangée crue, est excellente en confitures et en conserves. La Victoria, variété oblongue à peau jaune ou rouge et à chair juteuse, sucrée, ainsi que la quetsche, à peau bleue, figurent parmi les plus connues. La reine-claude, caractérisée par une peau et une pulpe vert-jaune, plus petite et plus tendre que les autres variétés, est aussi plus parfumée. De la grosseur d'une bille, la mirabelle, fondante et odorante, se reconnaît à sa couleur jaune d'or. Les prunes, délicieuses crues, s'apprêtent également en tarte ou en compote, et peu-

vent agrémenter des plats de viande. Les prunes fermes, ainsi que la plupart des variétés à peau bleutée, sont excellentes conservées au naturel. Achetez toujours des fruits sains et bien colorés.

Il existe des dattes à chair molle, demi-sèches et sèches, les premières étant de loin les plus savoureuses lorsqu'elles sont fraîches, charnues et dorées, ou rouge sombre avec une peau lisse et brillante. Leur chair onctueuse, très nutritive, s'accorde bien avec les autres fruits, frais ou secs. Elles sont délicieuses fourrées de fromage blanc, ou dans des plats cuits à base de viande. Les dattes demi-sèches, souvent

vendues dans des boîtes allongées, s'utilisent de la même façon; les dattes sèches sont rares sur les marchés européens.

La mangue, le plus gros des fruits à noyau, peut peser de 150 g à 1 kg. Elle est tantôt ovale, pourvue d'une protubérance à une extrémité, tantôt en forme de croissant. A maturité, sa robe lisse prend une coloration verte, jaune, orange ou rouge, et réunit parfois toutes ces teintes. Pour bien l'apprécier, savourez ce fruit lorsque sa chair orange pâle est sucrée. La mangue mûre est exquise dans des salades de fruits, des mousses et des glaces; verte, elle entre dans la préparation de *chutneys* et de condiments.

Cerises anglaises

Prunes de Damas

Santa Rosa

Victoria

Quetsche

Cerises blanches

Bigarreaux Burlat

Reines-claudes

Mirabelles

Griottes

Les fruits charnus et les baies

La famille des petits fruits à chair tendre englobe, entre autres, les groseilles, le raisin, les fraises, les framboises et diverses baies. Hormis le raisin, les airelles et les coquerets, il faut utiliser ces fruits dans les deux jours qui suivent l'achat ou la cueillette. Étalez-les sur des plateaux, en veillant à ce qu'ils ne se touchent pas, et rangez-les dans un endroit frais et aéré. La plupart des fruits charnus, surtout la fraise, évoquent l'été. La fraise de culture, rouge vif, juteuse et sucrée, au parfum incomparable, n'est apparue qu'en 1821 à la faveur d'un croisement fortuit entre deux espèces sauvages américaines. La fraise des bois,

plus petite, est également plus odorante.

Framboises, mûres et baies de Logan sont des espèces botaniques voisines. La framboise veloutée, la plus parfumée et la plus sucrée, se mange généralement crue. Toutefois, son jus limpide rehausse maints desserts par sa saveur et sa couleur. Le mûron, ou mûre sauvage, fruit de la ronce, pousse à l'état sauvage dans toute l'Europe septentrionale; les variétés cultivées, plus grosses et plus sucrées, sont meilleures pour les desserts. Elles se mangent crues, ou cuites avec d'autres fruits, en tarte et en compote. Quant à la baie de Logan, il s'agirait d'un hybride de framboise et de

mûre sauvage, d'où son autre nom de ronce-framboise. Plus acide que la framboise, ce fruit oblong est délicieux cru et remplace les mûres dans n'importe quelle préparation.

Succulente et fondante, gorgée d'un jus violet qui laisse des taches tenaces, la mûre produite par le mûrier ne se vend pas couramment dans le commerce. Avec sa saveur acidulée, elle est aussi bonne crue que cuite, et s'apprête comme la mûre sauvage de la ronce.

Les airelles, dont on tire une sauce condimentée pour la volaille et le gibier, sont trop amères pour être consommées crues. On en fait d'excellentes tartes. Afin que la peau ne

Airelles

Coquerets ou alkékenges

Mûres sauvages ou mûrons

Myrtilles

Groseilles à maquereau rouges

Groseilles à maquereau blanches

Mûres

Fraises

Framboises

Fraises des bois

Baies de logan ou ronces-framboises

durcisse pas, sucrez-les après la cuisson avec du sucre ou du miel. Comme elles ont une peau cireuse, elles restent fraîches plus longtemps que la plupart des petits fruits: une semaine environ au réfrigérateur. La myrtille, plus sucrée, peut se cuire de la même façon, ou se manger crue.

Les groseilles rouges et blanches, délicatement parfumées, ont une peau brillante, translucide. On les utilise souvent givrées, c'est-à-dire enrobées de blanc d'œuf et de sucre, ou pour décorer crèmes et gelées. Le cassis, ou groseille noire, consommé cru, a un arôme piquant qui déplaît à certains palais. On le cuit pour confectionner des confitures, des sauces et des plats sucrés ou salés, qu'il colore et parfume.

Les groseilles à maquereau varient considérablement par la grosseur et l'aspect. Leur peau, tantôt lisse, tantôt duveteuse, va du vert pâle au rouge foncé. Pour la cuisson, préférez celles qui ne sont pas encore arrivées à maturité complète, plus acides: faites-en une tarte ou réduisez-les en purée pour obtenir une sauce aigre-douce, parfaite avec les poissons gras. Le coqueret, ou alkékenge, appartient à la famille de la tomate. Ce fruit brillant, jaune orangé, est logé dans un calice parcheminé, non comestible; doté d'une saveur à la fois douce et astringente, il se marie bien avec d'autres fruits, soit cru, soit cuit. Dans son calice, il se garde plusieurs semaines au frais.

Le raisin de table se divise en deux variétés: l'une noire, qui varie du rouge au noir bleuté, poudré de blanc, l'autre blanche, à grains verts, dorés ou ambrés. Parmi les variétés les plus consommées, on compte le Muscat de Hambourg, noir, le Muscat d'Alexandrie, blanc, le Chasselas doré, au parfum musqué, et l'«Alphonse Lavallée», à grains noirs. Le raisin frais, contrairement aux autres fruits charnus, se conserve bien: deux mois au réfrigérateur, si les grains ne sont pas humides.

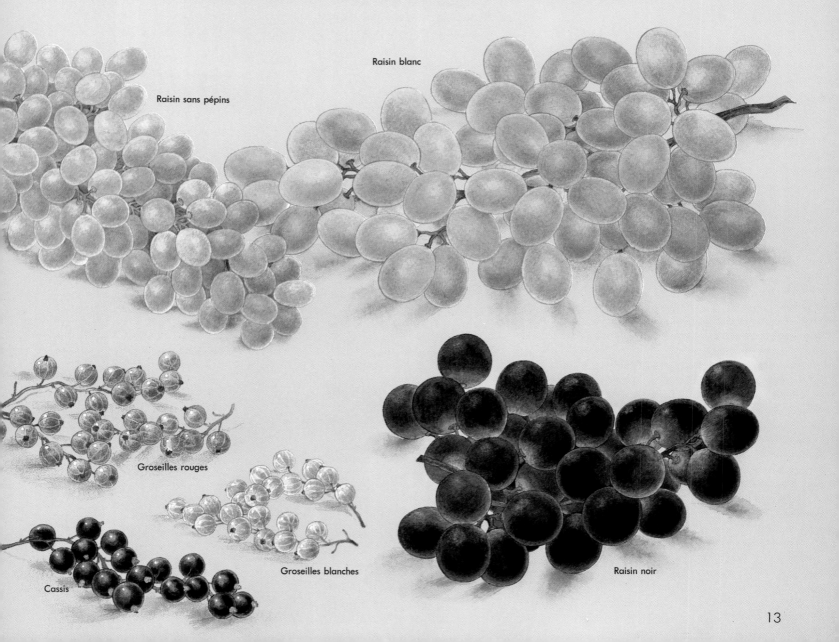

Raisin blanc

Raisin sans pépins

Groseilles rouges

Groseilles blanches

Cassis

Raisin noir

Les agrumes : du jus acide ou sucré

Les agrumes couvrent toute une gamme de saveurs, des plus acides aux plus sucrées. A partir des quelques espèces initiales cultivées et croisées au cours des siècles, on a réussi à en produire de multiples variétés et hybrides ; ceux illustrés ci-dessous n'en représentent nécessairement qu'une sélection. Hormis les citrons, qui se gardent un mois, les agrumes mûrs doivent être utilisés dans les jours qui suivent l'achat. Rangez-les dans un endroit frais et aéré.

Oranges, mandarines et kumquats sont tous originaires de Chine. Les premières oranges arrivées en Europe étaient amères, comme l'actuelle bigarade, dont on fait des

confitures et rehausse plats de viande et gibier. En Europe, les oranges douces gagnèrent la faveur du public aux XVIe et XVIIe siècles. De nos jours, on les cultive intensivement sur le pourtour du bassin méditerranéen, en Afrique et également aux États-Unis. Parmi les plus répandues, citons les oranges ovoïdes, comme la Jaffa Shamouti, les variétés juteuses, à peau adhérente, telles la Valence ou la Navel, aux quartiers bien divisés et charnus, que l'on reconnaît à l'embryon d'orange logé d'un côté. Les oranges sanguines ont une peau et une pulpe rouges, ou veinées de rouge, et une saveur aigre-douce.

Choisissez des oranges fermes, légèrement luisantes et, comme pour n'importe

quel agrume, évitez les fruits décolorés meurtris ou mous et desséchés par endroit Très sucrée et acide, l'orange, savouré crue, est des plus rafraîchissantes ; la chai le zeste et le jus offrent maintes possibilité au cordon-bleu.

Presque aussi utile que la pulpe qu renferme, le zeste d'orange, finement râp parfume bien des plats ; l'écorce, détaillée e julienne, sert de garniture ou, séchée e rubans, s'ajoute aux bouquets garnis.

La satsuma et la clémentine sont deu variétés de mandarine, fruit à peau adhé rente, semblable par la saveur et l'aspect une petite orange douce. La clémentine

Pamplemousse ou pomélo

Tangelo

Pamplemousses à chair rose

Kumquats

une peau rouge orangé et une chair juteuse; la satsuma, de couleur plus claire, est souvent moins parfumée.

Les kumquats ressemblent à de minuscules oranges blondes, à l'écorce mince et tendre. Ils se distinguent des autres agrumes en ce sens qu'ils se mangent entiers: la saveur sucrée de l'écorce compense l'acidité de la chair. On les cuit souvent dans des plats sucrés ou aigres-doux.

Le jus des agrumes peut être plus ou moins sucré, ou plus ou moins acide. Toutefois, le sucre prédomine dans la plupart d'entre eux. Les citrons, jaunes et verts, sont les plus acides, notamment en raison de leur forte teneur en acide citrique, ce qui empêche certains palais de les apprécier

crus. En revanche, ils sont irremplaçables pour la cuisine. L'un et l'autre relèvent la saveur des autres fruits; le citron vert, beaucoup moins juteux, est nettement plus fort et doit donc être utilisé avec parcimonie.

Le citron jaune, plus doux et plus fréquent sur les marchés, est le plus précieux des deux. Son jus confère une note acidulée à toutes sortes de sauces; le zeste odorant de ce fruit sert aussi bien à parfumer qu'à décorer les préparations. L'acidité du jus de citron empêche la chair de certains fruits, pommes ou poires, par exemple, de noircir au contact de l'air. Il existe de nombreuses variétés de citron jaune: seule

la texture de l'écorce diffère. Les citrons à peau lisse, qui paraissent lourds pour leur taille, sont plus juteux que ceux pourvus d'une écorce rugueuse.

Le pamplemousse, ou pomélo, dernier né de la famille des agrumes, fut commercialisé pour la première fois dans les années 1880. Sa pulpe et son écorce épaisse peuvent être jaunes ou teintées de rose; le pamplemousse rose est plus sucré, mais moins parfumé que l'autre. En entrée, on présente souvent un demi-pamplemousse saupoudré de sucre et arrosé de liqueur; on peut également le passer au four pour que le sucre gratine.

Le tangelo, à peau irrégulière, hybride du pamplemousse et de la mandarine, remplace le pomélo dans de nombreux plats.

Navel

Valence

Citron vert

Citron jaune

Jaffa

Clémentine

Bigarade

Oranges sanguines

Satsumas

Les fruits à graines : une chair tendre

Les fruits pulpeux qui contiennent beaucoup de graines, qu'il s'agisse de la banane crémeuse ou du somptueux kaki, se prêtent à la préparation des mousses, crèmes glacées, sorbets et gelées. Pour certains, dont la papaye, les graines sont amassées au centre du fruit ; pour d'autres, telle la goyave, elles parsèment la chair. Jadis, la banane renfermait des graines foncées et amères. Lorsqu'elle apparut sur les marchés occidentaux, à la fin du XIXe siècle, on avait pratiquement réussi à les éliminer grâce à des croisements sélectifs.

Si vous voulez les manger crus, tous les fruits illustrés ici sont meilleurs mûrs. Utilisez-les dès que possible après l'achat. Toutefois, ils se gardent une semaine environ dans un endroit frais et humide.

Le plus gros des fruits à graines, la papaye, ressemble à un melon oblong. La pulpe rose ou orangée du fruit mûr s'apparente aussi à celle du melon par le goût, et peut s'apprêter de la même façon, entre autres, avec du jambon. Les papayes vertes, à demi-mûres, farcies et cuites au four, donnent un plat salé ; la chair entre dans la préparation de soupes et du curry. Le jus fait une excellente marinade : comme les

feuilles de l'arbre, il contient un enzyme qu attendrit la viande.

Le kiwi, qui doit son nom à l'oisea emblème de la Nouvelle-Zélande, son princ pal centre de culture, est également appel groseille de Chine, en raison de son lie d'origine et de sa peau duvetée. On le mang souvent sans le peler, en prélevant à l cuillère la pulpe vert vif incrustée de minu cules graines noires comestibles. La cha émincée, très décorative avec sa rosace d graines, sert à garnir les desserts.

Dans le kaki « Sharon » d'Israël, l'une de nombreuses variétés de ce fruit, les graine sont disposées en étoile. C'est le seul qui s

Papaye

Figues de barbarie

Kiwis

Chérimoles

Kakis

ange ferme. Pour les autres variétés, il ut attendre que la peau rouge orangé evienne transparente et que la chair resemble à de la marmelade. Les kakis, mûrs point, se savourent à la cuillère dans la eau, agrémentés de crème fraîche. Ils sont galement exquis en compote ou en tarte.

La chérimole appartient, comme le coros l, à la famille de l'anone, fruit exotique à ulpe crémeuse et molle. En forme de cœur, ecouverte d'une peau lisse, bosselée ou quameuse, la chérimole a une saveur qui appelle celle de l'ananas. Malgré l'appa ence, la peau est fragile : manipulez le fruit vec soin. La chair blanche, sucrée, se ange à la cuillère. On peut aussi la presser u tamis et l'utiliser telle quelle en crème.

De même que la groseille de Chine n'a rien à voir avec la groseille, de même la figue de Barbarie n'a rien de commun avec la figue. Il s'agit du fruit comestible d'un cactus. Sa peau est hérissée de poils, pareils à des piquants. Il faut manier le fruit délica tement jusqu'à ce qu'on l'ait pelé. Une fois coupée en tranches, la chair sucrée et juteuse est délicieuse crue, rehaussée d'un filet de jus de citron, jaune ou vert. Elle s'apprête aussi en compote et en purée.

La vraie figue est l'un des premiers fruits à avoir été cultivés. Il en existe 700 variétés connues environ, les plus répandues étant les blanches et les violettes. On trouve aussi des spécimens à peau verte, blonde, rouge ou marron. La couleur et la saveur de la pulpe varient selon l'espèce. Excellentes fraîches, gorgées de soleil, les figues peu

vent également se confire ou s'utiliser dans des gâteaux et des poudings.

La goyave, très aromatique, a une chair molle, granuleuse, et une peau soit lisse, soit cannelée, blanche, jaune, verte, rouge ou violette. On la mange crue, en compote ou en purée, ou encore coupée en deux, garnie d'une farce sucrée ou condimentée.

La banane devient très parfumée lorsque sa peau se marbre de taches brunes. Pour la cuisson, toutefois, prenez des bananes un peu fermes, uniformément jaunes. On ajoute souvent ce fruit aux plat salés, notamment pour tempérer le goût épicé d'un curry. La banane est exquise en dessert, flambée au rhum ou au kirsch, et servie avec de la cassonade et de la crème fraîche.

Figues violettes

Bananes

Goyaves

Les inclassables

Alors que l'on peut regrouper la plupart des fruits d'après leurs caractéristiques communes, quelques-uns défient toute classification. Les litchis ont une graine centrale, comme les fruits à noyau, mais une coque rugueuse les recouvre. Les fruits de la passion et les grenades sont remplis de graines, dont chacune est enveloppée d'une poche de pulpe juteuse. L'ananas est formé de plusieurs fruits puisqu'il résulte de la fusion de cent fleurs distinctes environ. La rhubarbe n'est pas un fruit à proprement parler: il s'agit d'un pétiole comestible.

A mesure que l'ananas mûrit, sa chair devient très parfumée. Pour le choisir, tapez-le à la base: un bruit sourd est un signe de maturité. Il se conserve de 2 à 3 jours au réfrigérateur. Avec sa saveur acidulée, il accompagne à merveille les plats riches, comme le jambon glacé. Le fruit cru renferme un enzyme qui décompose la gélatine: si vous l'utilisez dans une recette qui en contient, faites-le cuire auparavant.

A maturité, le fruit de la passion a une écorce alvéolée, de couleur brune nuancée de violet. Son délicieux parfum rehausse boissons et desserts froids. Les litchis, excellents lorsque leur coque est rouge foncé, légèrement ridée, s'ajoutent crus des salades, ou se servent froids, poché dans du sirop. La grenade, pour être su culente, doit avoir une peau ferme et colorée Les graines roses et translucides du frui garnissent les plats sucrés ou salés; le ju parfume soupes et gelées. Tous ces fruits s gardent un mois ou davantage au frais. Le pétioles de la rhubarbe sont délicieux e compote, agrémentés de cassonade et d'épi ces, ou en tarte. La rhubarbe crue émincé donne une note acidulée aux macédoines Elle se conserve deux semaines au frais

Ananas

Fruits de la passion

Litchis

Rhubarbe

Grenades

Les fruits gras

Les fruits gras tels les noisettes se composent d'une seule graine, ou amande, logée dans une coque plus ou moins dure qu'il faut briser pour les ouvrir. La plupart, décortiqués ou non, se gardent plusieurs mois au frais rangés dans une boîte hermétique. À maturité, l'amande de ces fruits est riche en huile et se dessèche avec l'âge. N'achetez pas des fruits qui semblent légers ou qui bougent dans la coque.

On inclut souvent la noix de coco dans la famille des fruits gras. Pour la choisir, vérifiez que la coque n'est pas fendue, et secouez-la pour vous assurer qu'elle contient du liquide. Une fois râpée, la chair sucrée de ce fruit devient un ingrédient aromatique et une garniture appréciés; quant au lait de coco, on l'ajoute à des boissons.

Les noix, excellentes lorsque leur coque est lustrée, sont aussi bonnes crues, dans des salades, que cuites, dans des sauces et des farces. La noix du Brésil et la noisette ont un usage précieux en pâtisserie et en confiserie. Il en va de même de l'amande douce, très utilisée en poudre pour confectionner des pâtes ou fourrer des fruits. En général, on distille les amandes amères afin d'en tirer une essence dont on parfume gâteaux et sauce. La noix de pécan, apparentée à la noix, entre dans la préparation des tartes et gâteaux.

Le marron agrémente à la fois les plats sucrés et salés. Sa pulpe farineuse, cuite et réduite en purée, agrémente desserts et farces; on peut aussi le cuire à l'eau ou le faire griller, ou encore le confire dans un sirop de sucre. Au frais, il se garde deux semaines dans une boîte hermétique.

Pignons, pistaches, noix de cajou et cacahuètes, une fois pilés, servent de base à des sauces; grillés et salés, ils deviennent des amuse-gueule. Conservez-les de la même façon que les marrons.

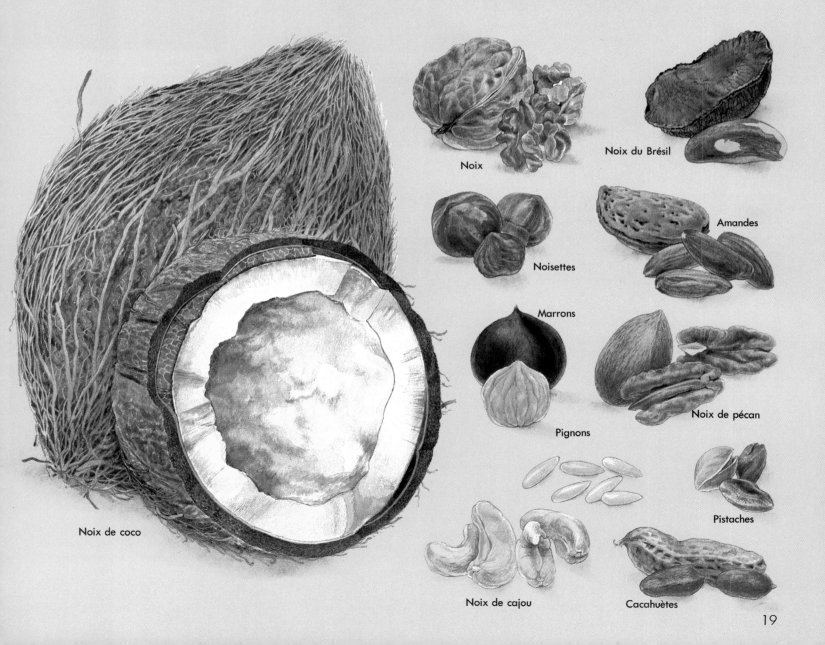

Noix

Noix du Brésil

Noisettes

Amandes

Marrons

Pignons

Noix de pécan

Noix de coco

Noix de cajou

Pistaches

Cacahuètes

A chaque fruit sa préparation

Les fruits frais n'exigent guère de préparation préliminaire. Une fois lavés ou épluchés, puis débarrassés de la queue, dénoyautés ou évidés, ils sont prêts à l'emploi. Pour en préserver l'aspect, et par souci d'économie, faites en sorte de les parer sans en entamer ni abîmer la précieuse chair. Le moyen le plus efficace d'y parvenir diffère d'un fruit à l'autre, ainsi que les illustrations ci-contre et page 22 le montrent.

Pour enlever la peau dure des fruits fermes comme les pommes ou les papayes vertes, certains utilisent un petit couteau pointu, d'autres préfèrent un couteau économe. La peau fine, étroitement collée à la chair, des pêches, brugnons, prunes et abricots peut, selon le degré de maturité du fruit, être attendrie à l'eau bouillante avant toute autre opération. Quelques fruits, dont les fruits de la passion, les goyaves et les nèfles, sont si tendres et si pulpeux qu'il est pratiquement impossible de les éplucher; la meilleure façon de les savourer consiste à les couper en deux et à en prélever la chair avec une cuillère.

Lorsqu'il s'agit de retirer le cœur, le noyau ou les pépins d'un fruit sans en abîmer la chair, un vide-pommes — que l'on peut également utiliser pour les poires ou les coings — et un dénoyauteur pour les cerises vous faciliteront la tâche. Vous pouvez aussi épépiner des grains de raisin sans les fendre, en introduisant le bout d'un petit couteau pointu du côté du pédoncule. Dans le cas de gros grains de raisin, coupez-les en deux avant de les épépiner.

Pour toutes ces opérations, il est préférable de prendre des ustensiles en acier inoxydable. En effet, les autres métaux réagissent chimiquement avec l'acide des fruits, ce qui en dénature la saveur et les fait noircir. Il arrive aussi que les fruits noircissent au contact de l'air: pommes, pêches et bananes, par exemple, car ils contiennent du tanin. Dès que vous les aurez pelés, frottez-les avec un demi-citron, passez-les dans du jus de citron ou mettez-les dans de l'eau acidulée, toujours avec du jus de citron. Toutefois, comme tous les fruits frais sont fragiles une fois coupés ou épluchés, mieux vaut encore les préparer au dernier moment.

Papaye

Éplucher le fruit. Pour éplucher des fruits fermes comme les pommes, les poires ou la papaye verte présentée ici, tenez bien le fruit d'une main et, avec un couteau économe ou un petit couteau à éplucher, retirez la peau par lanières, en travaillant vers vous.

Mangue

Tirer la peau. Pour préparer, sans la meurtrir, une mangue ou une papaye mûre, tenez-la délicatement dans votre paume, ou piquez-la sur les dents d'une fourchette. Avec un couteau, incisez la peau dans le sens de la longueur, pour la diviser en quatre. Prenez chaque morceau entre votre pouce et la lame, et tirez.

Fraises

Enlever les queues. Mettez les fraises dans une passoire; rincez-les rapidement à l'eau froide. Avec la pointe d'un couteau ou les doigts, retirez la couronne de feuilles; le cœur blanc, fibreux, viendra en même temps. S'il s'agit de fruits peu mûrs, il faut tordre le pédoncule pour détacher le cœur.

Groseilles

Égrener les fruits. Tenez une grappe de groseilles, ici des groseilles rouges, au-dessus d'une assiette. Placez les dents d'une fourchette en haut de la grappe. Tirez doucement sur la tige, vers le haut (ci-dessus): les groseilles se détacheront intactes et saines.

Figue de barbarie

Détacher la peau. Afin de ne pas vous piquer avec les épines, maintenez le fruit avec une fourchette et coupez-en le haut et la base avec un couteau tranchant. Pour l'éplucher, incisez-le sur la longueur, d'un côté. Tenez-le avec la fourchette, décollez la peau avec le couteau et détachez-la.

Brugnon

Blanchir le fruit. Pour décoller la peau des prunes, des pêches ou, comme ici, des brugnons, plongez-les dans de l'eau bouillante quelques secondes ; égouttez-les, puis couvrez-les d'eau froide. Avec un couteau, incisez le fruit, côté tige, pour détacher la peau de la chair, puis pelez-le par lambeaux.

Kiwi

Retirer l'écorce. Avec un couteau pointu, coupez les deux extrémités du fruit. Avec l'ongle ou la pointe du couteau, fendez l'écorce brune et enlevez-la en longues lanières. Procédez de la même façon pour retirer la coque rouge foncée des litchis.

Rhubarbe

Retirer les fibres. Coupez les feuilles et le bout de la tige appelé pétiole ; jetez-les. En partant d'une extrémité, prenez la membrane extérieure dure entre le pouce et la lame d'un couteau et retirez-la par lambeaux.

Ananas

1 **Raser le fruit.** Avec un couteau tranchant, coupez le haut de l'ananas. sectionnez la base afin qu'il repose debout sur le plan de travail. Enfoncez une fourchette en haut du fruit pour le tenir. Avec le couteau, enlevez l'écorce par bandes verticales, puis les « yeux » incrustés dans la chair.

2 **Évider et détailler.** Avec le couteau, partagez le fruit en deux, d'un côté du cœur, dans le sens de la hauteur. Dans la moitié d'ananas où se trouve le cœur, faites une seconde coupe verticale, d'un côté du cœur. Retirez le cœur et réservez-le pour parfumer. Détaillez la chair en morceaux égaux.

Vide-pommes

Évider les pommes. Dans un saladier, mettez de l'eau acidulée avec du jus de citron. Avec un couteau à éplucher, ou un couteau économe, pelez une pomme. Pour l'évider, tenez-la d'une main et introduisez un vide-pommes dans le fruit, de la tige vers la base; retirez le cœur et jetez-le. Mettez la pomme dans l'eau acidulée.

Dénoyauteur

Dénoyauter les cerises. Mettez-les dans une passoire; rincez-les à l'eau froide. En les équeutant au fur et à mesure, placez-les une à une sur la lame d'un dénoyauteur. Rabattez la branche supérieure de l'ustensile: la tige en métal poussera le noyau, qui sortira de l'autre côté.

Cuillère à melon

Enlever les graines. Pour retirer les graines d'un melon ou d'une papaye, coupez le fruit en deux, ici un melon cantaloup à chair verte. Avec une cuillère en métal, prélevez l'amas de graines ainsi que la membrane pulpeuse de chaque demi-melon.

Couteau-scie

Dégager les quartiers. Avec un couteau tranchant, coupez le pamplemousse en deux, cernez le cœur blanc et retirez-le. Avec un couteau-scie à lame incurvée, tranchez la membrane qui sépare chaque quartier. Passez la lame autour du pamplemousse afin de dégager complètement les quartiers.

Couteau pointu

Extraire le noyau. Pour dénoyauter des fruits comme les pêches, les prunes, les brugnons ou, comme ici, des abricots, fendez-les le long du sillon central avec un couteau pointu et séparez délicatement les deux moitiés du fruit. Avec la pointe du couteau, dégagez le noyau *(ci-dessus)*.

Petite cuillère

Prélever la chair. Avec un petit couteau pointu, coupez le haut d'un fruit de la passion. A l'aide d'une petite cuillère, prélevez la chair et les graines comestibles et mettez-les dans une assiette *(ci-dessus)*. Jetez l'écorce.

Quatre moyens de réduire les fruits en purée

Les fruits dont on réduit la chair en purée, soit en la broyant, soit en la passant au tamis, donnent des sauces ou des coulis, mais interviennent aussi dans toutes sortes de plats condimentés et de desserts, depuis les soupes jusqu'aux sorbets.

Pour obtenir une purée de fruits, on peut utiliser, selon la variété, une passoire, un tamis, un moulin à légumes ou un mixeur. Les fruits charnus entiers, cassis ou framboises, par exemple, de même que les fruits tendres pelés, comme les fruits de la passion et les bananes, s'écrasent crus. Leur chair est si fondante qu'il suffit tout au plus de la presser avec un pilon dans une passoire en nylon, dans laquelle on recueillera les peaux et les graines *(ci-contre)*.

L'ananas, plus croquant, qui se réduit en purée cru, exige toutefois un traitement plus vigoureux: il vaut mieux employer un mixeur ou un robot ménager *(extrême droite)*. Pour affiner la purée, passez-la au moulin à légumes ou au tamis.

Bien des fruits, soit trop fermes, soit trop fibreux, ne s'écrasent qu'après la cuisson. Ainsi, vous ferez pocher brièvement les pommes, les poires, les coings et la rhubarbe, que vous aurez éventuellement taillés ou coupés en deux. Ils rendront du jus en cuisant, et il vous faudra simplement les additionner d'une cuillerée d'eau ou d'un morceau de beurre pour qu'ils n'attachent pas. Vous pouvez les sucrer à volonté, tout en les parfumant avec un bâton de cannelle, des clous de girofle, ou tout autre aromate propre à en rehausser la saveur.

Après la cuisson, jetez le liquide recueilli dans la casserole ou, selon le goût, réservez-le pour allonger la purée. Dès qu'ils sont tendres, pommes, poires et coings se réduisent sans peine en purée à l'aide d'un tamis ou d'un moulin à légumes. La rhubarbe filandreuse se broie plus aisément avec un moulin à légumes muni de la grille moyenne *(extrême droite)*. Les lames, en pressant la chair au travers de la grille en métal, brisent les fibres de sorte que l'on obtient une purée parfaitement homogène.

La passoire en nylon

Presser les framboises. Triez des fruits charnus, ici des framboises. S'il s'agit de fraises ou de groseilles à maquereau, équeutez-les ou retirez les feuilles. Mettez-les, par petites quantités, dans une passoire en nylon posée sur une terrine. Avec un pilon en bois, pressez la pulpe afin de la réduire en purée.

Le robot ménager

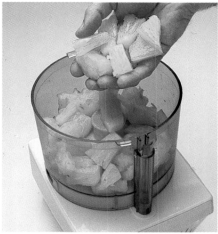

Broyer l'ananas. Rasez un ananas et enlevez le cœur fibreux *(page 21)*; coupez la chair en morceaux égaux. Mettez-les dans un robot ménager, comme ici, ou un mixeur, par petites quantités. Broyez-les en faisant marcher l'appareil de façon discontinue, jusqu'à obtention d'une purée lisse.

Le tamis

Presser les pommes. Pelez des pommes et évidez-les *(page 22)*; émincez-les. Mettez-les dans une casserole avec du beurre ou une cuillerée d'eau. Faites-les cuire. Égouttez-les. Pour une purée lisse, pressez-les à travers un tamis fin. Pour une purée plus grossière, prenez un moulin à légumes.

Le moulin à légumes

Passer la rhubarbe. Parez la rhubarbe *(page 21)*; coupez-la en tronçons de 5 cm. Mettez-la dans une casserole avec la moitié de son poids de sucre et du beurre. A feu doux, faites-la cuire à couvert de 20 à 30 minutes. Égouttez-la. Passez-la au moulin à légumes muni de la grille moyenne.

Trois crèmes passe-partout

Les crèmes présentées ici, très utiles pour apprêter les fruits, s'obtiennent toutes en mélangeant intimement à feu doux des jaunes d'œufs, du sucre et du lait.

La crème anglaise *(ci-contre en haut; recette page 159)* agrémente couramment tourtes et poudings aux fruits. On la prépare en ajoutant du lait, chauffé jusqu'au seuil de l'ébullition, à des jaunes d'œufs sucrés, et en cuisant doucement le mélange jusqu'à ce qu'il ait la consistance désirée. L'emploi de lait chaud permet de réduire le temps de cuisson de la crème: comme elle contient des jaunes d'œufs, elle doit cuire à feu très doux pour ne pas tourner.

En ajoutant au lait davantage de jaunes d'œufs et de sucre, et en faisant prendre la crème dans une sorbetière, on obtient une crème glacée *(recette page 159)*, délicieuse avec les fruits crus ou cuits.

Le bavarois *(ci-contre en bas; recette page 160)*, crème anglaise liée et solidifiée à la gélatine, enrichie de crème fouettée et moulée, se sert avec des coulis de fruits, et des fruits crus ou pochés. Comme la gélatine prend rapidement en refroidissant, il faut opérer au bon moment pour que le bavarois soit onctueux.

Préparez d'abord une crème anglaise, et réservez-la au chaud pendant que vous fouettez la crème fraîche. Faites dissoudre de la gélatine, en granulés ou en feuilles, puis incorporez-la à la crème chaude. S'il s'agit de gélatine en feuilles, mettez-la à tremper dans de l'eau froide de 15 à 30 minutes et faites-la dissoudre dans de l'eau à feu doux. Après l'avoir mélangée à la crème, remuez l'appareil sur de la glace jusqu'à ce qu'il commence à se gélifier: dès qu'il a la même consistance que la crème fouettée, ajoutez-la. Versez le bavarois dans un moule et laissez-le prendre au frais.

La crème pâtissière *(page de droite, en bas; recette page 159)* est aussi une crème liée mais, cette fois, à la farine. Après la cuisson, on peut l'enrichir de blancs d'œufs battus en neige ferme ou de crème fouettée. Nature ou parfumée avec des fruits, des écorces confites ou des noix hachés, ou de la liqueur, elle sert à fourrer les desserts et les pâtisseries aux fruits.

La crème anglaise

1 **Fouetter les jaunes et le sucre.** Séparez des œufs et réservez les blancs pour un autre usage. Dans une terrine, fouettez les jaunes avec du sucre; comptez 15 g de sucre environ par jaune. Au bout de 10 minutes, le mélange doit être crémeux et presque blanc. Fouettez-le jusqu'au ruban *(ci-dessus)*.

2 **Verser le lait.** A feu moyen, faites frémir du lait avec une gousse de vanille. Ôtez-la et versez lentement le lait chaud sur les jaunes sucrés, en fouettant constamment mais doucement.

Le bavarois

1 **Lier à la gélatine.** Faites une crème anglaise *(opérations 1 à 4, ci-dessus)*, passez-la et mettez-la au bain-marie. Fouettez de la crème fraîche épaisse en neige molle. Faites gonfler des granulés de gélatine dans de l'eau chaude. Ôtez la crème du bain-marie et incorporez-y la gélatine.

2 **Enrichir de crème fouettée.** Remuez la crème pour dissoudre la gélatine et versez-la dans un saladier posé sur des glaçons. Remuez. Dès qu'elle ressemble à la crème fraîche légèrement fouettée, ôtez-la et ajoutez la crème fouettée. Mélangez bien, versez dans un moule huilé et mettez au frais.

Cuire la crème. Transférez le mélange dans une casserole à fond épais et mettez-le à feu doux. Remuez-le constamment en décrivant un huit afin d'y répartir uniformément la chaleur. Faites chauffer la crème jusqu'à ce qu'elle frémisse à peine: ne la laissez pas bouillir.

4 **Refroidir la crème anglaise.** Dès qu'elle nappe parfaitement la cuillère, cessez de remuer et éloignez la casserole du feu. Plongez aussitôt le fond dans un saladier contenant des glaçons *(ci-dessus)* pour qu'elle n'épaississe pas davantage.

5 **Passer la crème anglaise.** Pour éliminer, si besoin est, les grumeaux, passez-la au tamis. Servez-la aussitôt ou réservez-la au chaud, dans un bain-marie. Si vous la servez froide, remuez-la sur de la glace pour la rafraîchir. Lorsqu'elle est froide, couvrez-la d'un film de plastique et mettez-la au frais.

La crème pâtissière

1 **Mélanger les ingrédients.** Dans une terrine, mélangez à la cuillère du sucre et des jaunes d'œufs, en battant le mélange jusqu'à ce qu'il épaississe et blanchisse. Tamisez peu à peu de la farine, en remuant pour la mélanger.

2 **Verser le lait.** Faites frémir du lait avec une gousse de vanille. Ôtez la vanille et, en remuant constamment, versez-le en mince filet sur le mélange œufs-farine. Dans une casserole à fond épais, portez la crème à ébullition à feu moyen, en la remuant vivement *(à gauche)*. Baissez le feu et remuez pendant 2 minutes, jusqu'à ce que la crème pâtissière épaississe *(à droite)*. Passez-la et laissez-la refroidir, tout en la remuant.

Comment cuisiner les fruits

Ce tableau indique, au premier coup d'œil, quelle utilisation faire des fruits de la saison. Avant de décider comment préparer tel fruit ou, inversement, lorsque vous avez un plat précis en tête mais ne savez pas quel fruit donnera les meilleurs résultats, tenez compte de son parfum, de sa chair, juteuse ou non, de sa forme et de sa couleur. Ainsi que le montrent les pastilles du tableau, bien des fruits peuvent se substituer les uns aux autres, ou plusieurs variétés se mélanger avec bonheur dans une même recette. En fait, l'attrait particulier des macédoines et des compotes tient à ce qu'elles offrent la possibilité d'improviser.

N'importe quel fruit dont on peut écraser la pulpe convient pour une purée, à servir telle quelle ou à incorporer dans des sauces, des mousses, des sorbets et des soupes. Certaines variétés, les framboises et les kiwis, par exemple, se réduisent aisément en purée crus ; d'autres, comme les poires et les pommes, doivent être cuites pour que la chair s'attendrisse. Selon le degré de maturité d'un fruit, vous saurez s'il faut le cuire ou non avant de l'écraser. Ainsi, les abricots mûrs ont une chair tendre, facile à broyer crue. En revanche, vous devrez pocher brièvement les fruits plus fermes.

Si la plupart des fruits conviennent pour les tartes et autres pâtisseries, on réussit cependant mieux les quenelles et les beignets avec des variétés relativement fermes. Frire une banane enrobée de pâte permet, par exemple, de créer un étonnant mélange, à la fois croustillant et fondant. Il est certes possible de faire des beignets avec des fruits très aqueux comme les oranges, mais le résultat est plus hasardeux.

Les agrumes jouent un rôle exceptionnel dans les préparations qui mettent à profit les propriétés aromatiques de leur zeste et de leur jus abondant. Oranges, citrons, jaunes ou verts, pamplemousses et mandarines, par exemple, confèrent une note rafraîchissante aux crèmes, soufflés, sorbets et gelées moulées.

Quels que soient les mérites d'un fruit, ce tableau vous servira de guide en vous indiquant la ou les façons de le traiter avec égard. Sachez malgré tout que ces règles ne sont pas immuables. Pour utiliser au mieux ce tableau, considérez-le davantage comme une source d'inspiration.

Comment lire le tableau.
Localisez le fruit que vous voulez utiliser, en haut du tableau. Choisissez un apprêt approprié parmi les options signalées par une pastille dans la colonne correspondante. Sinon, sélectionnez une préparation à gauche : les diverses pastilles portées à droite vous indiqueront quels fruits conviennent le mieux.

	MELONS		FRUITS À PÉPINS				FRUITS À NOYAU				
	MELON	PASTÈQUE	POMME	NÈFLE DU JAPON	POIRE	COING	ABRICOT	CERISE	DATTE	MANGUE	PÊCHE/BRUGNON
SALADES CRUES	●	●	●	●	●		●	●		●	●
PURÉE CRUE	●						●	●		●	●
PURÉE CUITE			●		●	●	●			●	
COMPOTES	●		●	●	●	●	●	●		●	●
TOURTES ET TARTES			●	●	●	●	●	●	●	●	●
QUENELLES			●				●	●			●
BEIGNETS		●	●		●		●			●	●
SOUFFLÉS CHAUDS			●		●		●	●	●		●
GLACES ET SORBETS	●		●		●		●	●	●	●	●
GELÉES MOULÉES											
SOUPES	●		●		●		●	●			●

FRUITS CHARNUS ET BAIES · AGRUMES · FRUITS À GRAINES · FRUITS DIVERS

FRUITS CHARNUS ET BAIES

CASSIS	MYRTILLE	COQUERET	AIRELLE	GROSEILLE À MAQUEREAU	RAISIN	BAIE DE LOGAN	FRAMBOISE	GROSEILLE ROUGE	FRAISE
•	•			•	•	•	•	•	•
				•	•	•	•	•	•
•	•	•	•	•	•			•	
•	•		•	•		•	•		•
	•			•					•
•	•			•		•	•	•	
•	•			•		•	•	•	
					•		•	•	•
•						•	•	•	•

AGRUMES

PAMPLEMOUSSE	KUMQUAT	CITRON	CITRON VERT	ORANGE	MANDARINE	TANGELO
•	•			•	•	•
•	•			•	•	•
•		•	•	•	•	•
•	•	•		•	•	•
•	•	•		•	•	•

FRUITS À GRAINES

BANANE	CHÉRIMOLE	FIGUE	GOYAVE	KIWI	PAPAYE	KAKI	FIGUE DE BARBARIE
•				•	•		
•	•	•		•	•	•	•
•		•	•	•			
•		•	•	•			
•			•		•		
•				•			
					•		

FRUITS DIVERS

LITCHIS	FRUITS DE LA PASSION	ANANAS	GRENADE	RHUBARBE
•		•		
•	•	•	•	
•	•			•
		•		•
		•		•
	•	•		•
	•	•		•
	•	•		
	•	•		•

1
Les fruits frais
Un don de la nature

n verse une louche de gelée à l'orange
quide dans un moule contenant des grains
e raisin pelés et des fraises coupées en
eux, noyés successivement dans des couches
e gelée à l'orange et de gelée au vin. Du
isin et de la gelée au vin viendront terminer
dessert, que l'on fera prendre au frais et
e l'on démoulera avant de servir *(page 40)*.

Beaux, colorés et merveilleusement parfumés, les fruits s'offrent à notre gourmandise tels que l'arbre, le buisson ou la vigne nous les donnent. Pour le plus simple des desserts, contentez-vous de choisir les plus beaux fruits, mais aussi les plus frais, et réservez-leur une présentation flatteuse. Une macédoine de fruits frais est un pur régal. Essayez également de savourer un fruit avec son allié naturel, le fromage. Le goût suret d'une pomme ressort davantage avec du cantal ou du saint-nectaire; le raisin noir ne dédaigne pas le fromage de chèvre, ni tout autre fromage frais. Les fraises, couronnées de crème fraîche, additionnées de vin ou, plus élégamment encore, servies avec les classiques cœurs à la crème *(page 36)* sont des plus succulentes.

Si les fruits se marient particulièrement bien avec la crème fraîche, le fromage ou tout autre ingrédient, il n'est pas moins vrai qu'ils s'accordent parfaitement entre eux. Les salades de fruits offrent de multiples possibilités lorsqu'il s'agit d'exploiter ces affinités. N'importe quel assortiment de fruits, détaillés ou non selon la grosseur, peut composer une macédoine, que l'on agrémentera d'un sirop léger *(page 30)*. Des boules de melon aux tons pastel, dressées en dôme, un mélange bigarré de fruits rouges et de baies ou une composition tropicale regroupant mangues et papayes ne sont que quelques exemples. Rien ne vous empêche d'utiliser un seul fruit, comme pour la salade d'oranges de la page 32. Les rondelles d'orange, mises à macérer dans du sucre, rendent un jus abondant qui tient lieu d'assaisonnement; le zeste, taillé en julienne, se transforme en une garniture aromatique.

Outre les plats utilisant des fruits entiers, il est des préparations qui s'obtiennent à partir d'une purée de fruits, donnant un coulis extrêmement rafraîchissant. Les purées, enrichies de crème fraîche, deviennent de somptueux desserts. Après adjonction d'un sirop de sucre, on les place au congélateur où elles se métamorphosent en sorbets ou granités *(page 38)*. Pour une gelée, en revanche, seul le jus du fruit est employé: celui des oranges, très abondant, la parfumera tout en la colorant. Une fois moulée et prise, elle laisse admirer son miroitement translucide. Alternez-la avec d'autres gelées, diversement aromatisées, pour confectionner un dessert spectaculaire, incrusté de morceaux de fruits *(page de gauche et page 40)*.

Une simple et belle salade de fruits dans un melon

La simplicité est le secret de la réussite d'une salade de fruits. Quelques ingrédients harmonieusement assortis sont bien plus agréables qu'une macédoine composée au petit bonheur. Ici, on a utilisé de petits fruits, framboises, myrtilles, fraises des bois, groseilles et cassis, mélangés à des boules de melon. On peut aussi confectionner des salades à partir de fruits d'une même famille comme les agrumes — pamplemousses, oranges, mandarines et kumquats — ou de fruits tropicaux, en réunissant, par exemple, goyaves, mangues, papayes, fruits de la passion et bananes. Pour que les fruits conservent leur éclat et leur fraîcheur, pelez-les et émincez-les au dernier moment, en les passant dans du jus de citron afin qu'ils ne noircissent pas.

Ces salades n'ont souvent pour tout apprêt que le jus des fruits eux-mêmes, éventuellement additionné de jus d'orange ou de citron vert. Toutefois, un sirop de sucre les complète agréablement (encadré; recette page 163). Les sirops de sucre interviennent de multiples façons dans les plats à base de fruits. Légers ou moyens, ils servent d'assaisonnement et de liquides de pochage; plus épais, ils s'utilisent pour les glaçages. On les prépare en faisant bouillir de l'eau sucrée. Au cours de cette opération, le sirop passe par des stades successifs pendant lesquels sa concentration et sa consistance se modifient: sauce fluide et légère au départ, il se transforme peu à peu en un épais caramel foncé. Chaque stade étant marqué par une augmentation de la température du liquide, on peut facilement en déterminer la densité à l'aide d'un thermomètre à sirop placé dans la casserole.

Pour renforcer la saveur d'un sirop, ajoutez-y un zeste de citron ou des pelures de fruits avant de le cuire: vous le passerez ensuite. Dès qu'il a la consistance désirée, légère ou moyenne dans le cas d'une salade de fruits, aromatisez-le avec du jus de citron, une liqueur ou une eau-de-vie de fruits. Laissez-le refroidir avant d'en napper les fruits, sinon il commencerait à les cuire.

Présentez les salades de fruits dans des coupes, ou dans l'écorce rafraîchie d'un ananas, d'un pamplemousse, d'une orange ou, comme ici, d'un demi-melon.

1 **Aromatiser avec le citron.** Avec un petit couteau tranchant, prélevez finement le zeste d'un citron. Faites-le cuire dans de l'eau sucrée pour obtenir un sirop moyen (page de droite). Hors du feu, laissez le sirop refroidir. Ajoutez-y le jus d'un citron (ci-dessus).

2 **Passer le sirop.** Passez-le dans un tamis posé sur un grand saladier (ci-dessus). Jetez le zeste de citron. Coupez des melons en deux et retirez-en les graines (page 22).

3 **Prélever les boules de melon.** Avec une cuillère spéciale, prélevez le maximum de chair de chaque demi-melon. Pour que les boules ne noircissent pas, mettez-les dans le sirop. Raclez la pulpe qui reste dans les demi-melons. Frottez l'intérieur de l'écorce avec des quartiers de citron et mettez au frais.

4 **Ajouter les framboises.** Lavez des framboises, des myrtilles et des fraises des bois. Équeutez les fraises; égrenez des cassis et des groseilles (page 20). Ajoutez ces fruits aux boules de melon qui se trouvent dans le sirop de sucre.

Un sirop de sucre moyen

1 **Faire fondre le sucre.** Dans une casserole à fond épais, mettez du sucre dans de l'eau. Remuez doucement à feu doux pour le faire fondre. Prenez un pinceau plongé dans de l'eau chaude pour dissoudre tous les cristaux de sucre collés aux parois de la casserole *(ci-dessus):* ils feraient cristalliser le sirop.

2 **Vérifier la température.** Cessez de remuer dès que le sucre est dissous. Chauffez un thermomètre à sirop dans un bol d'eau chaude et mettez-le dans le sirop. Augmentez le feu et portez le liquide à ébullition.

3 **Arrêter la cuisson.** Faites bouillir le sirop une minute environ, jusqu'à ce que le thermomètre indique 102°C. Plongez aussitôt le fond de la casserole dans l'eau glacée pour arrêter la cuisson du sirop de sucre.

5 **Servir la salade.** Répartissez-la dans les écorces de melon et nappez-la de sirop. Servez une écorce par personne. Vous pouvez remplir les écorces à l'avance, les couvrir et les mettre au frais pendant quelques heures: le sirop empêchera les fruits de s'abîmer. □

Salade à l'orange sucrée ou salée

La chair juteuse des agrumes doux ou moins doux comme les mandarines, les pamplemousses ou les oranges utilisées ici, se prête à la confection de salades sucrées ou salées offrant un contraste de saveurs et de textures. Dans la préparation ci-contre, on a décoré de fines rondelles d'orange macérées dans du sucre avec une julienne de zeste et des morceaux de caramel. Pour la salade qui peut tenir lieu de hors-d'œuvre *(encadré ; recette page 90)*, on a choisi une garniture d'oignon haché et d'olives noires entières et on a assaisonné le tout d'huile d'olive.

Pour réussir ces deux salades, simples et agréables à l'œil, préparez soigneusement les oranges. Prenez une variété ferme mais juteuse, des Navel, par exemple. Afin de ne pas écraser le fruit et conserver ainsi le jus dans la pulpe lorsque vous le détaillerez en rondelles, prélevez l'écorce et la peau blanche verticalement. En procédant de cette façon, vous n'abîmerez pas les quartiers.

Pour la salade assaisonnée à l'huile d'olive, vous pouvez enlever l'écorce et la peau en même temps avec un couteau. Pour l'autre, en revanche, il faut d'abord peler le zeste en rubans avec un couteau économe, afin d'obtenir la julienne dont vous décorerez le dessert. Le zeste acidulé compense la saveur sucrée du sirop, obtenu en faisant macérer les rondelles d'orange dans du sucre pendant quelques heures pour en extraire le jus. Le caramel utilisé pour la décoration *(recette page 163)*, en morceaux, comme ici, ou disposé en une fine résille, tranche par la saveur et la texture.

Les agrumes conviennent particulièrement bien à la confection des salades condimentées car le jus, additionné d'huile, donne une sorte de vinaigrette. Afin de ne pas masquer le goût subtil de ces hors-d'œuvre, réservez-leur un assaisonnement léger: un peu d'huile d'olive, comme ici, ou de l'huile d'olive mélangée avec du jus de citron.

1 Peler les oranges. Avec un couteau économe, prélevez soigneusement le zeste de chaque fruit, en travaillant de la base vers le haut afin d'obtenir de longues et fines spirales. Laissez le zeste que vous ne pouvez pas détacher en un seul morceau.

2 Tailler la julienne. Posez le zeste sur un plan de travail en bois ou une planche à découper. Avec un petit couteau tranchant dont vous guiderez la lame avec l'articulation de vos doigts, coupez le zeste dans le sens de la longueur pour obtenir une julienne. Réservez-la.

Salade condimentée garnie d'oignons et d'olives

1 Ajouter les oignons. Pelez des oranges et coupez-les en rondelles *(opérations 5, ci-dessus)*. Superposez-les dans un plat de service. Hachez menu des oignons et répartissez-les sur les rondelles d'orange *(ci-dessus)*.

2 Assaisonner la salade. Ajoutez des olives noires dénoyautées. Assaisonnez la salade avec du sel et du poivre de Cayenne, puis arrosez-la d'un peu d'huile d'olive *(ci-dessus)*. Servez bien frais, soit en hors-d'œuvre, soit pour accompagner du poisson.

3 **Détacher la peau blanche.** Avec le couteau, enlevez la peau blanche qui adhère à la base et en haut de chaque orange. Détachez soigneusement celle qui reste tout autour du fruit, en la prélevant de haut en bas, par morceaux.

4 **Blanchir la julienne.** Faites bouillir de l'eau dans une casserole. Mettez-y la julienne et laissez frémir 3 minutes pour que le zeste s'attendrisse et perde son amertume. Transférez-le dans une passoire et laissez-le s'égoutter.

5 **Détailler les oranges.** Coupez-les en fines rondelles. Avec la pointe du couteau, enlevez les fibres centrales et les pépins. Étalez-en une couche dans un plat. Saupoudrez de 2 à 3 cuillerées à café de sucre. Continuez à alterner oranges et sucre. Laissez macérer 2 heures afin que le jus donne un sirop.

6 **Verser le caramel.** Faites un caramel brun en faisant bouillir un sirop de sucre moyen *(page 31)* jusqu'à ce qu'il prenne une teinte d'ambre roux. Pour obtenir des morceaux, versez-le sur un marbre ou une plaque huilés. Pour avoir des filaments, faites-le couler d'une cuillère en traçant une résille.

7 **Briser le caramel.** Dès que le caramel est froid, fragmentez-le avec un maillet en bois ou un rouleau à pâtisserie *(ci-dessus)*. Si vous avez préparé des filaments de caramel, soulevez-les délicatement de la surface huilée avec les doigts ou une petite spatule.

8 **Décorer le dessert.** Répartissez la julienne de zeste sur les rondelles d'orange et décorez avec les morceaux ou les filaments de caramel *(ci-dessus)*. Mettez la salade de fruits au réfrigérateur avant de la servir. ☐

33

La crème fouettée : un luxueux apprêt

Fruits frais et crème fraîche s'unissent avec une telle harmonie qu'ils semblent faits pour aller ensemble. Il est vrai que l'acidité naturelle des premiers est parfaitement tempérée par la saveur douce de la seconde.

Dans sa forme la plus simple, le mélange peut se composer de fruits entiers surmontés de crème fouettée. Dans la préparation ci-contre *(en haut)*, des figues mûres, servies à température ambiante et ouvertes comme les pétales d'une fleur, ont été décorées de crème fouettée froide, puis nappées d'un coulis de framboises fraîches. Une purée de fruits peut aussi servir de base à des desserts plus traditionnels : après l'avoir enrichie de crème, on obtient une marmelade mousseuse et veloutée. Ainsi, dans la seconde préparation *(ci-contre, en bas)*, on a coiffé des mûres entières d'une purée de mûres sucrée, délicatement incorporée à de la crème fraîche épaisse fouettée.

Les mûres, tout comme les fraises et les framboises, se prêtent particulièrement bien à la confection de ces desserts, auxquels elles apportent leur couleur vive et leur jus abondant. Toute autre purée de fruits, crue ou cuite *(page 23)*, sucrée à volonté, peut s'utiliser de cette façon. Si vous employez des fruits acides comme l'ananas, la rhubarbe ou les groseilles à maquereau, sucrez la purée généreusement avant de la mélanger à la crème fraîche, sinon celle-ci se décomposerait. Dans tous les cas, afin que la marmelade à la crème se raffermisse légèrement, mettez-la au frais quelques heures avant de la servir.

Vous pouvez orner ces desserts de crème fouettée, de fruits rouges, de tranches de fruit, ou d'un zeste d'orange ou de citron râpé. Servez-les avec des gâteaux secs.

Figues fraîches au coulis de framboises

1 **Préparer les figues.** Avec un petit couteau tranchant, coupez les queues de figues fraîches mûres. Incisez légèrement chaque fruit côté queue, puis, en partant de l'incision, retirez la peau avec le couteau *(ci-dessus)*.

2 **Ouvrir les figues.** Faites une incision en croix à la partie supérieure de chaque figue, en coupant presque jusqu'à la base du fruit. Avec le pouce et l'index des deux mains, appuyez simultanément à la base de chaque quartier : la figue s'ouvrira, telle une fleur en train d'éclore.

Mûres coiffées d'une mousse colorée

1 **Ajouter le sucre.** Écrasez des mûres fraîches arrivées à maturité, en les pressant dans une passoire posée sur une terrine. Sucrez la purée de mûres à volonté avec du sucre en poudre *(ci-dessus)* et remuez bien pour mélanger les deux ingrédients.

2 **Incorporer la crème fraîche.** Fouettez de la crème fraîche épaisse jusqu'à ce qu'elle forme des crêtes molles. Avec une cuillère, incorporez délicatement la purée de mûres à la crème fouettée, par petites quantités. Remuez afin d'obtenir une préparation lisse, de coloration uniforme.

3 **Fouetter la crème fraîche.** Réduisez des framboises fraîches en coulis *(page 23)* et réservez-les. Versez de la crème fraîche épaisse dans une terrine et fouettez-la jusqu'à ce qu'elle forme des crêtes molles. Ne la fouettez pas trop : elle tournerait en beurre.

4 **Servir le dessert.** Mettez le coulis de framboises dans un pichet. Dressez les figues sur des assiettes, posez une grosse cuillerée de crème fouettée au centre de chacune d'elles et nappez-les de coulis *(ci-dessus)*. Vous pouvez également incorporer la crème fouettée au coulis et verser le mélange sur les figues. □

3 **Servir le dessert.** Roulez des mûres entières dans du sucre pour les sucrer et en extraire le jus. Répartissez-les dans des coupes ou, comme ici, de grands verres. Coiffez-les de purée additionnée de crème fouettée *(ci-dessus)*. Mettez au réfrigérateur 2 heures environ et servez. □

Sorbets et granités : une fraîcheur exquise

Les sorbets aux fruits sont extrêmement rafraîchissants, qu'on les savoure par une chaude journée pour se désaltérer, en dessert, ou bien entre les services d'un repas de cérémonie pour se raviver le palais. En outre, ils sont faciles à préparer : il suffit de mélanger le jus ou la pulpe des fruits à un sirop de sucre et de faire congeler la préparation dans des bacs à glaçons, soit au congélateur, soit dans le compartiment à glace d'un réfrigérateur.

Tous les fruits qui se réduisent en purée, ou dont on peut extraire le jus aisément, peuvent servir à la confection d'un sorbet ou d'un granité. Les variétés très acides conviennent particulièrement bien.

Ci-contre, on a préparé un délicieux granité en mélangeant du jus d'ananas et du jus d'orange, que l'on a servi sur glace dans l'écorce de l'ananas *(recette page 109)*. Les écorces de melon ou d'orange peuvent s'utiliser de la même façon.

Un sorbet s'obtient généralement à partir d'un sirop de sucre moyen *(page 31)*. Si vous l'aromatisez avec du jus de fruits, utilisez deux tiers de sirop pour un tiers de jus. Pour parfumer davantage, faites le sirop avec du jus de fruits, comme ici, et non avec de l'eau.

Dans le cas d'une purée de fruits, employez un volume égal de purée et de sirop : afin que ce dernier n'altère pas la saveur fraîche des fruits, n'oubliez pas de le laisser refroidir avant de procéder au mélange. Les fruits charnus comme les framboises, les mûres, les fraises des bois, les groseilles rouges et les cassis, réduits en purée, donnent tous d'excellents sorbets. Des sorbets plus exotiques peuvent être confectionnés avec une purée de rhubarbe, de melon, de mangues, de fruits de la passion ou de coings. Essayez de réunir différents parfums, framboise et fraise, par exemple, ou ajoutez de la liqueur, du vin ou de l'eau-de-vie.

Vous pouvez aussi varier la texture de vos sorbets. Dans le congélateur, la préparation liquide se cristallise au contact du bac en métal : pour obtenir une consistance uniforme, ramenez à plusieurs reprises les parties congelées vers le centre. L'air incorporé empêche la formation de gros cristaux. Si vous voulez un sorbet encore plus fondant, ajoutez-y des blancs d'œufs battus.

1 **Parer l'ananas.** Coupez la tige à la base de l'ananas. Avec un long couteau tranchant, sectionnez la base du fruit afin qu'il tienne debout. En tenant le couteau obliquement, pointe vers le bas, coupez le panache de feuilles, qui servira à coiffer l'ananas lorsque vous le présenterez *(ci-dessus)*.

2 **Évider l'ananas.** En prenant soin de ne pas percer l'écorce, tranchez la chair près de l'écorce, tout autour du fruit, jusqu'à mi-hauteur environ. Faites une autre incision circulaire autour du cœur fibreux qui se trouve au centre.

6 **Ajouter le jus d'orange.** Sucrez un peu de jus d'ananas et, pour parfumer davantage, ajoutez-y le cœur du fruit. Faites bouillir le tout jusqu'à obtention d'un sirop. Laissez-le refroidir. Pressez des oranges et ajoutez le jus au jus d'ananas qui reste *(ci-dessus)*. Ôtez le cœur du sirop refroidi et mélangez celui-ci au jus de fruits.

7 **Remplir les bacs à glaçons.** Avec une louche, répartissez la préparation dans des bacs à glaçons. Mettez-les au congélateur ou dans le compartiment à glace du réfrigérateur. Pour rafraîchir l'écorce et le chapeau de l'ananas, mettez-les au réfrigérateur.

3 **Prédécouper les quartiers.** Pour diviser la chair en quartiers faciles à dégager, incisez-la, du cœur vers l'écorce, en rosace *(ci-dessus)*. Maintenez l'ananas de l'autre main tandis que vous coupez.

4 **Prélever les quartiers.** Avec une cuillère, prélevez les morceaux prédécoupés et mettez-les dans un grand saladier. Incisez circulairement le bord et le cœur de la moitié inférieure du fruit. Prédécoupez la chair, prélevez-la et raclez l'écorce jusqu'à ce qu'il ne reste plus que le cœur au centre.

5 **Racler le chapeau.** Avec le couteau, sectionnez le cœur à la base. Retirez-le et réservez-le. Raclez la pulpe du chapeau et ajoutez-la à celle qui se trouve dans le saladier. Transférez le contenu du saladier dans une passoire en nylon posée sur une terrine. Pressez la pulpe avec un pilon pour en extraire le jus *(page 23)*. Jetez-la.

8 **Remuer le granité.** Au bout d'une heure environ, sortez les bacs du congélateur. Avec une fourchette, remuez le mélange à demi congelé, en ramenant les cristaux formés au bord du bac vers le centre, et en les écrasant dans le liquide. Remettez au congélateur. Remuez encore une fois ou deux au cours des heures qui suivent.

9 **Servir le granité.** Dès qu'il est à peine ferme, au bout de 4 heures environ, sortez-le du congélateur. Mettez l'écorce de l'ananas dans une coupe contenant de la glace pilée et remplissez-la de granité. Posez le chapeau dessus et servez aussitôt. □

Des fruits pris dans la gelée

Une gelée aux fruits, obtenue en mélangeant du jus de fruits à de la gélatine, resplendit de fraîcheur et de limpidité. C'est aussi un délicieux dessert qui fond dans la bouche. Une gelée à un seul parfum, que l'on fait prendre et que l'on sert ensuite dans une coupe en verre qui en laisse entrevoir la pureté miroitante, est facile à préparer. Toutefois, grâce au pouvoir gélifiant de la gélatine, de nombreux artifices culinaires sont permis.

Il existe deux façons d'obtenir un effet décoratif avec une gelée; d'une part, en la faisant prendre dans un moule de forme élaborée et, d'autre part, en alternant des couches de gelées de couleur contrastée, dans lesquelles on incruste des fruits. Dans ce dernier cas, prenez un moule simple, tout au plus pourvu de cannelures, comme ici. Vous obtiendrez de meilleurs résultats avec un moule en métal, qui réagit rapidement aux variations de température. En outre, la

gelée prendra plus vite si vous le rafraîchissez au préalable, et se démoulera plus facilement lorsque vous l'aurez plongé dans de l'eau chaude.

La spectaculaire gelée superposée présentée ici et au verso *(recette page 164)* s'obtient en incrustant des grains de raisin, sans pépins et pelés, et des lamelles de fraise dans des couches de gelées au vin rouge et à l'orange. Pour que chaque couche se distingue nettement, laissez-la se gélifier avant d'ajouter la suivante.

Un dessert en gelée peut aussi se composer de plusieurs gelées différentes, disposées en bandes contrastées. Pour le parfumer, vous pouvez remplacer le vin rouge par du cognac ou du xérès ou, pour qu'il soit plus léger et plus translucide, du vin blanc, du rosé ou du champagne.

Afin d'appliquer correctement les fruits, tenez-les entre deux brochettes et plongez-les, un à un, dans de la gelée à demi prise avant de les disposer dans le moule. L'enrobage de gelée les « scelle » pendant que vous

ajoutez la préparation liquide destinée à former la couche suivante. L'utilisation de brochettes permet de ne pas abîmer la gelée mise en place auparavant.

Pour parfumer les gelées, préférez les fruits gorgés d'un jus vivement coloré et limpide: framboises, mûres ou oranges, par exemple. Afin de leur conférer une pureté étincelante, ce qui est souhaitable lorsque, comme ici, on y intercale des morceaux de fruits, passez le jus à travers une mousseline. Les fruits employés pour la décoration de ces desserts en gelée doivent être assez fermes pour garder leur forme: outre le raisin et les fraises, conviennent également les quartiers de mandarine et les cubes de melon. Évitez l'ananas, les papayes, les kiwis et les figues crus: tous ces fruits contiennent un enzyme qui décompose la gélatine et ne peuvent servir à orner une gelée que s'ils ont été cuits au préalable afin de rendre cet enzyme inactif.

4 **Peler le raisin.** Égrenez du raisin, ici du raisin sans pépins. Décollez la peau de chaque grain avec la pointe d'un petit couteau et pelez le grain par lambeaux. Si vous utilisez une variété à pépins, coupez les grains en deux et retirez les pépins avec la pointe du couteau. Réservez les grains pelés.

5 **Émincer les fraises.** Lavez rapidement des fraises et épongez-les doucement avec du papier absorbant. Équeutez-les *(page 20)*. Avec un petit couteau tranchant, détaillez chaque fruit en fines lamelles dans le sens de la hauteur *(ci-dessus)*. Si vous utilisez de petites fraises, vous pouvez, selon le goût, les laisser entières.

1 **Faire tremper la gélatine.** Faites ramollir des feuilles de gélatine dans de l'eau froide de 15 à 30 minutes. Transférez-les dans une casserole, couvrez-les d'eau froide et mettez à feu doux. Faites chauffer la gélatine 5 minutes, jusqu'à ce qu'elle soit dissoute et que le liquide soit transparent. Réservez-la.

2 **Préparer le jus d'orange.** Pressez plusieurs oranges et laissez le jus reposer 30 minutes ; pendant ce temps, des fragments de pulpe monteront à la surface. Garnissez une passoire de plusieurs épaisseurs de mousseline humide et posez-la sur une terrine. Versez-y le jus *(ci-dessus)* ; jetez la pulpe.

3 **Ajouter gélatine et sirop.** Versez la gélatine dans une casserole contenant du sirop de sucre chaud *(page 31)* et remuez bien. Versez du vin rouge dans un saladier. En remuant constamment pour mélanger les liquides, versez la moitié du sirop chaud, lié à la gélatine, sur le vin, et l'autre moitié sur le jus d'orange *(ci-dessus)*.

6 **Verser la première couche de gelée.** Afin que la gelée prenne plus vite, mettez le moule dans de la glace. Versez-y un peu de gelée au vin. Faites-le tourner *(à gauche)* jusqu'à ce que la gelée en tapisse le fond, puis inclinez-le davantage *(à droite)* pour enduire les parois ; la couche de gelée doit être suffisamment épaisse pour recouvrir les grains de raisin. ▶

7 **Disposer le raisin sur la gelée.** Versez un peu de gelée au vin dans un bol placé sur de la glace. Dès qu'elle commence à prendre et devient sirupeuse, prenez un grain de raisin entre deux brochettes et plongez-le dans la gelée. Posez-le délicatement dans le moule. Recommencez l'opération *(ci-dessus)* avec d'autres grains de raisin, que vous disposez en couronne.

8 **Recouvrir le raisin.** Prélevez de la gelée au vin dans le grand saladier et, délicatement, recouvrez-en uniformément le raisin d'une couche mince *(ci-dessus)*. Pour qu'elle se gélifie, transférez le moule au réfrigérateur. Au bout de 15 minutes environ, dès qu'elle est bien prise, sortez le moule et mettez-le sur de la glace.

10 **Disposer les fraises.** Avec les deux brochettes, comme pour le raisin, plongez chaque lamelle de fraise dans le bol de gelée à l'orange pour l'enrober ; appliquez-les côte à côte, contre la paroi du moule, dans la bande de gelée à l'orange à demi prise.

11 **Terminer la seconde couche.** Dès que vous avez placé les fraises autour du moule, disposez-en d'autres au centre, après les avoir enrobées de gelée. Couvrez-les de gelée à l'orange prélevée dans le grand saladier. Mettez au réfrigérateur 15 minutes environ, jusqu'à ce que la gelée soit prise.

12 **Terminer le dessert.** Versez de la gelée au vin du grand saladier dans le moule ; faites-le tourner jusqu'à ce qu'elle commence à prendre contre les parois. Plongez du raisin dans le bol de gelée au vin et appliquez-le contre les parois, puis au centre. Remplissez de gelée au vin ; couvrez d'un film de plastique.

9 **Ajouter la gelée à l'orange.** Versez un peu de gelée à l'orange dans un bol placé sur de la glace. Dès qu'elle est sirupeuse, mettez-en un peu dans le moule *(à gauche)* et tournez-le rapidement *(à droite),* afin de le chemiser uniformément sur une épaisseur de 2,5 cm. Tournez-le jusqu'à ce que la gelée prenne.

13 **Démouler et servir.** Mettez la gelée au frais 4 heures au moins. Inclinez le moule : si elle reste ferme, démoulez-la. Passez la pointe d'un couteau contre le bord ; plongez le moule dans de l'eau chaude. Retournez-le sur un plat. Mettez la gelée au réfrigérateur avant de servir *(ci-contre).* ☐

2
Les fruits cuits
Des trésors de fantaisie

Faciles à utiliser, les fruits se prêtent à tant de préparations que le cordon-bleu se trouve devant une alternative pour le moins agréable: créer des desserts simples qui en préservent la forme naturelle ou, au contraire, s'adonner au plaisir de les transformer.

Si vous voulez garder les fruits intacts, il vous suffit de les cuire brièvement ou de les enrober. Le pochage, qui s'effectue à chaleur douce, humide, est un mode de cuisson idéal pour un seul fruit ou davantage, comme dans la compote composée de la page 48. Pour ce mélange coloré où plusieurs variétés se côtoient, on poche les fruits séparément dans du vin, du sirop ou un mélange des deux, jusqu'à ce qu'ils soient tendres; le liquide de pochage devient une sauce pour le dessert. Avant de pocher les petits fruits à chair tendre comme les prunes et les abricots, on les enveloppe souvent de pâte afin d'obtenir des quenelles, spécialité d'Europe centrale *(page 50)*.

Dans la chaleur plus intense d'un four ou d'un bain de friture, un écrin de pâte, tout en protégeant les fruits, les transforme en un copieux dessert. De la pâte brisée, enrobant une pomme ou d'une poire, ressortira dorée de son passage au four *(page de gauche)*. Une pâte semi-liquide à base de farine, de lait, de sucre et d'œufs empêchera des fruits frais ou secs, moelleux et juteux, de se dessécher pendant la cuisson *(page 56)*. Une pâte à frire additionnée de bière épousera la forme d'une banane ou d'une tranche d'ananas pour donner de croustillants beignets *(page 60)*.

Même si l'on a choisi d'utiliser les fruits entiers, on peut malgré tout leur faire subir d'étonnantes transformations. Ainsi, pour les confire ou les glacer, on en imprègne peu à peu la chair de sucre, jusqu'à saturation. Les friandises obtenues, répliques exactes des fruits eux-mêmes, se conservent indéfiniment, comme les marrons glacés de la page 62.

D'autres desserts cuits reposent uniquement sur le parfum d'un fruit, concentré dans l'écorce, le jus ou la chair réduite en purée. Ces préparations se caractérisent souvent par une exceptionnelle légèreté, qu'il s'agisse des soufflés chauds parfumés avec un zeste d'orange ou de citron *(page 52)*, ou des mousses et crèmes froides, aux formes irréprochables après démoulage, que l'on peut employer pour composer des desserts colorés *(page 64 à 70)*.

n nappe de crème fraîche un douillon
rmand, obtenu en habillant une pomme
e pâte brisée. Au préalable, on a évidé le
uit et on l'a fourré avec du beurre sucré,
romatisé à la cannelle. Après l'avoir
nveloppé de pâte, on l'a cuit au four jusqu'à
e qu'il soit doré *(page 54)*.

Les poires au vin rouge

Une façon simple, toujours réussie, de cuire les fruits consiste à les pocher, à petit feu, dans un liquide frémissant. Outre qu'il en attendrit la chair, le liquide de pochage devient ensuite une sauce légère d'accompagnement, que vous pouvez faire réduire en fin de cuisson pour la concentrer.

Pour le pochage, choisissez tout simplement de l'eau sucrée ou un sirop de sucre *(page 31)*. En ajoutant du vin à ce dernier, vous renforcez l'arôme de la préparation et, s'il s'agit de vin rouge, donnez une touche de couleur à votre dessert.

Presque tous les fruits peuvent se faire pocher dans du sirop. Les poires, les abricots, les pêches et les prunes, suffisamment poreux pour absorber le parfum et la couleur du vin, se prêtent bien au pochage dans un sirop additionné de vin. Prenez un vin jeune, corsé, et, s'il est rouge, de belle couleur. Choisissez-le toujours de bonne qualité : la cuisson en concentre la saveur, et un vin médiocre gâcherait votre dessert.

Pendant le pochage, le liquide ne doit jamais bouillir. Si vous préférez que la saveur des fruits prédomine, ajoutez le vin en fin de cuisson, comme pour les poires ci-contre *(recette page 94)*. Pour obtenir un dessert bien parfumé, vivement coloré par le vin, versez-le au début.

Faites cuire les fruits à feu très doux, afin que tous les arômes des ingrédients se mélangent. Comme l'acidité du vin empêche les fruits de s'écraser, vous pouvez fort bien les pocher pendant 3 heures.

Pour que la cuisson s'effectue doucement, utilisez de préférence un récipient à fond épais, une cocotte, par exemple, suffisamment grand pour contenir les fruits les uns à côté des autres.

Après avoir fait réduire le sirop au vin, vous pouvez l'aromatiser avec un soupçon d'épice : des clous de girofle, de la muscade ou, comme ici, un bâton de cannelle. Les fruits pochés se servent chauds ou encore, préparés à l'avance, froids.

1 Préparer les poires. Versez du jus de citron dans un saladier contenant de l'eau et réservez. Avec un couteau économe ou un petit couteau pointu, pelez des poires fermes, ici des Comice. N'enlevez pas les queues. Mettez les fruits pelés dans l'eau : le jus de citron les empêchera de noircir.

4 Réduire le sirop. Avec une écumoire, ôtez les poires de la cocotte et dressez-les debout dans un plat de service *(à gauche)*. Jetez la cannelle. Faites réduire le liquide dans la cocotte en le laissant bouillir *(ci-dessus)*, jusqu'à ce qu'il ait la consistance d'un sirop.

2 **Pocher les poires.** Faites un sirop de sucre. Mettez les poires dans une cocotte avec un bâton de cannelle. Versez le sirop de sucre et couvrez. Pochez les fruits à feu doux pendant 40 minutes environ, jusqu'à ce qu'ils soient tendres, en les retournant de temps en temps et en les arrosant avec le liquide de pochage. Vérifiez la cuisson en piquant la chair avec une fourchette : si cette dernière pénètre facilement, les poires sont cuites.

3 **Verser du vin.** Versez du vin, ici un vin rouge corsé, sur les poires. Continuez la cuisson à feu doux pendant 5 minutes environ, en retournant délicatement les fruits dans le liquide, afin que la chair absorbe la saveur et la couleur du vin.

5 **Servir les poires pochées.** Avec une louche, versez le sirop sur les poires afin de les napper de cette sauce brillante. Servez ce dessert chaud ou froid, agrémenté de crème fraîche et de petits gâteaux secs. □

Les compotes à un ou plusieurs fruits

La compote figure parmi les grands classiques. Lorsque l'on poche des fruits à feu doux dans un sirop de sucre, les saveurs se fondent harmonieusement tandis que l'acidité naturelle des fruits s'estompe: on obtient un mélange à la fois sucré et acidulé. Il faut cuire les fruits assez longtemps pour les attendrir, mais pas au point de les transformer en purée. La compote doit même contenir des morceaux.

Presque tous les fruits peuvent s'accommoder en compote, soit seuls, soit en mélange. Certaines variétés très acides comme la rhubarbe, les groseilles à maquereau ou les coings ne s'apprécient que de cette façon. Dans le cas des prunes et des abricots, choisissez des fruits pas trop mûrs, afin qu'ils ne se défassent pas à la cuisson.

Les fruits secs, pruneaux, abricots ou raisins de Smyrne, conviennent également. On doit les faire tremper avant de les pocher pour qu'ils gonflent et s'attendrissent. Dans la préparation ci-contre, on a mélangé des pruneaux et des kumquats frais (recette page 93), la douceur des premiers compensant l'acidité des seconds.

Pour les compotes composées, prenez des fruits dont les parfums se complètent. Le dessert bigarré présenté page de droite (encadré) comprend des poires, des brugnons, des prunes, des cerises, du raisin et des myrtilles. Tous les fruits doivent fondre sous la dent. Comme le temps de pochage diffère d'une variété à l'autre, faites-les cuire séparément. Les gros fruits comme les poires ou les pêches demandent de 10 à 40 minutes, selon la variété et le degré de maturité; réduisez le temps de cuisson si vous les coupez en deux ou en quartiers. Pour en vérifier la tendreté, piquez une brochette dans la chair: si elle pénètre aisément, les fruits sont prêts. Comptez de 2 à 3 minutes de pochage pour les cerises et le raisin. En ce qui concerne les myrtilles, très tendres, il suffit de les plonger brièvement dans du sirop chaud.

Après la cuisson, on peut parfumer le liquide de pochage avec un zeste de citron, ou encore des pelures de girofle. Le sirop, réduit par ébullition et passé, sera ensuite versé sur la compote de fruits.

1 **Pocher des pruneaux.** Faites-les tremper toute une nuit dans de l'eau froide. Transférez-les, avec l'eau, dans une sauteuse; si besoin est, ajoutez de l'eau pour les couvrir. Portez à ébullition et laissez frémir 10 minutes environ, jusqu'à ce que les fruits soient gonflés. Éloignez-les du feu et laissez-les refroidir dans le jus.

2 **Préparer des kumquats.** Lavez-les et épongez-les. Avec un couteau pointu, coupez-les transversalement en tranches minces et régulières. Évitez de les presser en les coupant, car la chair rendrait beaucoup de jus. Retirez les graines avec la pointe du couteau.

3 **Dénoyauter les pruneaux.** Mettez-les dans une passoire posée sur un saladier. Réservez le jus. Avec un petit couteau tranchant, incisez chaque pruneau dans le sens de la longueur. Écartez la chair (ci-dessus) et retirez le noyau.

4 **Pocher les kumquats.** Dans une casserole en émail, versez une quantité égale de jus de pruneaux et de jus d'orange fraîchement pressée. Ajoutez du miel et portez à ébullition. Baissez le feu aussitôt et ajoutez les tranches de kumquat (ci-dessus). Laissez frémir pendant 5 minutes environ, jusqu'à ce que les fruits soient tendres.

Des fruits frais pour un dessert bigarré

1 Pocher de gros fruits. Pelez, évidez ou dénoyautez des poires, des brugnons et des prunes *(page 21)*; réservez les pelures. Faites un sirop de sucre moyen *(page 31)*. Pochez chaque variété séparément; ici, on ajoute des brugnons à des poires pochées. Mettez les prunes dans le sirop et faites bouillir.

2 Pocher de petits fruits. Mettez-les dans le sirop; ici, des cerises dénoyautées *(page 22)* et du raisin pelé *(page 40)*. Dès qu'il bout, éteignez. Quelques minutes après, ôtez les fruits. Placez quelques myrtilles sur une écumoire et plongez-les dans le sirop. Ajoutez-les aux autres fruits pochés.

3 Terminer la compote. Ajoutez les pelures des fruits au liquide de pochage. Remettez sur le feu et portez à ébullition. Laissez frémir jusqu'à ce que le sirop ait réduit, 10 minutes environ. Passez-le et nappez-en les fruits pochés. Décorez avec des feuilles de verveine odorante: servez chaud ou froid.

5 Ajouter les pruneaux. Éloignez du feu la casserole contenant les kumquats et posez-la sur un dessous-de-plat. Ajoutez les pruneaux dénoyautés *(ci-dessus)*. Remuez doucement pour mélanger les deux sortes de fruits.

6 Servir la compote. Répartissez-la dans des coupes individuelles *(ci-dessus)* et servez-la sans attendre, accompagnée, selon le goût, de crème fraîche ou de crème anglaise *(page 24)*. Vous pouvez la mettre quelques heures au frais et la servir froide. □

Les quenelles aux abricots: une surprise

Des fruits entiers, dénoyautés, habillés de pâte et pochés font un dessert aussi agréable que consistant. Selon la saison, divers fruits peuvent être utilisés: outre les abricots présentés ici, les cerises, les prunes et même les petites pêches opposent leur saveur acidulée à la douceur de la pâte. Toutes les variétés tendres à noyau gardent leur forme ronde grâce à la pâte, et cuisent en un rien de temps.

Pour les quenelles ci-contre (recette page 162), on mélange des pommes de terre crues râpées à de la semoule cuite, de façon à obtenir une pâte granuleuse. Afin qu'elle soit plus lisse, blanchissez les pommes de terre avant de les râper ou remplacez-les par de la farine (recettes pages 113 à 114). Pour que les quenelles gonflent et remontent librement à la surface, pochez-en peu à la fois.

Prévoyez une garniture simple, contrastée. Ici, on a pané les quenelles avec de la mie de pain revenue au beurre, qui dore à la cuisson, et on les a nappées de sauce à l'abricot. Vous pouvez aussi les rouler dans des noix broyées, ou les saupoudrer de sucre parfumé à la cannelle.

1 **Râper les pommes de terre.** Épluchez des pommes de terre à chair cireuse et mettez-les dans de l'eau froide pour qu'elles ne noircissent pas au contact de l'air. Avec une râpe à gros trous, râpez-les au-dessus d'un saladier rempli d'eau froide (ci-dessus).

2 **Égoutter les pommes de terre.** Dès que vous avez terminé de les râper, égouttez-les dans une passoire. Mettez-les sur un linge (ci-dessus), enveloppez-les dedans et pressez-les doucement pour que le linge absorbe l'excès d'eau.

6 **Préparer les abricots.** Lavez-les et épongez-les. Fendez-les à demi en suivant le sillon qui sépare les parties charnues. Retirez le noyau avec la pointe d'un couteau. Mettez un morceau de sucre dans la cavité (ci-dessus) ou, selon le goût, une amande entière ou des noix hachées. Refermez l'abricot.

7 **Envelopper le fruit.** Posez un abricot au centre de chaque carré de pâte et refermez la pâte sur le fruit (ci-dessus). Donnez une forme ronde à la quenelle en lissant correctement la pâte. Roulez-la entre les paumes de façon à bien souder les bords du carré.

8 **Pocher les quenelles.** Faites bouillir de l'eau légèrement salée et mettez-y 4 ou 5 quenelles. Laissez frémir à découvert de 12 à 15 minutes. Quand les quenelles remontent à la surface, elles sont cuites. Transférez-les sur un plateau garni d'un linge (ci-dessus) et tenez-les au chaud à four doux pendant que vous pochez les autres.

3 **Préparer la semoule.** A feu doux, faites chauffer du lait ; ajoutez du sel et du beurre. Dès que le beure est fondu, jetez-y de la semoule, tout en remuant. Faites frémir jusqu'à ce que la semoule ait absorbé le lait, sans cesser de remuer. Éloignez du feu.

4 **Faire la pâte.** Mettez les pommes de terre dans une terrine, puis la semoule. Dès que la semoule est assez froide pour que vous puissiez la toucher, pétrissez les ingrédients *(ci-dessus)*, de façon à obtenir une pâte de consistance homogène.

5 **Découper des carrés.** Farinez un plan de travail afin que la pâte ne colle pas. Avec un rouleau, abaissez-la en un rectangle de 3 mm d'épaisseur. Découpez des carrés, ici de 9 cm de côté pour les abricots. Veillez à ce que chaque carré soit assez grand pour envelopper le fruit choisi.

9 **Ajouter une garniture.** Faites fondre du beurre dans une poêle ; ajoutez un peu de sucre et de la mie de pain rassis. Faites revenir le tout au beurre. Posez les quenelles sur la préparation et roulez-les entre deux cuillères pour les enrober de panure dorée.

10 **Servir les quenelles.** Pour faire la sauce à l'abricot, coupez des abricots en deux et dénoyautez-les. Faites-les cuire dans un sirop de sucre *(page 31)*, jusqu'à ce qu'ils soient tendres et égouttez-les. Réduisez-les en purée *(page 23)*. Sucrez-les et, selon le goût, parfumez-les avec du rhum. Nappez les quenelles chaudes de sauce à l'abricot *(ci-dessus)*. □

Le parfum de l'orange dans un soufflé

Avec leur texture mousseuse, les soufflés font ressortir à merveille le parfum des fruits. Ces entremets se composent d'un appareil aromatisé, mélangé à des blancs d'œufs en neige, qui leur confèrent cette légèreté tant appréciée. En règle générale, on prépare une sauce liée à la farine, à laquelle on incorpore un zeste râpé, une purée de fruits ou des morceaux de fruits, frais ou confits *(recettes pages 100 à 101)*. Il arrive qu'une purée de fruits constitue à elle seule la base d'un soufflé: afin, par exemple, de ne pas masquer le parfum des fraises, des framboises ou des myrtilles, on les allège uniquement avec des blancs d'œufs.

Pour les soufflés à l'orange présentés ci-contre *(recette page 100)*, on ajoute du zeste d'orange râpé finement et de la liqueur à l'orange à un appareil renfermant des jaunes d'œufs, du sucre, du lait et de la farine, que l'on fouette sur le feu et qu'on laisse refroidir avant d'y incorporer les blancs. La cuisson, effectuée ici dans des oranges évidées, peut aussi se faire dans des ramequins. Procédez de la même façon pour les soufflés au citron, jaune ou vert, ou au pamplemousse.

Les fruits qui se réduisent en purée, bananes ou abricots, par exemple, s'incorporent aisément à la sauce de base, donnant des entremets très fruités. Songez aussi aux groseilles à maquereau ou aux pruneaux. En outre, confectionnez des soufflés avec des amandes ou des noisettes broyées, ou bien des débris de marrons glacés.

Pour parfumer davantage un soufflé, ajoutez-y de la liqueur ou de l'eau-de-vie avant d'incorporer les blancs: du kirsch ou du curaçao, par exemple, avec des fraises, du cognac avec des myrtilles ou du rhum avec des bananes. Toutefois, prévoyez un jaune d'œuf supplémentaire pour l'appareil, sinon ce dernier serait trop fluide.

La cuisson d'un soufflé n'est pas aussi compliquée qu'on le dit, si les blancs d'œufs sont battus correctement, c'est-à-dire ni trop ni pas assez. Pour un soufflé parfumé avec un zeste râpé, ils sont prêts dès qu'ils brillent et forment des crêtes fermes. Avec une purée de fruits, cessez de les fouetter lorsque la neige est molle, sinon le soufflé serait sec. En incorporant les œufs, ne cherchez pas obtenir un mélange parfaitement homogène: vous les feriez retomber.

1 Préparer les écorces d'orange. Coupez des oranges en deux, à mi-hauteur. Avec une cuillère, retirez la pulpe *(ci-dessus)*, en laissant la peau blanche. Veillez à ne pas percer l'écorce. Mettez la pulpe d'orange dans un saladier et réservez-la pour un autre usage.

2 Râper le zeste. Dans une casserole, faites chauffer du lait avec une gousse de vanille jusqu'aux premiers frémissements. Éloignez-le du feu et laissez-le légèrement refroidir. Tamisez de la farine dans une assiette. Au-dessus d'une terrine contenant des jaunes d'œufs et du sucre, râpez le zeste d'une orange avec une râpe fine.

5 Aromatiser avec de la liqueur. Parfumez l'appareil avec 2 à 3 cuillerées à soupe de liqueur, ici du Grand-Marnier. Mélangez avec le fouet. Laissez-le légèrement refroidir avant d'y incorporer les blancs d'œufs. Préchauffez le four à 200°C (6 au thermostat).

6 Battre les blancs d'œufs. Avec le fouet, battez-les en neige ferme. Sucrez-les et fouettez-les jusqu'à ce qu'ils brillent. Incorporez-en un quart environ à l'appareil *(ci-dessus)*, puis versez celui-ci dans les blancs qui restent. Soulevez la masse du fond du récipient pour la ramener sur le dessus et incorporez-la délicatement.

3 **Mélanger les ingrédients.** Fouettez-les jusqu'à ce qu'ils épaississent et deviennent onctueux. Incorporez la farine. Ôtez la gousse de vanille du lait et versez celui-ci dans la terrine. Fouettez l'appareil afin d'y mélanger le lait et transférez-le dans une poêle.

4 **Cuire l'appareil.** A feu moyen, continuez à fouetter l'appareil à soufflé pendant qu'il frémit *(ci-dessus).* Au bout de 2 minutes environ, éloignez-le du feu; l'appareil doit être très onctueux.

7 **Remplir les écorces d'orange.** Disposez-les sur la plaque du four et remplissez-les avec l'appareil à soufflé *(ci-contre).* Faites-les cuire 5 minutes, jusqu'à ce qu'il gonfle et se colore. Poudrez-les de sucre glace et remettez-les 2 minutes au four pour qu'elles dorent. Servez-les. □

La flangnarde périgourdine : un clafoutis aux fruits secs

Des fruits cuits au four dans une pâte donnent des clafoutis fermes incrustés de morceaux juteux. Cet apprêt convient pratiquement à tous les fruits, frais ou secs. Pour la flangnarde périgourdine présentée ici *(recette page 112)*, on a incorporé des pruneaux et des raisins secs à une pâte préparée avec du lait, des œufs, du sucre et de la farine. Vous pouvez tout aussi bien choisir des raisins de Smyrne, des figues ou des abricots secs, voire des fruits frais comme des cerises dénoyautées, des pommes ou des poires hachées, que vous ferez d'abord sauter au beurre, ou des prunes hachées.

Pour parfumer davantage ce dessert, faites macérer les fruits au préalable dans du cognac, ou toute autre eau-de-vie, ou de la liqueur : du kirsch, du Grand-Marnier ou du calvados, par exemple. S'ils sont frais, saupoudrez-les de sucre pour en extraire le jus, versez une dose suffisante de liqueur pour les couvrir et laissez-les tremper pendant une heure environ. Les fruits secs, pour qu'ils absorbent le liquide, doivent macérer pendant plusieurs heures. Dans les deux cas, égouttez-les avant de les incorporer à la pâte ; réservez le liquide de macération pour en arroser le clafoutis avant de le mettre au four.

Faites cuire la flangnarde dans un plat en porcelaine, en fonte ou en grès, matières qui ne conduisent pas la chaleur trop rapidement et empêchent ainsi les bords de la pâte de durcir par excès de cuisson. Ce dessert est meilleur tiède : laissez-le refroidir légèrement avant de le servir.

1 Égoutter les raisins secs. Pour qu'ils gonflent et s'attendrissent, mettez-les dans une casserole, couvrez-les d'eau froide et placez à feu modéré. Portez à ébullition et éloignez du feu aussitôt. Laissez les raisins tremper pendant 10 minutes, puis égouttez-les dans une passoire posée sur un saladier.

2 Faire macérer les fruits. Dénoyautez des pruneaux. Mettez-les, avec les raisins, dans un bocal hermétique, ici un bocal à conserves. Versez du cognac ou de la liqueur aux fruits, fermez bien le bocal et laissez macérer pendant plusieurs heures. De temps en temps, secouez le bocal afin que tous les fruits absorbent du liquide.

6 Ajouter les fruits. Mettez les pruneaux et les raisins macérés dans la pâte. Avec une cuillère en bois, remuez bien la préparation *(ci-dessus)*, de façon à y répartir uniformément les fruits.

7 Transférer la pâte. Préchauffez le four de 190 à 200 °C (5 ou 6 au thermostat). Beurrez généreusement un plat à four et, avec une louche, transférez-y le contenu de la terrine. Versez le liquide de macération des fruits sur la préparation.

3 **Battre les œufs.** Mettez de la farine dans un tamis. Cassez des œufs dans une grande terrine, ajoutez du sucre et une pincée de sel et mélangez bien le tout à l'aide d'un fouet *(ci-dessus).*

4 **Tamiser la farine.** Tout en fouettant les œufs, tamisez la farine par petites quantités au-dessus de la terrine *(ci-dessus).* Continuez à fouetter jusqu'à ce que la pâte soit bien homogène et dépourvue de grumeaux.

5 **Incorporer le lait.** Dans une casserole, faites chauffer du lait et une gousse de vanille jusqu'à ce qu'il bouillonne. Éloignez-le du feu et versez-le dans un pichet. Laissez-le infuser 15 minutes environ. Ôtez la vanille et réservez-la pour un autre usage. Versez le lait dans la terrine, sans cesser de remuer afin d'obtenir une pâte fluide.

6 **Servir la flangnarde.** Faites-la cuire pendant 20 minutes, jusqu'à ce qu'elle ait levé uniformément : si vous piquez un bâtonnet dans la pâte, il doit ressortir propre. Laissez la flangnarde tiédir pendant 15 minutes environ. Servez-la directement dans le plat *(ci-contre),* accompagnée, selon le goût, de crème fraîche. ☐

Un pouding aux figues cuit à la vapeur

Les poudings à base de fruits secs incorporés à une pâte et cuits au bain-marie appartiennent à la tradition culinaire anglaise. Le *Christmas pudding*, dans lequel entre une forte proportion de fruits secs et confits, en est peut-être la meilleure illustration; celui présenté ici, plus simple, contient des figues sèches *(recette page 113)*. Bien d'autres fruits peuvent s'apprêter de cette façon, mélangés à des aromates soit acidulés, soit épicés, tels un zeste de citron ou du gingembre. En hiver, vous trouverez aisément divers fruits secs, dattes, abricots, raisins secs, raisins de Smyrne, raisins de Corinthe et tranches de pomme ou de poire séchées. Toutefois, vous pouvez aussi confectionner un pouding avec des cerises fraîches.

La pâte renferme de la farine ou de la mie de pain, de la levure destinée à la faire gonfler, un ingrédient liquide comme des œufs ou du lait, du sucre et de la matière grasse. On utilise en général de la graisse de rognons de bœuf, qui s'achète fraîche chez le boucher. Débarrassez-la des membranes et des fibres avant de la râper. Elle fond pendant la longue cuisson, conférant au pouding sa consistance moelleuse.

Beurrez bien le moule, traditionnellement en terre vernissée, afin que le pouding se détache proprement après la cuisson. Par précaution, vous pouvez aussi en tapisser le fond de papier sulfurisé *(opération 4)* ou, si vous préférez, de confiture ou de mélasse. Prévoyez également un linge humecté pour protéger le pouding des projections d'eau bouillante pendant qu'il cuit.

Mettez ensuite le moule au bain-marie, en immergeant les deux tiers du récipient dans de l'eau bouillante, de sorte que le pouding soit entouré d'une chaleur humide. La vapeur qui traverse le linge lui permet de monter légèrement et fait gonfler les fruits secs. Le pouding est prêt au bout d'une heure environ mais, si vous prolongez la cuisson, vous favorisez davantage le mélange des saveurs. Veillez à ce que l'eau bouille régulièrement; si vous en ajoutez, utilisez toujours de l'eau bouillante.

Une crème anglaise *(page 24)* accompagne à merveille ce dessert à la texture riche et dense. De la crème fraîche ou du sirop chaud *(page 31)* conviennent également.

1 **Préparer les fruits.** Essuyez des figues, ici des figues sèches dorées, avec des serviettes en papier. Pressez le haut de chaque fruit entre le pouce et l'index, puis cassez la tige *(ci-dessus)*; pour un pouding de couleur plus soutenue, utilisez des figues violettes.

2 **Hacher les figues.** Avec un couteau pointu, détaillez les figues en lanières de 1 cm de large environ. Rassemblez-les d'une main et coupez-les transversalement afin d'obtenir des morceaux grossiers *(ci-dessus)*.

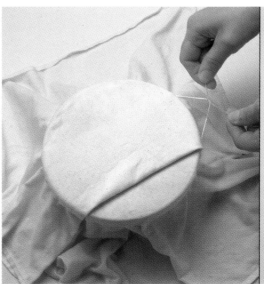

6 **Enfermer le pouding hermétiquement.** Farinez un linge humecté et posez-le sur le pouding, côté fariné en dessous. Formez un pli dans le linge pour permettre au pouding de gonfler et maintenez-le avec une ficelle passée sous le bord du moule *(à gauche)*. Nouez successivement les deux pans opposés du linge sur le moule *(à droite)*, de façon à pouvoir soulever le tout.

3 **Réunir les ingrédients.** Mettez les figues hachées dans une terrine avec de la farine, de la levure en poudre, du sel, du sucre, de la mie de pain, une pincée de muscade et, enfin, de la graisse de rognons de bœuf râpée. Mélangez et versez des œufs battus dilués dans du lait. Si la préparation est trop épaisse, ajoutez du lait.

4 **Beurrer le moule.** Avec les doigts, beurrez généreusement l'intérieur du moule *(ci-dessus)*. Pour que le pouding se démoule plus facilement, découpez un rond de papier sulfurisé et recouvrez-en le fond du récipient.

5 **Remplir le moule.** Avec une cuillère, transférez la préparation dans le moule. Comme le pouding ne gonfle que très légèrement pendant la cuisson, vous pouvez remplir le moule jusqu'au bord.

7 **Cuire au bain-marie.** Immergez le moule jusqu'aux deux tiers de sa hauteur dans de l'eau bouillante. Couvrez et laissez bouillir 2 heures et demie. Sortez le moule et ôtez le linge. A l'aide d'une assiette, retournez le moule. Servez le pouding coupé en tranches et, selon le goût, nappé de crème anglaise. □

Les beignets

Lorsque l'on fait frire des morceaux de fruit enrobés de pâte, l'huile bouillante transforme cette enveloppe protectrice en un écrin doré et croustillant, qui enferme le jus et le parfum du fruit. Avant de plonger des fruits fermes, pommes ou ananas, par exemple, dans la pâte à frire, vous pouvez les enduire d'une crème épaisse aromatisée. Ici, on a d'abord recouvert les morceaux d'ananas d'une sorte de frangipane (mélange de lait, de farine, de macarons et de pistaches), puis on les a trempés dans une pâte à la bière *(recette page 116)*.

La frangipane ne se marie qu'avec certains fruits ; la pâte à frire, en revanche, convient pratiquement à tous, frais ou secs. Évitez les fruits trop mûrs, susceptibles de s'écraser dans la friture. Pelez pommes, poires et pêches et, selon le cas, évidez-les ou dénoyautez-les *(pages 20 à 22)* ; ensuite, détaillez-les en morceaux ou en tranches afin que la chair cuise parfaitement lors de son bref passage dans la friture. Coupez les bananes en deux dans le sens de la longueur, ou en tronçons. Contentez-vous de rincer les fraises ou les framboises. Faites d'abord

tremper les fruits secs, comme les pruneaux, et dénoyautez-les. Épongez-les bien, ainsi que les variétés que vous devrez laver, afin que la pâte adhère correctement.

Pour obtenir des beignets croustillants, il importe que la pâte soit légère. Ici, on a ajouté de la bière, qui aère la préparation, et un peu d'eau à la farine et aux jaunes d'œufs *(encadré ci-dessous)*. Du vin ou quelques gouttes de cognac donnent une toute autre saveur. Préparez la pâte à l'avance et laissez-la reposer pendant une heure environ à température ambiante : le gluten de la farine perd ainsi son élasticité et la pâte adhère mieux aux fruits. Pour l'alléger davantage, incorporez-y, au dernier moment, des blancs d'œufs battus en neige.

Faites frire les beignets dans une huile végétale neutre, chauffée à 190 °C. Si vous n'avez pas de thermomètre à friture, vérifiez la température de l'huile en y laissant tomber une goutte de pâte : si elle grésille, la friture est assez chaude. Pour que la température reste constante, et que les beignets ne collent pas les uns aux autres, n'en faites pas cuire trop à la fois.

1 **Mélanger les ingrédients.** Portez à ébullition du lait sucré avec une gousse de vanille. Éloignez du feu et laissez refroidir. Tamisez de la farine dans une autre casserole. Ajoutez un œuf entier et un jaune et remuez jusqu'à ce que la farine soit absorbée. Ôtez la vanille du lait et versez-le sur le mélange, sans cesser de remuer.

Une pâté à frire allégée avec de la bière

1 **Verser la bière.** Tamisez de la farine dans une terrine et ajoutez du sel, du sucre et un jaune d'œuf ; réservez le blanc. Versez de la bière peu à peu *(ci-dessus)* et mélangez afin d'obtenir une pâte homogène. Ajoutez-y du beurre fondu et de l'eau jusqu'à ce qu'elle ait une consistance onctueuse.

2 **Terminer la pâte.** Couvrez-la d'une assiette et laissez-la reposer pendant une heure environ, à température ambiante. Au moment de l'utiliser, battez le blanc d'œuf en neige ferme et incorporez-le à la pâte.

5 **Enduire l'ananas.** Beurrez une assiette avec un couteau-spatule et étalez-y la moitié de la frangipane. Disposez les morceaux d'ananas par-dessus, en les espaçant assez pour pouvoir ensuite les séparer aisément. Appuyez bien dessus pour que la frangipane adhère à la chair du fruit.

2 **Cuire le mélange.** Placez la casserole à feu modéré et, sans cesser de remuer, faites cuire le mélange jusqu'à ce qu'il soit très épais et ait la consistance d'une pâte ferme. Éloignez la casserole du feu.

3 **Terminer la frangipane.** Ajoutez des macarons à la préparation, en les émiettant finement entre les doigts *(ci-dessus)*. Coupez du beurre en dés et incorporez-les à la frangipane. Ajoutez-y des pistaches hachées et remuez bien pour répartir les ingrédients. Mettez au réfrigérateur.

4 **Couper l'ananas.** Avec un couteau tranchant, coupez le haut et la base du fruit. Détaillez-le en tranches de 1 cm d'épaisseur environ. Retirez l'écorce et coupez les tranches en deux, puis en quatre. Enlevez le cœur fibreux de chaque quartier *(ci-dessus)*.

6 **Recouvrir de frangipane.** Étalez le reste de frangipane sur les morceaux d'ananas, sans les recouvrir complètement pour les prélever plus facilement. Couvrez l'assiette et mettez au frais pendant 2 heures. Séparez les morceaux avec un couteau-spatule.

7 **Frire les beignets.** Faites chauffer de 5 à 7 cm d'huile, jusqu'à ce qu'elle grésille au contact d'une goutte de pâte. Un à un, plongez les morceaux d'ananas dans la pâte *(encadré page de gauche)*, puis dans la friture. Au bout de 2 à 3 minutes, retournez les beignets. Dès qu'ils sont dorés, mettez-les à égoutter sur des serviettes en papier, sucrez-les et servez-les. ☐

Les marrons glacés, ou comment confire les fruits

Pour conserver le plus longtemps possible certains fruits, on remplace leur humidité naturelle par du sucre. Ce procédé, qui permet de les confire, consiste à les saturer progressivement d'un sirop de sucre, ce qui requiert du soin et de la patience, mais les friandises obtenues justifient l'effort déployé. Ci-contre, après avoir confit des marrons, on les a glacés dans du sirop pour confectionner les célèbres marrons glacés *(recette page 126)*.

Les amandes ou les noix vertes, c'est-à-dire celles dont la coque n'est pas encore formée et qui ont une chair juteuse, peuvent se confire de la même façon, ainsi que bien d'autres fruits.

Choisissez des fruits mûrs mais fermes, très parfumés et acides, afin que la grosse quantité de sucre absorbée n'en masque pas les qualités: des cerises, des abricots, des pêches, des prunes, des figues, de l'ananas ou des poires, par exemple. Les petits fruits rouges et les baies ne supportent pas ce traitement car ils s'écrasent dans le sirop. Selon les cas, pelez les fruits et dénoyautez-les; s'ils sont gros comme l'ananas, détaillez-les. Faites-les blanchir à l'eau frémissante, puis égouttez-les. Piquez les petits fruits entiers avec une fourchette afin que le sucre pénètre dans la pulpe.

Pour réussir les fruits confits, il faut procéder par étapes. Si on les sature d'emblée d'une forte concentration de sucre, la chair se ride et durcit. Ici, après avoir écorcé les marrons, on les attendrit dans de l'eau frémissante. Ensuite, on les plonge dans un sirop de sucre, que l'on porte à ébullition. Pour le concentrer progressivement, on le fait bouillir deux fois encore, avec les fruits, à 24 heures d'intervalle. Entre-temps, les marrons macèrent dans le liquide afin que le sucre en imprègne lentement la chair. Enfin, on les égoutte et on les laisse sécher à température ambiante. On peut les savourer tels quels, ou les glacer en les plongeant dans du sirop frais.

Les fruits autres que les marrons, très riches en eau, ont une chair plus fragile. Faites-les confire lentement, sur une longue période: cette opération prend parfois une quinzaine de jours *(recettes page 165)*. Là encore, on concentre le sirop du sucre davantage de jour en jour.

1 Préparer les marrons. Triez-les, en jetant ceux qui sont pourris ou abîmés. Avec un petit couteau pointu, incisez délicatement l'écorce en croix sur la partie bombée de chaque fruit *(ci-dessus)*. Faites en sorte de ne pas entamer la chair des marrons.

2 Écorcer les marrons. Mettez-les pendant quelques minutes dans une casserole d'eau bouillante. Sortez-les par petites quantités à l'aide d'une écumoire. Avec un couteau pointu, ou les doigts si cela vous semble plus facile, retirez l'écorce de chaque marron, puis la peau brune qui enveloppe la chair.

5 Terminer de confire les marrons. Le lendemain, faites bouillir à nouveau le sirop et les marrons, en ôtant le récipient du feu aux premiers bouillons. Couvrez et laissez macérer une nuit. Recommencez le lendemain, en ajoutant au sirop de six à huit gouttes d'essence de vanille avant de le faire bouillir.

6 Sécher les marrons confits. Sortez-les délicatement du sirop avec une écumoire et mettez-les à égoutter sur une grille posée sur un plateau *(ci-dessus)*. Laissez-les dans un endroit chaud et sec, ou un four réglé au plus bas, porte entrouverte, de 3 à 4 heures. Le séchage les rend moins collants et mats.

3 **Attendrir les marrons.** Mettez-les dans une casserole d'eau froide. Faites chauffer lentement jusqu'à ce que le liquide frémisse. Laissez mijoter les marrons à feu doux jusqu'à ce qu'ils soient tendres; comptez 15 minutes environ, mais veillez à ce qu'ils ne se brisent pas. Pour en vérifier la cuisson, piquez-les avec une brochette. Si elle pénètre et ressort facilement, ils sont prêts.

4 **Égoutter les marrons.** Afin de ne pas les briser, transférez-les dans une passoire avec une écumoire *(ci-dessus).* Jetez l'eau de cuisson et utilisez le récipient pour préparer un sirop de sucre. Portez-le à ébullition, ajoutez les marrons et faites reprendre l'ébullition. Dès que le sirop bout, éloignez la casserole du feu. Couvrez et laissez une nuit dans un endroit chaud.

7 **Glacer les marrons.** Faites un sirop de sucre frais. Versez-en dans une terrine; tenez le reste au chaud. Portez de l'eau à ébullition. Piquez les marrons sur une fourchette et plongez-les 20 secondes dans l'eau, puis dans le sirop. Posez-les sur une grille. Dès que le sirop est trouble, remplacez-le. Laissez les marrons sécher 4 heures.

8 **Servir les marrons glacés.** Vous pouvez les servir dès qu'ils sont secs. Ici, on les a présentés dans une coupe en verre afin de faire ressortir leur glaçage. Pour les conserver, superposez-les dans une boîte hermétique, en séparant chaque couche avec une feuille de papier sulfurisé, et rangez-les dans un endroit sec. □

Une mousse aux pommes ornée de pêches

Les purées de fruits, liées avec un ingrédient qui les raffermit lorsqu'on les met au frais, donnent toute une gamme de desserts froids, de consistances variées. Certains sont mousseux et semi-fluides; d'autres fermes, faciles à mouler *(recettes pages 99 à 106)*. Pour les faire prendre, on y incorpore du beurre, de la crème fraîche, des blancs d'œufs ou de la gélatine, en réunissant parfois deux de ces ingrédients ou davantage; des jaunes d'œufs peuvent, par ailleurs, enrichir la préparation.

Afin que ces desserts ne s'affaissent pas au démoulage, on les renforce en général avec de la gélatine. La mousse aux pommes présentée ici *(recette page 102)* se confectionne comme un bavarois classique *(page 24)*, si ce n'est que la crème anglaise, après adjonction de gélatine, est mélangée à une purée de pommes *(page 23)* et, enfin, à de la crème fouettée.

Lorsque vous employez de la gélatine dans une mousse, tenez compte de la température de la composition. En effet, la gélatine prend immédiatement au contact d'une substance froide, formant des filaments et des grumeaux: la crème anglaise doit être chaude. Laissez refroidir l'appareil obtenu jusqu'à ce qu'il commence tout juste à prendre, puis incorporez-y la crème fouettée. Pour qu'elle se mélange bien à la préparation, elle doit avoir la même consistance. Si l'appareil lié à la gélatine est trop ferme, remuez-le une minute au-dessus d'une casserole d'eau chaude pour le ramollir.

N'importe quelle purée de fruits peut servir de base à une mousse de ce type: citons, entre autres, les abricots, les framboises ou les pruneaux. Dans le cas de fruits qui ne se réduisent pas en purée, tels les agrumes, confectionnez la mousse en mélangeant le jus de fruits à des jaunes d'œufs et au zeste râpé finement.

Une mousse aux fruits mérite une décoration soignée: des noisettes hachées, par exemple, des écorces confites, du chocolat râpé ou d'autres fruits, entiers ou non. Ci-contre, outre les pêches au porto et le cordon de sauce à l'abricot, on a ajouté des meringues neigeuses *(encadré ci-contre)*, qui mettent fort bien en valeur la texture fondante de la mousse.

1 **Préparer les pêches.** Pelez-les, coupez-les en deux et dénoyautez-les. Préparez un sirop de sucre moyen *(page 31)* et faites-y pocher les pêches jusqu'à ce qu'elles soient tendres. Avec une écumoire, transférez-les dans un saladier. Versez du porto dessus et laissez-les macérer plusieurs heures.

2 **Préparer l'appareil aux pommes.** Pelez les pommes, évidez-les *(page 22)* et émincez-les. Faites-les cuire à feu moyen, avec un peu d'eau et un bâton de cannelle. Une fois qu'elles sont cuites, ôtez la cannelle. Réduisez-les en purée. Incorporez une crème anglaise liée à la gélatine *(page 24)*.

Des meringues légères

1 **Tamiser du sucre.** Dans une sauteuse, faites chauffer du lait avec du sucre et une gousse de vanille jusqu'à ce qu'il frémisse. Hors du feu, laissez-le infuser 15 minutes. Dans un cul-de-poule, fouettez des blancs d'œufs en neige ferme et incorporez-y peu à peu du sucre glace, en battant souvent. Ôtez la vanille du lait et faites-le frémir.

2 **Pocher les meringues.** Faites tomber des cuillerées à café de blanc d'œuf dans le lait et pochez les meringues 3 minutes environ, en les retournant une fois. Avec une écumoire, retirez-les *(ci-dessus)* et mettez-les à égoutter sur un tamis rond. Pochez ainsi toutes les meringues, par petites quantités.

3 **Ajouter la crème fouettée.** Dès que le mélange est homogène, mettez-le au frais jusqu'à ce qu'il prenne; remuez-le souvent. Entre-temps, fouettez de la crème fraîche épaisse en neige molle. Dès que l'appareil a la même consistance que la crème fouettée, incorporez celle-ci *(ci-dessus)*.

4 **Remplir le moule.** Enduisez l'intérieur d'un moule à savarin d'huile d'amandes douces, ou d'une huile végétale neutre. Remplissez-le avec l'appareil *(ci-dessus)*. Pour bien répartir la préparation, tapotez le fond du moule sur le plan de travail. Mettez au réfrigérateur 4 heures au moins.

5 **Faire la sauce à l'abricot.** Faites cuire des abricots coupés en deux et dénoyautés *(page 22)* dans de l'eau. Égouttez-les. Réduisez-les en purée dans un tamis posé sur un saladier et laissez-les refroidir. Mettez les pêches sur un plat. Ajoutez le porto à la purée, sucrez et versez du jus de citron.

6 **Composer le dessert.** Selon le goût, préparez une garniture de meringues pochées *(encadré)*. La mousse est prise lorsqu'elle est ferme au toucher. Au moment de servir, plongez rapidement le fond du moule dans une bassine d'eau chaude. Renversez un plat rond sur le moule, retournez le tout et soulevez le moule. Dressez les pêches au centre de la couronne et nappez-en le pourtour de sauce à l'abricot *(ci-dessus)*.

7 **Terminer la décoration.** Nappez les pêches de quelques cuillerées de sauce à l'abricot et mettez celle qui reste dans une saucière. Selon le goût, vous pouvez servir la mousse telle quelle. Ici, pour raffiner la présentation, on a dressé des meringues pochées sur le cordon de sauce à l'abricot *(ci-dessus)*. □

Le diplomate : une savante composition

En alternant un assortiment de fruits hachés et une crème onctueuse, on obtient un élégant dessert moulé. Les fruits confits ou glacés, très décoratifs, parfumés et fermes, conviennent parfaitement à une composition de ce type. Dans la préparation ci-contre, on a superposé des couches de bavarois à la vanille, de biscuits à la cuillère imbibés de kirsch, de fruits et d'écorces confits hachés pour confectionner un pouding : le diplomate *(recette page 106)*, ce chef-d'œuvre de la grande cuisine.

Le diplomate doit son caractère aux textures agréablement contrastées qui le composent, du bavarois onctueux aux biscuits fondants, en passant par les fruits fermes, sucrés. Selon la même méthode, mais en variant les ingrédients, vous pouvez créer toute une gamme de desserts. A défaut de fruits confits, utilisez des fruits frais, ou des fruits pochés dans un sirop de sucre *(page 46)*, et, pour que chaque bouchée croque davantage sous la dent, intercalez quelques noisettes hachées. Une purée de fruits *(page 64)* peut colorer le bavarois tout en le parfumant. Pour obtenir un effet rubané, aromatisez chaque couche de bavarois avec une purée différente.

Vous pouvez acheter les biscuits à la cuillère, ingrédient indispensable à la réalisation de ces desserts superposés, ou les confectionner vous-même *(encadré ; recette page 160)* : ils n'en seront que plus savoureux. Il en va de même des fruits et des écorces confits *(recettes pages 165 et 166)*. Certes, leur préparation prend du temps, mais ils se gardent presque indéfiniment. Hachez les fruits menu, laissez refroidir les biscuits après la cuisson et imbibez-les de liqueur avant de faire le bavarois, sinon la gélatine qu'il contient prendrait avant que vous n'ayez assemblé le gâteau.

Afin que le diplomate se démoule facilement, prenez un moule à bords droits, en métal mince : un moule à charlotte, aussi large que profond, légèrement évasé en haut, est l'idéal.

Les fruits confits accentuent le goût sucré du diplomate. Pour compenser, servez-le avec une purée de fruits rehaussée de liqueur. Ici, on a parfumé une purée de groseilles avec du kirsch, eau-de-vie déjà utilisée pour imbiber les biscuits.

1 Hacher les fruits confits. Mettez divers fruits confits et glacés sur un plan de travail. Ici, on a utilisé un assortiment coloré qui réunit abricots, figues vertes, ananas, clémentines, cerises et écorces d'orange et de citron. En tenant les fruits d'une main, détaillez-les en petits dés avec un couteau pointu *(ci-dessus)*. Dès que vous avez terminé de les hacher, mélangez-les et réservez-les.

Des biscuits à la cuillère légers

1 Préparer la pâte. Fouettez des jaunes d'œufs sucrés, jusqu'à obtention d'un mélange lisse, de 10 à 15 minutes si vous travaillez à la main, ou moitié moins avec un mixeur. Incorporez-y peu à peu de la farine tamisée. Battez des blancs d'œufs en neige ferme. Incorporez-en un quart à la pâte pour commencer, puis le reste.

2 Façonner les biscuits. Avec une poche à douille munie d'un embout rond, couchez des lanières de pâte sur une plaque beurrée, en les espaçant pour que les biscuits gonflent. Saupoudrez-les de sucre. Faites-les cuire 20 minutes au four à 170°C (3 au thermostat). Mettez-les à refroidir sur une grille.

2 **Verser du bavarois.** Faites des biscuits à la cuillère *(encadré page de gauche).* Aspergez-les d'un peu de kirsch. Badigeonnez l'intérieur d'un moule à charlotte d'huile d'amandes douces, ou d'une huile végétale neutre. Préparez un bavarois à la vanille *(page 24).* Tapissez-en le fond du moule.

3 **Superposer les ingrédients.** Mettez une couche de biscuits à la cuillère sur le bavarois; si besoin est, coupez-les pour qu'ils tiennent dans le moule. Parsemez-les de fruits confits hachés *(ci-dessus, à gauche).* Recouvrez de bavarois *(ci-dessus, à droite,* Ajoutez une seconde couche de biscuits et une autre de fruits, puis terminez par une couche de bavarois. Mettez le diplomate au réfrigérateur pendant 4 heures au moins.

4 **Servir le diplomate.** Décollez-le en passant la lame d'un couteau contre les parois du moule. Plongez rapidement le moule dans de l'eau chaude. Renversez un plat sur le moule et retournez le tout. Soulevez le moule. Décorez de fruits hachés et servez avec une sauce aux fruits acidulée, ici une purée de groseilles au kirsch. □

Un dessert moulé : la rosace à l'orange

Des morceaux de fruits, tout en colorant et parfumant un dessert moulé, peuvent aussi servir à chemiser le moule si vous les disposez harmonieusement. Après le démoulage, ils forment un motif très décoratif.

Vous pouvez parfaitement ne choisir qu'un seul fruit, en l'utilisant dans chaque élément du dessert. Dans la rosace à l'orange présentée sur ces pages (recette page 117), de fines rondelles d'orange, entourées d'une couronne de tranches de kiwi, enserrent des couches de crème pâtissière, parfumée à l'orange, et de génoise.

Pour réaliser ce gâteau, il faut le commencer longtemps à l'avance, afin que les divers éléments qui le constituent soient prêts à être assemblés au dernier moment. Ainsi, vous ferez cuire la génoise et la laisserez refroidir pour pouvoir la partager ; vous pouvez aussi préparer et aromatiser la crème pâtissière, ainsi que le sirop de sucre dont vous badigeonnerez la génoise.

Les fruits employés pour chemiser le moule doivent être coupés en tranches fines, d'égale épaisseur, qui adhéreront parfaitement aux parois et en épouseront la forme. Il vaut mieux prendre un moule rond, peu profond ; un moule en verre vous permettra de voir le motif tel qu'il apparaîtra lorsque vous démoulerez le dessert. Au préalable, badigeonnez-le d'huile d'amandes, puis enrobez-le de sucre en poudre : le démoulage n'en sera que plus aisé, et les fruits se pareront d'un joli glaçage.

Il faut que les abaisses de génoise entrent sans peine dans le moule chemisé : rectifiez-en le diamètre, si besoin est. Afin que la rosace présente des contours fermes et nets une fois démoulée, vous pouvez, selon le goût, incorporer un peu de gélatine dissoute à la crème pâtissière : 15 g maximum par demi-litre, sinon elle risquerait d'être trop ferme.

Dès que vous avez assemblé la rosace, mettez-la sous presse pour comprimer les couches et les rendre compactes. Enfin, placez-la au frais pendant plusieurs heures. Elle sera meilleure si vous la laissez une nuit au réfrigérateur : elle se raffermira et les parfums se mêleront davantage.

1 **Mélanger les œufs et le sucre.** Dans un cul-de-poule, fouettez des œufs sucrés de manière à les mélanger légèrement. Versez un peu d'eau chaude dans une casserole, placez-la à feu doux et posez le cul-de-poule dessus. Fouettez le mélange de façon régulière et rythmée (ci-dessus).

2 **Obtenir la bonne consistance.** Au bout de 5 à 10 minutes, dès que le mélange forme une masse épaisse, pâle et crémeuse, éteignez. Continuez à le fouetter jusqu'à ce qu'il ait triplé de volume et fasse le ruban (ci-dessus) ; comptez 20 minutes environ à la main, ou 10 minutes avec un mixeur.

4 **Remplir le moule.** Garnissez un moule de papier sulfurisé. Versez-y la pâte aussitôt. Faites cuire la génoise au four préchauffé à 180 °C (4 au thermostat) de 35 à 40 minutes environ, jusqu'à ce qu'elle soit souple et commence à se décoller du moule. Démoulez-la sur une grille ; ôtez le papier sulfurisé et laissez-la refroidir.

5 **Préparer les oranges.** Épluchez des oranges sans pépins et détaillez-les en fines rondelles (page 32). Réservez les plus grandes pour décorer le moule, selon le goût, faites-les macérer dans du Grand-Marnier. Hachez les autres ; mettez-les dans une assiette et mélangez-les à du Grand-Marnier.

Terminer la pâte à génoise. Faites fondre du beurre à feu doux et laissez-le refroidir. Tamisez de la farine au-dessus des œufs sucrés *(à gauche)*. Avec une cuillère en métal, incorporez-la délicatement ; en partant du centre, passez la cuillère au fond du récipient, puis contre les parois *(au centre)*. Ajoutez du beurre fondu *(à droite)* et incorporez-le. Continuez ainsi à ajouter alternativement farine et beurre, par petites quantités.

Préparer les kiwis. Avec un petit couteau tranchant, débarrassez les kiwis de leur écorce brune rugueuse *(page 21)*. Jetez-la. Émincez les fruits en tranches de 3 mm d'épaisseur *(ci-dessus)* et réservez-les.

Parfumer la crème pâtissière. Préparez-la *(page 25)*, laissez-la refroidir légèrement, puis incorporez-y les morceaux d'orange *(ci-dessus)*. Ajoutez un peu de gélatine dissoute dans de l'eau chaude pour la raffermir. Ajoutez de la crème fouettée, ici parfumée avec du sucre vanillé.

Préparer le moule. Badigeonnez l'intérieur d'un moule en verre d'une couche uniforme d'huile d'amandes douces, puis saupoudrez-le de sucre en poudre. Faites-le tourner pour que le sucre adhère bien *(ci-dessus)*. Faites tomber l'excédent en tapotant les parois du moule et en le retournant. ▶

9 **Chemiser avec les fruits.** Posez une rondelle d'orange au centre du moule. Entourez-la de tranches de kiwi disposées en couronne. Garnissez le reste du moule avec les rondelles d'orange qui restent ; faites-les chevaucher légèrement et appliquez-les bien contre la partie incurvée du moule *(ci-dessus)*, afin que la rosace soit fermement soutenue par les couches de fruits.

10 **Ajouter la crème pâtissière.** Remplissez le moule de crème pâtissière jusqu'à mi-hauteur *(ci-dessus)*. Avec un couteau-palette étalez-la en la lissant et en comblant les interstices entre les fruits. Effectuez cette opération délicatement, sans déplacer les fruits.

13 **Couvrir de crème pâtissière.** Ajoutez de la crème pâtissière *(ci-dessus)*, en l'étalant pour obtenir une couche lisse qui remplira pratiquement le moule. Au-dessus de cette couche, vous devez pouvoir placer la seconde abaisse de génoise. S'il reste de la crème pâtissière, couvrez-la et mettez-la au réfrigérateur ; elle se conserve pendant plusieurs jours.

14 **Terminer la rosace.** Badigeonnez un côté de la seconde abaisse avec du sirop et appliquez-la, côté badigeonné vers le bas, sur la crème pâtissière ; la génoise doit remplir le moule à ras bord. Badigeonnez-la de sirop *(ci-dessus)*. Posez sur le dessert une assiette plate d'un diamètre à peine inférieur à celui du moule et répartissez des poids dessus, ici de 2 kg.

1 **Partager la génoise.** Coupez-la en deux horizontalement. Pour obtenir deux abaisses de même épaisseur, incisez-la d'abord à mi-hauteur, sur le pourtour, avec un couteau-scie. Ensuite, en suivant ce tracé, séparez-la complètement en deux *(ci-dessus)*.

12 **Parfumer avec du sirop.** Faites un sirop de sucre moyen *(page 31)* et laissez-le refroidir légèrement en le mettant dans une terrine placée dans de l'eau froide. Ajoutez-y du Grand-Marnier et du jus d'orange. Badigeonnez de sirop un des côtés d'une abaisse de génoise et mettez-la, côté badigeonné vers le bas, dans le moule. Badigeonnez l'autre côté.

5 **Démouler et servir.** Mettez la rosace au réfrigérateur pendant au moins 4 heures. Ôtez les poids et l'assiette. Pour démouler, retournez la rosace sur un plat de service et soulevez le moule. Avec un long couteau pointu, découpez-la en parts, chacune comportant une tranche de kiwi. Servez avec une pelle à gâteaux *(ci-contre)*. ☐

Des soupes aussi colorées que parfumées

Les soupes aux fruits, chaudes ou froides, sont colorées, rafraîchissantes et faciles à faire. Elles peuvent figurer sur la table en toute saison: n'importe quel fruit, ou presque, mélangé à un liquide sucré ou salé, donnera une soupe.

Le melon, subtilement parfumé, se marie bien avec les ingrédients à la saveur discrète et peut se cuire à feu doux. Hormis la pastèque, toutes les variétés conviennent. Dans la préparation ci-contre (*recette page 127*), on a d'abord fait sauter au beurre des cubes de melon pour les aromatiser, puis on les a mis à mijoter dans du lait. Après avoir passé le liquide parfumé (*opération 3*), on l'a lié avec des jaunes d'œufs et de la crème fraîche.

La plupart des soupes aux fruits s'obtiennent à partir d'une purée (*page 22*). Les fruits charnus, framboises ou mûres, s'écrasent facilement crus; ceux plus fermes comme les pommes ou les variétés à noyau doivent d'abord cuire à petit feu pour s'attendrir. Pour une soupe épaisse, ajoutez la pulpe passée au tamis; pour une consistance fluide, n'utilisez que le jus.

En ce qui concerne le liquide de base, laissez-vous guider par vos goûts personnels, en tenant compte de la nature du fruit. Ci-contre, en bas (*recette page 130*), un robuste vin rouge, épicé avec de la cannelle, rehausse des abricots colorés, bien parfumés. Pêches, prunes, pommes, poires et agrumes se marient volontiers avec le vin, rouge ou blanc, doux ou sec. On peut aussi diluer une soupe avec du bouillon de bœuf, un fumet de gibier, du babeurre ou du yogourt (*recettes pages 129 et 131*).

Diverses liaisons permettent de modifier le goût et la consistance d'une soupe aux fruits: pour épaissir celle à l'abricot, on a utilisé du tapioca, préalablement trempé dans de l'eau jusqu'à ce qu'il commence à gonfler. Vous pouvez aussi lui substituer du riz, de la semoule ou de la mie de pain.

Des croûtons, une poignée d'herbes fraîches hachées, des amandes hachées ou des lamelles de fruits font de jolies garnitures. Selon le goût, contentez-vous d'ajouter un peu de crème fraîche, ou un doigt de cognac, de xérès ou de rhum.

Soupe au melon et au lait

1 **Préparer le melon.** Coupez un melon en deux et retirez-en les graines (*page 22*). Avec un couteau pointu, détaillez-le en quartiers, puis débarrassez la chair de l'écorce.

2 **Faire revenir.** Coupez le melon en cubes. Faites fondre du beurre dans une cocotte et mettez-y le melon, en réservant quelques cubes pour la garniture. Salez, poivrez, ajoutez du cerfeuil et remuez doucement de 3 à 4 minutes. Portez du lait à ébullition et versez-le sur le melon. Faites reprendre l'ébullition et laissez frémir 30 minutes.

Soupe au vin rouge et aux abricots

1 **Écraser les abricots.** Coupez-les en deux et dénoyautez-les (*page 22*). Mettez-les dans une casserole avec un bâton de cannelle et couvrez-les d'eau. Portez à ébullition et laissez frémir. Quand ils sont tendres, écrasez-les à travers une passoire. Jetez la cannelle; réservez le liquide de cuisson.

2 **Verser le vin.** Ajoutez du vin rouge à la purée d'abricots (*ci-dessus*), ainsi que le liquide de cuisson réservé. Si vous préférez une soupe sucrée, additionnez-la de sucre à volonté. Placez la casserole à feu doux.

3 **Passer le mélange.** Éloignez le récipient du feu. Passez le melon dans une passoire fine posée sur une terrine *(ci-dessus)*. Pour extraire le maximum de saveur de la pulpe, pressez-la avec un pilon ou une cuillère ; selon le goût, ajoutez la pulpe à la soupe pour en renforcer la consistance.

4 **Lier la soupe.** Versez-la dans la cocotte et incorporez-y un jaune d'œuf battu avec de la crème fraîche *(ci-dessus)*. Placez-la à feu doux et faites-la chauffer lentement, en la remuant constamment jusqu'à ce qu'elle épaississe légèrement. Ne la laissez pas bouillir car le jaune d'œuf coagulerait.

5 **Servir la soupe.** Versez-la dans une soupière, ou des bols individuels, et servez-la chaude, garnie comme ci-dessus de pluches de cerfeuil et de cubes de melon revenus au beurre. Vous pouvez aussi la servir froide, agrémentée de cerfeuil, menthe ou ciboulette, et de cubes de melon crus. □

3 **Lier la soupe.** Mettez du tapioca dans un bol contenant de l'eau froide. Dès qu'il a absorbé l'eau et commence à gonfler, ajoutez-le à la soupe, tout en remuant. Ne laissez pas bouillir, la soupe perdrait sa saveur. Faites cuire 30 minutes à feu doux, jusqu'à ce que le tapioca soit transparent.

4 **Servir la soupe.** Transférez-la dans une soupière chaude. Décorez-la de quelques cuillerées de crème aigre coiffées de croûtons frits *(ci-dessus)*. Sinon, laissez-la refroidir et mettez-la à rafraîchir au réfrigérateur. Dans ce cas, servez-la agrémentée de crème aigre, dans une soupière rafraîchie. □

Exotisme ou tradition

Bien des fruits dont le centre est occupé par un noyau, des pépins ou un amas de graines peuvent, une fois évidés ou dénoyautés, recevoir une garniture condimentée. Ces fruits farcis, cuits au four jusqu'à ce que la chair soit tendre, se servent soit en plat principal, soit en accompagnement.

Un grand nombre d'ingrédients conviennent pour la farce : du bœuf ou de l'agneau crus, du poulet rôti, de la poule bouillie ou des foies de volaille revenus, par exemple, auxquels vous pouvez substituer des noix, des noisettes, des amandes, des légumes aromatiques comme des oignons, ou bien des fruits secs. Les fruits très parfumés, tels les coings, s'accordent avec les farces à la saveur discrète ; les fruits sucrés comme les papayes s'accommodent volontiers de mélanges épicés. Afin que la farce soit ferme et homogène, il suffit de transformer les ingrédients en un fin hachis.

Pour la spécialité des Caraïbes présentée ci-contre *(recette page 153)*, on a farci des demi-papayes épépinées d'un mélange de bœuf épicé puis, après les avoir saupoudrées de fromage râpé, on les a cuites au four et on les a servies avec une sauce tomate. Les pommes, les poires et les coings évidés, farcis avec de l'agneau mélangé à des légumes aromatiques, appartiennent à la cuisine du Moyen-Orient. En Angleterre, des pommes fourrées avec de la sauge et de l'oignon accompagnent traditionnellement le porc grillé ou rôti.

La préparation des fruits dépend de la variété utilisée. A pleine maturité, les papayes sont très molles. Comme les fruits à farcir doivent être assez fermes pour garder leur forme, choisissez des fruits à peine mûrs : avant de les garnir, pelez-les et faites-les blanchir pour en attendrir la chair. Le blanchiment ne s'impose pas pour les variétés à chair ferme. Les pommes ou les poires s'emploient pelées ou non ; les coings doivent toujours l'être car ils ont une peau coriace et amère.

Faites cuire les fruits dans un plat à four bien beurré et arrosez-les souvent avec le jus afin qu'ils ne se dessèchent pas. S'il s'agit de fruits fermes, ajoutez un peu d'eau au fond du plat pour qu'ils restent moelleux à la cuisson et n'attachent pas.

Papayes farcies

1 **Préparer les fruits.** Pelez des papayes à peine mûres *(page 20)*, coupez-les en deux dans le sens de la longueur et retirez les graines avec une cuillère. Blanchissez-les 10 minutes à l'eau bouillante salée pour les attendrir : elles prendront une couleur soutenue. Sortez-les, égouttez-les et épongez-les.

Pommes farcies à l'anglaise

1 **Évider les pommes.** Enveloppez un oignon dans du papier d'aluminium et mettez-le 1 heure au four à 180°C (4 au thermostat). Pelez des Reinettes et évidez-les *(page 22)*. Avec un couteau, élargissez la cavité centrale de chaque fruit. Mettez-les dans de l'eau acidulée au citron.

2 **Fourrer les fruits.** Pelez l'oignon et hachez-le menu. Hachez une feuille de sauge fraîche par pomme et mélangez-les à l'oignon ; assaisonnez. Beurrez un plat à four et versez-y un peu d'eau. Mettez-y les pommes et fourrez-les avec la garniture. Disposez une noisette de beurre sur chaque fruit.

3 **Cuire au four et servir.** Faites cuire les pommes au four à 180°C (4 au thermostat) de 45 minutes à une heure, jusqu'à ce qu'elles soient tendres. Servez-les chaudes avec un rôti de porc ou des côtes de porc grillées. □

2 **Faire la farce.** Hachez des tomates pelées et un petit piment fort, vert ou rouge, épépiné. Faites revenir à l'huile un oignon, de l'ail et du bœuf maigre hachés pendant 15 minutes, en remuant. Ajoutez les tomates et le piment; assaisonnez. Mélangez et laissez cuire pendant quelques minutes.

3 **Farcir les papayes.** Beurrez généreusement un plat à four. Répartissez la farce dans les demi-papayes, en lui donnant la forme d'un dôme *(ci-dessus)*. Mettez les papayes farcies dans le plat à four.

4 **Ajouter le fromage.** Pour que les fruits gratinent, saupoudrez-les d'un fromage à pâte dure râpé, comme du gruyère ou le parmesan utilisé ici. Pour les empêcher de se dessécher, parsemez-les de noisettes de beurre.

5 **Cuire et servir.** Faites cuire les papayes au four préchauffé à 180°C (4 au thermostat) 30 minutes environ, jusqu'à ce que la chair soit tendre et que le fromage ait gratiné. Servez ce plat chaud, agrémenté de beurre fondu ou, comme ici, d'une sauce tomate. □

Des farces à la saveur fruitée pour une volaille

Les fruits sont précieux lorsqu'il s'agit de farcir une volaille à rôtir: la cavité du volatile peut contenir beaucoup de farce, et le jus des fruits empêche la chair tendre de la poitrine de se dessécher dans le four.

Les farces aux fruits renferment souvent une bonne quantité de viande, du porc ou du veau hachés, par exemple, mais aussi de la mie de pain ou des céréales cuites. Des herbes et des légumes aromatiques hachés, ainsi que des épices, viennent relever la préparation, que l'on mouille ensuite avec des œufs battus ou du bouillon. En ajoutant des noix ou des noisettes, on peut modifier la saveur et la texture de ces hachis. Les amandes croqueront davantage sous la dent si vous les grillez. Après les avoir décortiquées et pelées, étalez-les sur une plaque et passez-les 5 minutes au four préchauffé à 180°C (4 au thermostat), jusqu'à ce qu'elles soient bien dorées.

La farce aux mandarines préparée ci-contre *(recette page 154)* se compose de marrons cuits et de noix blanchies hachés menu, de mie de pain, d'oignons, de céleri, de riz cuit, d'herbes et, enfin, de quartiers de mandarine coupés en deux. Le riz et la mie de pain lui donnent du corps.

Dans la farce à la banane *(encadré; recette page 138)*, la chair farineuse du fruit suffit à lier le mélange, riche hachis à base de porc, d'oignon et d'ail revenus, de piments forts, de pomme, de tomates, de raisins secs et d'amandes grillées. Au Mexique, cette farce à la fois sucrée et épicée accompagne traditionnellement la dinde, dont elle rehausse la saveur douce.

Laissez toujours refroidir la farce avant de l'utiliser, sinon elle commencerait à cuire la chair qui l'entoure; en outre, elle se travaillera mieux. Ne la tassez pas trop dans la cavité car elle gonfle à la cuisson. Une volaille farcie doit rôtir plus longtemps que les autres: pour calculer le temps de cuisson, ajoutez le poids de la farce à celui du volatile. S'il reste de la farce, faites-la cuire à part au four, soit dans du papier d'aluminium, soit, pour qu'elle croustille, dans un plat beurré non couvert.

1 **Préparer les mandarines.** Avec les doigts, pelez des mandarines, ici des satsumas, et retirez la membrane fibreuse qui enveloppe chaque quartier. Coupez les quartiers en deux dans le sens de la largeur, en enlevant les pépins avec la pointe d'un couteau.

2 **Décortiquer les noix.** Pour casser la coque d'une noix, frappez-la avec un maillet sur la soudure centrale; avec un casse-noix, brisez-la à ce même endroit. Retirez les cerneaux avec la pointe d'un couteau *(ci-dessus),* en veillant à ne pas les abîmer pour les peler plus facilement.

Une farce mexicaine à la banane

1 **Cuire la farce.** Faites fondre au beurre un oignon et de l'ail haché, puis du porc haché. Ajoutez des bananes émincées, des raisins secs, des amandes grillées, une pomme pelée et hachée, et des piments forts verts épépinés et hachés. Dégraissez. Mettez des tomates pelées, épépinées et hachées.

2 **Servir la farce.** Faites-la cuire pendant quelques minutes encore; salez et poivrez, selon le goût. Laissez la préparation refroidir avant d'en farcir une dinde, comme ici, ou une autre volaille à rôtir. Servez la viande avec quelques cuillerées de farce et de jus.

3 **Blanchir les cerneaux.** Mettez-en quelques-uns dans de l'eau bouillante. Au bout de 2 minutes, égouttez-les sur un plateau garni d'un linge. Dès qu'ils sont assez froids, retirez la peau amère avec les doigts ou un couteau. Procédez ainsi pour tous les cerneaux, en remettant une minute environ dans l'eau ceux dont la peau résiste.

4 **Faire revenir céleri et noix.** Coupez deux branches de céleri en dés. Faites-les sauter dans un peu de beurre pendant 5 minutes. Ajoutez les noix hachées *(ci-dessus)* et faites-les suer pendant 2 minutes, à petit feu. Éloignez la poêle du feu et réservez.

5 **Mélanger les ingrédients.** Dans une terrine, mélangez de la mie de pain, de la sauge et du persil haché. Mouillez avec de l'eau ou du lait. Faites revenir 10 minutes des oignons hachés avec une autre branche de céleri hachée, feuilles comprises ; mettez dans la terrine.

6 **Mouiller avec du bouillon.** Épluchez des marrons *(page 62)*, faites-les cuire 30 minutes à l'eau salée frémissante, égouttez-les et hachez-les ; mettez-les dans la terrine avec du riz cuit, thym, muscade, sel et poivre. Mouillez avec du bouillon de volaille chaud. Ajoutez les noix et le céleri.

7 **Terminer la farce.** Ajoutez les quartiers de mandarine coupés en deux. Avec les doigts, remuez délicatement les ingrédients pour les amalgamer légèrement. Si la farce est trop sèche, ajoutez le beurre fondu utilisé pour faire revenir les noix et le céleri.

8 **Servir la farce.** Laissez-la refroidir. Remplissez-en l'intérieur d'une volaille à rôtir, ici un poulet, sans trop la tasser. Bridez le volatile et faites-le rôtir. Servez chaque part avec une bonne cuillerée de farce *(ci-dessus)*. □

Lorsque les fruits gras se transforment en sauces

Parce qu'elles contiennent beaucoup d'huile, les amandes, les noix, les noisettes ou les pistaches, broyées ou pilées, donnent des pâtes riches. Une fois aromatisées et mouillées avec d'autres ingrédients, elles deviennent des sauces condimentées inhabituelles, que l'on sert avec la viande, le poisson, les légumes, les salades et les pâtes.

On peut utiliser une seule variété de fruits gras ou, comme pour les deux sauces italiennes présentées ici, en mélanger plusieurs. En haut *(recette page 132)*, on a fait sauter des noix et des pignons grillés, avec de l'ail et du persil, puis on a allongé le mélange d'huile d'olive et d'eau pour confectionner une sauce très parfumée, ou *salsa di noci*, destinée à agrémenter des pâtes.

En bas, la sauce *agresto (recette page 132)* renferme, quant à elle, des amandes et des noix pilées avec du pain, de l'oignon, de l'ail et du persil. On mouille la préparation avec du bouillon de volaille, on la passe au moulin à légumes pour la rendre homogène et, enfin, on la fait chauffer à feu doux. On obtient une sauce consistante, aromatique, que l'on sert souvent avec le bœuf ou la venaison rôtis.

Comme toutes les sauces de ce type, la *salsa di noci* et l'*agresto* sont faciles à faire; seules quelques préparations préliminaires s'imposent. La peau qui enveloppe les amandes et les noix est amère: sauf si l'on souhaite donner une pointe d'amertume à la sauce, il faut blanchir ces fruits *(page 79)* avant de les monder et de les piler. Pour en exhaler l'arôme, vous pouvez les griller.

Il est recommandé de broyer les fruits, nature ou grillés, dans un mortier, afin que la pommade ait la consistance désirée. Ajoutez-y quelques gouttes d'eau, de bouillon ou de jus de citron pour qu'ils ne rendent pas trop d'huile. En outre, ne les travaillez pas trop: ils libéreraient beaucoup d'huile et deviendraient friables. Vous obtiendriez une pommade moins homogène, difficile à mélanger aux autres ingrédients.

Noix et pignons pour des tagliatelles

1 **Préparer les fruits gras.** Étalez des pignons sur une plaque et faites-les griller au four préchauffé à 180°C (4 au thermostat) de 4 à 5 minutes. Remuez-les au bout de 2 à 3 minutes afin qu'ils se colorent uniformément. Mettez des cerneaux de noix mondés dans un mortier et ajoutez les pignons.

2 **Piler les noix et les pignons.** Ajoutez quelques gouttes d'eau au contenu du mortier. Avec un gros pilon, réduisez les fruits en une pommade grossière, granuleuse. Vous pouvez aussi les broyer rapidement avec un mixeur.

Amandes et noix pour un rôti

1 **Mélanger avec du jus de citron.** Faites blanchir des amandes; décortiquez des noix et blanchissez-les *(page 79)*. Mettez les fruits mondés dans un mortier. Ajoutez-y du zeste de citron râpé et du jus de citron fraîchement pressé *(ci-dessus)*.

2 **Ajouter du pain.** Hachez menu une gousse d'ail pelée, du persil frais et un oignon. Ajoutez ces aromates aux noix et aux amandes. Retirez la croûte de tranches de pain, coupez la mie en cubes et mettez-la dans le mortier. Broyez le mélange au pilon jusqu'à ce qu'il forme une pommade grossière.

3 **Faire revenir les fruits gras.** Dans une sauteuse, faites chauffer un peu d'huile d'olive et faites-y revenir légèrement de l'ail pilé et du persil haché menu. Ajoutez les fruits gras et continuez la cuisson, à feu doux, en remuant pour mélanger les ingrédients.

4 **Mouiller les ingrédients.** Éloignez la sauteuse du feu. Arrosez les ingrédients d'huile d'olive et incorporez-la au mélange. Versez de l'eau chaude, peu à la fois, et mélangez jusqu'à ce que le liquide soit absorbé et que la sauce ait la consistance désirée.

5 **Servir la sauce.** Servez-la chaude pour accompagner des gnocchi ou des pâtes, ici des tagliatelles. Nappez chaque part de sauce *(ci-dessus)* ou mélangez celle-ci aux pâtes avant de dresser le tout sur des assiettes. ☐

3 **Réduire en purée.** Ajoutez à la pommade assez de bouillon de volaille tiède *(recette page 167)* pour obtenir une sauce épaisse. Salez, poivrez et sucrez. Passez le mélange au moulin à légumes *(ci-dessus)*, avec la grille fine. Sinon, travaillez rapidement les ingrédients au mixeur.

4 **Faire chauffer la sauce.** Versez-la dans une sauteuse. Remuez-la à feu doux pendant 2 minutes pour mélanger les ingrédients et la faire épaissir légèrement ; ne la laissez pas bouillir. Mettez-la dans une saucière chaude.

5 **Servir la sauce.** Servez-la tiède avec de la viande rôtie ou bouillie, ici du rôti de bœuf pris dans l'aloyau. Pour la conserver, tout comme les autres sauces à base de fruits gras, mettez-la dans un bocal, recouvrez-la d'une couche d'huile, fermez bien le bocal et rangez-la au réfrigérateur. Elle se garde plusieurs semaines. ☐

L'accompagnement parfait du gibier : la purée de marrons

A la cuisson, la chair des marrons devient sèche, friable, et se réduit aisément en purée, de la même façon que les pommes de terre, le céleri-rave ou tout autre légume farineux. Une purée de marrons, enrichie de beurre *(recette page 166)*, accompagne somptueusement la viande rôtie, et plus particulièrement le gibier.

La première étape de la préparation consiste à éplucher les marrons. Ensuite, il faut les pocher jusqu'à ce qu'ils soient très tendres. Ici, on a effectué le pochage dans du lait légèrement salé, que vous pouvez fort bien parfumer avec des légumes aromatiques, carottes, céleri ou oignons, par exemple, ou remplacer par du bouillon de volaille ou du fond de veau *(recettes page 167)*. Après la cuisson, on réduit les marrons en purée, en deux temps. D'abord, on les broie grossièrement avec un moulin à légumes, puis on affine la purée obtenue en la pressant dans une passoire fine. En la mouillant avec un peu de liquide de pochage, vous la travaillerez plus facilement.

A ce stade, la purée de marrons est sèche et pâteuse. Pour lui donner de la tenue et de l'onctuosité, liez-la avec un gros morceau de beurre. De la crème fraîche peut, en outre, venir enrichir la préparation, qui n'en sera que plus veloutée.

Selon le goût, vous pouvez transformer la saveur de cette purée en l'additionnant d'autres légumes, frais ou secs, également réduits en purée, tels que pommes de terre, navets, panais ou lentilles. Une autre façon d'en modifier le goût et la texture consiste à la mélanger, au moment de servir, à des cœurs de céleri croquants coupés en dés ou à de la ciboule hachée.

1 **Pocher les marrons dans du lait.** Blanchissez-les et épluchez-les *(page 62)*. Mettez-les dans une casserole avec un peu de sel et couvrez-les de lait *(ci-dessus)*. Selon le goût, parfumez le liquide avec une branche de céleri. Portez-le à ébullition, puis baissez le feu. Couvrez et laissez frémir pendant 45 minutes : les marrons doivent commencer à se défaire.

5 **Faire chauffer la purée.** Placez la casserole à feu vif. Avec une cuillère en bois, battez la purée vigoureusement et constamment, afin qu'elle ne brûle pas. Dès qu'elle est chaude, posez la casserole sur un dessous-de-plat.

6 **Enrichir de beurre.** Ajoutez des dés de beurre à la purée chaude et remuez jusqu'à ce qu'ils aient fondu, donnant un mélange lisse et crémeux. La purée doit être compacte mais onctueuse. Si elle est trop épaisse, incorporez-y un peu de crème fraîche ou de lait.

2 **Égoutter les marrons.** Dès qu'ils sont cuits, égouttez-les dans une passoire posée sur une terrine *(ci-dessus)*. Le cas échéant, jetez la branche de céleri. Réservez le liquide de pochage pour mouiller la purée de marrons.

3 **Réduire les marrons en purée.** Mettez-les dans un moulin à légumes sur lequel vous aurez fixé la grille moyenne. Placez le moulin au-dessus d'une terrine et broyez les marrons : vous obtiendrez une purée grossière *(ci-dessus)*.

4 **Affiner la purée.** Transférez-la dans une passoire et, avec un pilon en bois, pressez-la au-dessus d'une casserole à fond épais *(ci-dessus)*. Pour la travailler plus facilement, allongez-la avec un peu de liquide de pochage.

7 **Servir la purée de marrons.** Mettez-la dans un légumier et servez-la chaude avec du porc, des saucisses de gibier ou du gibier à poil rôtis. Ici, quelques cuillerées de purée accompagnent des tranches de râble de lièvre rôti. □

Deux plats traditionnels aux fruits séchés

Les fruits séchés, très sucrés, se marient bien avec la viande, qu'elle soit délicatement parfumée comme le lapin ou la volaille, douce comme le porc ou salée comme le jambon fumé et le lard. Le jus de la viande ainsi que celui des fruits, cuits ensemble à petit feu, se mélangent pour donner un savoureux braisé.

Les fruits séchés n'exigent guère de préparation avant la cuisson, mais doivent toujours tremper pendant plusieurs heures afin de gonfler et de devenir moelleux. Pour renforcer la saveur du plat, faites-les macérer dans du vin; ce dernier allongera le liquide de braisage.

Avant d'ajouter des fruits séchés à un braisé, tenez compte de la variété. Les pruneaux et les raisins secs, par exemple, ont une chair tendre qui s'écraserait lors d'une cuisson prolongée. Pour le lapin aux pruneaux présenté ici (ci-contre; recette page 143), on fait mariner des morceaux de lapin dans du vin rouge et des légumes aromatiques pendant que les pruneaux trempent. Après avoir saisi la viande, on la braise dans une riche sauce obtenue avec la marinade, liée à la farine et allongée de vin et de bouillon. On ajoute les pruneaux en fin de cuisson seulement: comme ils mijotent à feu doux, ils restent entiers, tout en imprégnant la viande et la sauce de leur saveur.

Les fruits séchés à chair ferme, tels les pommes, les poires et les abricots, supportent une cuisson lente et prolongée: on les mélange généralement à la viande plus tôt que les autres. Pour la spécialité alsacienne appelée « schnitzen » (ci-contre; recette page 151), on a d'abord fait revenir dans du caramel des pommes et des poires, trempées dans de l'eau, puis on les a braisées dans du vin avec des tranches épaisses de lard, jusqu'à ce que les ingrédients soient tendres. Des pommes de terre coupées en quatre, de préférence une variété à chair cireuse qui ne se défait pas à la cuisson, complètent le plat. On obtient un heureux mélange de saveurs, la douceur des fruits caramélisés compensant à merveille le goût salé du lard.

Le lapin aux pruneaux

1 **Préparer les ingrédients.** Mettez les morceaux de lapin dans une terrine avec: vin rouge, oignon et carotte hachés, bouquet garni et poivre. Versez de l'huile, couvrez et laissez mariner de 4 à 12 heures à température ambiante. Faites tremper les pruneaux dans de l'eau bouillante 3 heures au moins.

2 **Faire sauter le lapin.** Retirez-le de la marinade; épongez les morceaux avec du papier absorbant. Passez la marinade; réservez les légumes et jetez le bouquet garni. A feu moyen, dans de l'huile et du beurre chauds, faites dorer la viande uniformément. Transférez le lapin sur une assiette.

Le lard aux pommes et aux poires

1 **Enrober de caramel.** Faites tremper des pommes et des poires séchées une nuit dans de l'eau froide. Égouttez-les. Préparez un caramel léger (page 31); si besoin est, diluez-le avec de l'eau chaude pour qu'il nappe la cuillère. Hors du feu, ajoutez les fruits et remuez pour bien les enrober.

2 **Préparer le lard.** Enlevez la couenne d'un morceau de lard non fumé. S'il est très salé, faites-le blanchir, égouttez-le et laissez-le refroidir. Coupez-le en tranches épaisses. Mettez-le dans une cocotte; étalez les pommes et poires dessus. Faites dissoudre le reste de caramel dans du bouillon et ajoutez-▶

3 **Braiser le lapin.** Faites fondre à feu doux l'oignon et la carotte de la marinade. Saupoudrez de farine et remuez. Versez le liquide de la marinade et du vin, puis portez à ébullition. Ajoutez du bouillon, de l'ail, le bouquet garni, sel et poivre. Remettez le lapin dans la poêle, couvrez et laissez frémir 25 minutes.

4 **Passer la sauce.** Mettez les morceaux de lapin dans une cocotte. Passez le liquide de braisage au-dessus de la cocotte, en pressant les légumes pour en extraire tout le jus *(ci-dessus);* jetez les légumes et le bouquet garni.

5 **Ajouter les pruneaux.** Égouttez-les et ajoutez-les au lapin. Couvrez et laissez frémir de 10 à 15 minutes. Dressez le lapin sur un plat et répartissez les pruneaux dessus. Si la sauce est fluide, faites-la réduire en la remuant à feu vif, jusqu'à ce qu'elle nappe la cuillère. Versez-la sur le lapin et servez. □

3 **Braiser les ingrédients.** Mouillez le lard à hauteur avec du bouillon ou, comme ici, du vin blanc. Couvrez la cocotte et laissez frémir de 35 à 45 minutes environ, jusqu'à ce que la viande et les fruits soient tendres.

4 **Ajouter les pommes de terre.** Épluchez des pommes de terre à chair cireuse et coupez-les en quatre. Mettez-les dans la cocotte; ajoutez des rondelles de saucisse fumée. Couvrez et laissez frémir 30 minutes, jusqu'à ce que les pommes de terre soient tendres; s'il le faut, ajoutez du liquide.

5 **Servir le «schnitzen».** En fin de cuisson, les pommes de terre et les fruits doivent être moelleux mais non en purée. Rectifiez l'assaisonnement. Servez tous les ingrédients ensemble ou, si vous préférez, dressez les pommes de terre et les fruits sur un plat et disposez les tranches de lard dessus. □

Le canard sauce bigarade

Équilibrer un plat de viande riche et grasse avec un fruit acidulé est une tradition culinaire et un principe de diététique avant la lettre propre à maints pays. En Europe centrale, on sert souvent l'oie avec des pommes acides. Au Moyen-Orient, on mélange l'agneau à des abricots, alors qu'en Grande-Bretagne on l'accompagne habituellement de gelée de groseilles rouges. Le canard à l'orange, cher à nos cordons-bleus, en est encore le meilleur exemple. Ce plat, particulièrement réussi avec des oranges amères, ou bigarades, peut, à défaut, s'agrémenter d'une sauce faite avec des oranges douces, souvent rehaussée de jus de citron et d'une liqueur à l'orange.

Dans la préparation ci-contre *(recette page 167)*, on a donné un beau glaçage acajou à un canard rôti et braisé, puis nappé d'une sauce préparée avec le liquide de braisage, aromatisée avec une julienne de zestes d'orange et de citron et le jus de deux bigarades et d'un demi-citron.

Tant par la couleur que par la saveur, cette sauce aigrelette accompagne à la perfection le canard richement laqué.

Commencez par préparer un fond de veau *(recette page 167)* dont vous ferez réduire une partie en glace *(encadré ci-contre; recette page 167)*: vous obtiendrez alors une gelée ferme, dont vous enrichirez le liquide de braisage. Le fond et la glace peuvent être confectionnés deux ou trois jours à l'avance et conservés au réfrigérateur. Quant au liquide de braisage, faites-le la veille, en mettant les abattis du canard à mijoter dans du fond de veau avec des légumes aromatiques, puis en passant le tout.

Au préalable, rôtissez le canard pour en saisir la peau, la colorer et faire fondre la graisse, puis braisez-le jusqu'à ce qu'il soit tendre. Arrosez-le à plusieurs reprises avec le liquide de braisage mélangé à la glace afin qu'il se pare d'une belle laque acajou. Enfin, incorporez à la sauce les aromates à l'orange et au citron.

Outre les oranges, vous pouvez utiliser des cerises acides, Montmorency ou griottes, des groseilles rouges, des cassis, des kumquats et des framboises. Comme la réussite du plat dépend de l'acidité du fruit, ajoutez éventuellement du jus de citron si la variété choisie n'est pas assez acide.

1 Rôtir le canard. Bridez-le; frottez-le d'huile d'olive pour que la peau dore bien. Rôtissez-le au four préchauffé à 230°C (8 au thermostat) 10 minutes, puis à 190°C (5 au thermostat) 30 minutes. Mettez-le dans une cocotte. Ôtez la graisse du plat à four, déglacez le jus avec du vin blanc et versez sur le canard *(ci-dessus)*.

2 Verser le fond. Faites chauffer du fond aromatisé avec les abattis. Passez-le au-dessus de la cocotte. Couvrez et mettez au four à 170°C (3 au thermostat) de 40 à 60 minutes; arrosez le canard de temps en temps. Remettez-le dans le plat à four avec du liquide de braisage et enfournez-le à 200°C (6 au thermostat). Arrosez fréquemment.

Comment préparer une glace

1 Passer le fond. Versez du fond de veau dans une casserole et portez-le à ébullition. Placez le récipient à demi hors du feu et faites-le réduire de moitié environ, en le dépouillant. Pour que la peau s'enlève plus aisément, passez le fond de temps en temps au-dessus d'une casserole *(ci-dessus)*.

2 Réduire le fond. Maintenez l'ébullition et dépouillez le fond jusqu'à ce qu'il ait réduit à nouveau de moitié environ. Passez-le. Dès qu'il nappe la cuillère *(ci-dessus)*, ôtez-le du feu. Laissez la glace refroidir à température ambiante: elle se gélifiera. Au réfrigérateur, bien fermée, elle se garde très longtemps.

Faire la sauce. Versez le reste de liquide de braisage dans une casserole et placez-le à feu moyen, à demi hors du feu. Laissez-le frémir et retirez la peau qui se forme du côté le moins chaud. Faites-le réduire à feu vif, en le dégraissant. Dès qu'il a réduit de moitié, baissez le feu et ajoutez une cuillerée de glace *(ci-dessus)*.

4 **Arroser le canard.** Sortez-le du four et arrosez-le avec un peu de sauce ; remettez-le au four. Au bout de 3 à 4 minutes, arrosez-le à nouveau et enfournez-le. Répétez ces opérations jusqu'à ce que le canard soit couvert d'un beau glaçage brun et brillant.

5 **Préparer la julienne.** Pelez finement une orange, ici une bigarade, et un citron, sans prélever la peau blanche. Superposez deux ou trois lamelles de zeste ; en les tenant avec les doigts, détaillez-les en bâtonnets. Pour attendrir la julienne, blanchissez-la 5 minutes à l'eau bouillante.

Ajouter la julienne. Égouttez-la dans une passoire et ajoutez-la à la sauce *(ci-dessus)*. Pressez un demi-citron et deux bigarades ; réservez le jus pour parfumer la sauce au moment de servir.

7 **Servir le canard.** Dressez le canard sur un plat de service. Ajoutez le jus d'orange et de citron à la sauce. Nappez le canard d'un peu de sauce *(ci-dessus)* ; versez le reste dans une saucière et servez-la à part. Selon le goût, décorez le plat avec des quartiers ou des rondelles d'orange pélés. □

Des garnitures acidulées pour des cailles

Le raisin, les groseilles rouges, les framboises ou les cerises, fruits à la pulpe tendre, rafraîchissante et acidulée, sont exquis avec le petit gibier à plume qui rôtit en peu de temps. On peut en introduire quelques-uns à l'intérieur des volatiles pour rendre la chair moelleuse à la cuisson. Une garniture de fruits, ajoutée en fin de cuisson, absorbe le jus du gibier, tout en lui conférant son caractère propre.

Dans la préparation ci-contre, après avoir farci les cailles de grains de raisin pelés, on les a bridées, rôties et flambées au cognac. Quelques minutes avant la fin de la cuisson, on a placé du raisin autour des volatiles, que l'on a arrosé avec le jus concentré. Sous l'effet de la chaleur, les grains s'imprègnent de la saveur des cailles.

Toutes les variétés de raisin blanc conviennent, mais il faut les peler et les épépiner. Des cerises acides, telles les Anglaises, les Griottes ou les Montmorency, font aussi une excellente garniture, de même que les raisins secs, préalablement trempés dans de l'eau chaude.

1 **Garnir les cailles.** Plumez-les, flambez-les et videz-les. Assaisonnez-les. Pelez des grains de raisin *(page 40)* et épépinez-les. Mettez-en 1 ou 2 dans chaque caille. Avec une aiguille et de la ficelle, bridez-les: piquez l'aiguille dans les ailes, puis dans les pilons, en traversant le corps. Nouez solidement.

2 **Flamber les cailles.** Préchauffez le four à 220°C (7 au thermostat); faites fondre du beurre dans un plat à four. Mettez-y les cailles et arrosez-les de beurre. Faites-les rôtir pendant 10 minutes. Sortez les cailles du four et versez une rasade de cognac dans le plat *(ci-dessus)*. Flambez-les.

3 **Ajouter le raisin.** Dressez les grains de raisin qui restent autour des cailles. Arrosez le tout avec le jus de cuisson. Pour que le jus ne s'évapore pas, couvrez le plat avec un couvercle ou du papier d'aluminium; remettez au four 5 minutes. Ôtez la ficelle et servez les cailles entourées de raisin. □

Anthologie
de recettes

n s'inspirant des traditions culinaires de plus de 26 pays, du assicisme de la cuisine française à l'exotisme de l'Asie, les rédac-urs et les conseillers techniques de cet ouvrage ont sélectionné à tre intention 216 recettes de fruits. Dans tous les cas, ils ont rêté leur choix sur des recettes à base d'ingrédients frais et de nne qualité, simples comme les rabottes de pommes appelées aussi uillons normands ou encore plus élaborées comme les mousses ou udings soufflés.

Cette Anthologie présente des recettes de 100 auteurs. Beaucoup nt extraites de livres rares et épuisés appartenant à des collections ivées et qui, pour certains, n'ont encore jamais été publiés en ngue française.

Bien des recettes anciennes ne donnant aucune indication de antités, de temps ou de température de cuisson, il nous a semblé portun d'ajouter ces précisions et, le cas échéant, de les faire écéder d'une note introductive en italique. Nous avons parfois bstitué aux termes archaïques leur équivalent moderne. Néan-bins, afin de respecter les lois du genre et de préserver le caractère original des recettes, nous avons dans l'ensemble limité ces modifi-cations autant que possible, en développant cependant les explica-tions qui nous paraissaient trop succinctes. De plus, le lecteur aura toujours la possibilité de se reporter au glossaire sur lequel s'achève le présent volume pour comprendre le sens des termes techniques et identifier les ingrédients peu courants.

Nous avons délibérément omis les différents modes de prépara-tion des fruits de cette Anthologie, car ils sont illustrés et expliqués en détail aux pages 20 à 23. Sauf indication contraire, les instructions de ces pages devront toujours être suivies.

Pour faciliter l'utilisation de cette Anthologie, nous avons pris soin de regrouper les recettes en suivant les catégories correspon-dant à la première partie de l'ouvrage. Les préparations de base — sauces aux fruits, écorces confites, fruits confits et sirop de sucre — figurent à la fin.

Pour chaque recette, nous avons énuméré les ingrédients dans leur ordre d'utilisation. Les quantités exprimées en cuillerées doivent toujours s'entendre cuillerées «rases».

Salades, compotes et fruits au four

Salade d'oranges aux oignons et aux olives

Munkaczina

Pour cette salade d'oranges, reportez-vous à la page 32.

Pour 2 personnes

Oranges pelées	2
Oignon haché menu	1
Olives noires dénoyautées	12 environ
Poivre de Cayenne	2 pincées
Sel	2 pincées
Huile d'olive	3 cuillerées à soupe

Émincez finement les oranges dans le sens de la hauteur. Épépinez et enlevez la partie blanche du centre de chaque rondelle. Couchez-les en lit au fond d'un plat de service peu profond et couvrez-les d'oignon haché. Mettez une couche d'olives par-dessus, saupoudrez de poivre de Cayenne et de sel et arrosez d'huile d'olive.

ELIZABETH DAVID
SALTS, SPICES AND AROMATICS IN THE ENGLISH KITCHEN

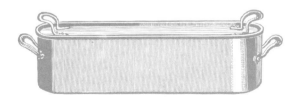

Salade de cresson aux oranges

Watercress and Orange Salad

Choisissez du cresson à grandes feuilles. Je sers aussi presque toutes les tiges croquantes. Si elles sont trop longues, coupez-les en petits tronçons.

Pour 4 personnes

Bottes de cresson équeuté	2
Petites oranges épluchées, coupées en tranches et épépinées	2

Sauce :

Vinaigre de cidre	1 cuillerée à soupe
Huile de tournesol ou huile végétale légère	4 à 5 cuillerées à soupe
Sel et poivre du moulin	

Mélangez tous les ingrédients de la sauce. Dans un saladier, mélangez le cresson avec la moitié de cette sauce. Disposez presque tout le cresson en couronne autour d'un plat de service large et peu profond. Faites légèrement chevaucher les tranches d'orange contre cette couronne et mettez le reste de cresson au centre. Assaisonnez les oranges avec le reste de sauce.

NATHALIE HAMBRO
PARTICULAR DELIGHTS

Salade de fruits à la cannelle et au cognac

Spiced Wine fruit Salad

Pour 4 personnes

Petites fraises	500 g
Raisins sans pépins	125 g
Pêches dénoyautées et coupées en tranches	2
Groseilles	125 g
Grains de cassis	125 g
Cannelle en poudre	2 pincées à ½ cuillerée à café
Sucre semoule	60 à 125 g
Cognac	6 cuillerées à soupe

Mettez tous les fruits dans un plat en verre. Saupoudrez-les de cannelle et sucrez-les selon votre goût et leur acidité. Versez le cognac et laissez macérer 2 heures au moins. Mélangez intimement et servez très frais.

AUDREY ELLIS
WINE LOVERS COOKBOOK

Salade aux fruits de la passion

Passievrucht Salade

Pour 4 personnes

Fruits de la passion coupés en 2	4
Fraises coupées en 2	60 g
Framboises	60 g

Sauce :	
Crème fraîche épaisse	12 cl
Jus de citron	1 cuillerée à soupe
Sucre glace	1 cuillerée à soupe
Vin blanc doux	1 cuillerée à soupe

Divisez les fraises dans quatre coupes et couvrez-les des framboises. Évidez les fruits de la passion et répartissez la pulpe sur les framboises. Fouettez tous les ingrédients de la sauce et versez cette sauce sur les fruits. Servez très frais.

E. NAKKEN-RÖVEKAMP
EXOTISCHE GROENTEN EN VRUCHTEN

Fraises et framboises à la liqueur

Spirituele Aardbeien en Frambozen Salade

Pour 4 personnes

Fraises	250 g
Framboises	250 g
Armagnac	1½ cuillerée à soupe
Curaçao	1½ cuillerée à soupe
Sucre glace	3 cuillerées à soupe
Crème fraîche épaisse	12 cl
Kirsch	1½ cuillerée à soupe

Dans un compotier, mélangez délicatement les fraises et les framboises avec 2 cuillerées à soupe de sucre. Arrosez-les d'armagnac et de curaçao et mettez 1 heure au réfrigérateur.

Une heure avant de servir, fouettez la crème fraîche avec le reste de sucre jusqu'à ce qu'elle soit ferme. Ajoutez le kirsch et incorporez ce mélange aux fruits. Remettez au frais. Servez dans le compotier ou dans des verres à entremets.

HUGH JANS
VRIJ NEDERLAND

Pêches au vin blanc

Les pêches qui conviennent le mieux à ce plat sont de la variété à chair jaune. Ne les préparez pas trop longtemps à l'avance car elles perdraient leur fermeté.

Pour peler des pêches, reportez-vous à la page 21.

Pour 4 personnes

Pêches pelées et dénoyautées	4
Sucre semoule	2 cuillerées à soupe
Vin blanc	12 à 25 cl

Coupez les pêches en tranches directement dans de grands verres à vin, saupoudrez-les de sucre et versez une ou deux cuillerées à soupe de vin blanc dans chaque verre.

ELIZABETH DAVID
FRENCH PROVINCIAL COOKING

Salade de pêches

Surówka z Brzoskwiń

Pour obtenir le jus de cassis, mettez 500 g de grains de cassis dans une petite cocotte que vous placez au bain-marie. Couvrez et mettez à feu doux 40 minutes environ, jusqu'à ce qu'ils rendent leur jus. Passez le jus.

Pour 4 personnes

Pêches pelées, dénoyautées et coupées en bâtonnets ou en tranches épaisses	500 g
Amandes mondées et effilées	50 g
Jaunes d'œufs battus	2
Sucre en poudre	100 g
Vin rouge ou jus de cassis frais	15 cl

Mettez les pêches dans une coupe. Parsemez-les d'amandes. Battez les jaunes d'œufs avec le sucre, incorporez le vin ou le jus de cassis et versez cette sauce sur les pêches.

ZOFIA ZAWISTOWSKA
SURÓWKI I SAŁATKI

Melons fourrés

Melon Bowls

Pour 4 personnes

Melons Ogen ou Charentais mûrs	2
Orange épluchée et coupée en quartiers	1
Pomme ou poire acide, pelée, évidée et coupée en dés	1
Pêches ou 4 prunes pelées, dénoyautées et coupées en dés	2
Fraises, sauvages de préférence, ou mangue ou nèfles du Japon coupées en dés, ou grains de raisin pelés et épépinés	150 g
Pamplemousse épluché et coupé en dés	½
Nectarines pelées, dénoyautées et coupées en dés	2
Sucre en poudre	
Liqueur aux fruits ou eau-de-vie (facultatif)	4 cuillerées à soupe

Coupez les melons en deux et jetez les pépins. Coupez une tranche à la base de chaque demi-melon pour qu'il reste droit en veillant à ce que le jus ne coule pas. Évidez-les en laissant juste assez de pulpe pour former un petit bol. Coupez la pulpe évidée en dés et mettez-la dans un saladier avec les autres fruits. Sucrez et laissez macérer 15 minutes. Répartissez les fruits et leur jus dans les demi-melons et ajoutez 1 cuillerée à soupe de liqueur dans chacun, selon le goût. Servez très frais mais pas gelé.

LORD WESTBURY ET DONALD DOWNES
WITH GUSTO AND RELISH

Melon garni à la mode du León

Melon relleno a estilo Leonés

Pour peler les pêches, reportez-vous à la page 21.

Pour 4 personnes

Melon brodé, débarrassé du chapeau et des graines, chair soigneusement évidée, écorce réservée	1
Pêches ébouillantées, pelées, dénoyautées et hachées	2
Bananes hachées	2
Griottes dénoyautées et hachées	200 g
Citrons, jus passé	2
Oranges, jus passé	2
Vermouth blanc doux	2 cuillerées à soupe
Liqueur à l'orange	4 cuillerées à soupe
Sucre en poudre	3 cuillerées à soupe

Mélangez la chair du melon avec les autres ingrédients et garnissez-en l'écorce. Mettez au réfrigérateur avant de servir.

JOSE GUTIERREZ TASCON
LA COCINA LEONESA

Compote de fruits secs

Mixed Dried Fruit in Syrup

Ce dessert est particulièrement prisé pendant le Ramadan — fête religieuse qui dure un mois, pendant lequel les Musulmans jeûnent le jour et ne mangent qu'après le coucher du soleil.

Prenez une quantité plus importante des fruits que vous préférez (j'utilise 250 g d'abricots et pas de figues). Ajoutez des pistaches et des pignons si vous en trouvez. Si vous n'utilisez qu'une seule variété de fruits secs gras, prenez-en 125 g.

Dans cette recette, vous pouvez remplacer les cerises sèches par d'autres fruits secs.

Pour 6 personnes

Abricots, figues, pêches et cerises secs et pruneaux mis à tremper une nuit dans de l'eau et égouttés	125 g de chaque
Raisins secs sans pépins	60 g
Amandes mondées, pistaches et pignons	60 g de chaque
Sucre en poudre	60 g environ

Mettez tous les fruits dans une grande casserole. Couvrez d'eau, sucrez selon le goût et portez à ébullition à feu doux. Faites frémir 1 heure au moins, jusqu'à ce que tous les fruits soient bien cuits. Laissez refroidir avant de servir.

CLAUDIA RODEN
A BOOK OF MIDDLE EASTERN FOOD

Macédoine de fruits confits « Sofia »

Salata s Ozahareni Plodove « Sofia »

Pour 2 personnes

Cerises, abricots, pêches, poires, prunes et pommes confits, coupés en dés	1 cuillerée à café de chaque
Ecorce d'orange confite grossièrement hachée	1 cuillerée à soupe
Rhum	15 cl
Cognac	15 cl
Belles tranches d'oranges épluchées, débarrassées de la membrane blanche et coupées en dés	2
Crème fraîche	25 cl
Sucre glace	2 cuillerées à soupe

Garniture :

Amandes en poudre ou noix pilées	2 cuillerées à soupe
Cerises confites	2
Chocolat amer grossièrement râpé	2 cuillerées à café

Dans une terrine, mélangez le rhum et le cognac et ajoutez les fruits confits, l'écorce d'orange et l'orange fraîche. Couvrez et laissez macérer toute la nuit. Passez les eaux-de-vie au chinois, versez-les dans deux verres et réservez.

Fouettez la crème fraîche quelques secondes avec le sucre jusqu'à ce qu'elle l'ait absorbé. Dans deux coupes à champagne, alternez les fruits en couches. Couvrez d'une couche de crème fouettée. Parsemez d'amandes ou de noix et coiffez d'une cerise confite et d'un peu de chocolat râpé. Servez chaque coupe de macédoine avec un verre d'eau-de-vie.

SOFIA SMOLNITSKA
IZKOUSTVODO DA GOTVIM

Pommes au beurre

Pour 4 personnes

Pommes fermes et sucrées pelées, évidées et coupées en tranches fines et égales	1 kg
Beurre	60 g
Sucre semoule ou sucre vanillé	3 à 4 cuillerées à soupe

Faites fondre le beurre dans une poêle. Ajoutez les pommes et faites-les fondre et légèrement dorer avec le sucre, à feu doux. Retournez-les très délicatement pour ne pas les écraser. Si elles sont trop tassées, secouez la poêle au lieu de les remuer. Servez-les chaudes.

ELIZABETH DAVID
FRENCH PROVINCIAL COOKING

Soupe de pêches au beurre de Meursault

Pour 4 personnes

Pêches blanches pelées, dénoyautées et coupées en tranches	4
Beurre	60 g
Sucre en poudre	
Meursault	15 cl
Citron, jus passé	1
Feuilles de menthe fraîche hachées menu	4

Poêler les oreillons de pêche dans 30 g de beurre (à feu modéré) avec une pincée de sucre pour les faire caraméliser (2 minutes environ). Réserver.

Faire réduire (de moitié) le Meursault à feu doux, incorporer le restant de beurre et le jus de citron. Dresser les fruits dans des assiettes creuses et napper du beurre de Meursault. Parsemer de menthe fraîche.

LALOU BIZE-LEROY
LE NOUVEAU GUIDE GAULT MILLAU

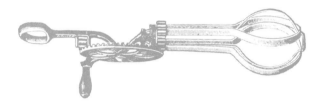

Compote de kumquats et de pruneaux

Stewed Kumquats and Prunes

Servez cette compote chaude ou froide.

Pour pocher différents fruits, reportez-vous aux explications données à la page 48.

Pour 4 personnes

Kumquats coupés en tranches et épépinés	6
Pruneaux	175 g
Miel	1 cuillerée à soupe
Jus d'orange	12 cl

Couvrez les pruneaux d'eau froide et laissez-les tremper une nuit. Faites-les pocher dans leur eau de trempage 10 minutes environ, jusqu'à ce qu'ils soient tendres et gonflés. Passez-les et conservez-les en réservant le liquide de cuisson.

Dans une casserole, mélangez le miel avec 12 cl du liquide réservé et le jus d'orange. Portez à ébullition puis baissez le feu et ajoutez les tranches de kumquats. Faites frémir 5 minutes environ. Hors du feu, incorporez les pruneaux.

FAYE MARTIN
RODALE'S NATURALLY DELICIOUS DESSERTS AND SNACKS

Poires au vin rouge

Vous pouvez remplacer les poires par des pêches.

Pour pocher les poires, reportez-vous aux explications données à la page 46. Vous pouvez les servir chaudes ou froides et, dans le deuxième cas, préparez-les plusieurs heures à l'avance.

Pour 8 personnes

Poires non équeutées, pelées et placées dans de l'eau acidulée avec du jus de citron	8
Vin rouge	12 cl
Sucre en poudre	150 g
Eau	25 cl
Bâton de cannelle	2,5 cm

Faites bouillir le sucre, l'eau et la cannelle pendant 5 minutes. Baissez le feu et faites pocher les poires dans ce sirop 40 minutes environ, jusqu'à ce qu'elles soient tendres mais pas trop cuites. Quelques minutes avant la fin de la cuisson, ajoutez le vin. Jetez la cannelle, enlevez les poires avec une écumoire et mettez-les debout dans un plat de service. Laissez bouillir le sirop jusqu'à ce qu'il épaississe et nappez-en les poires.

NIKA HAZELTON
THE CONTINENTAL FLAVOUR

Poires de banquet

Symposium Pears

Pour 4 à 6 personnes

Petites poires Conférence ou d'une autre variété dure	6 à 8
Sucre en poudre	150 g
Eau	12 cl
Capsules de cardamome légèrement écrasées	7 à 10
Stigmates de safran mis à tremper 10 minutes dans 1 cuillerée à soupe d'eau bouillante	½ cuillerée à café
Lanière de zeste de citron	1
Vin blanc ou cidre secs	30 cl
Citron, jus passé	½

Dans une petite casserole assez profonde pour contenir les poires à la verticale, faites fondre le sucre dans l'eau. Portez à ébullition, ajoutez la cardamome, le safran délayé et le zeste de citron et laissez frémir 1 heure à feu très doux. Pelez les poires en les laissant entières, avec les queues. Mettez-les immédiatement dans le sirop pour qu'elles ne noircissent pas. Ajoutez la moitié du vin ou du cidre, couvrez et laissez-les pocher jusqu'à ce qu'elles soient tendres (la durée de

cuisson varie selon la grosseur et la variété des poires. Ne les laissez pas trop cuire.)

Mettez les poires dans un petit plat de service creux, toujours debout. Passez le sirop dans une casserole propre. S'il est plutôt liquide, faites-le réduire. Ajoutez le jus de citron et le reste de vin ou de cidre et laissez bouillir quelques minutes. Versez le sirop sur les poires, couvrez le plat d'un film plastique et mettez de 12 à 24 heures au réfrigérateur, pour que les poires s'imprègnent de la couleur et de la saveur du sirop.

DOROTHY BROWN (RÉDACTRICE)
SYMPOSIUM FARE

Poires fraîches pochées au cassis

Vous pouvez accompagner ce dessert de glace à la vanille.

Au lieu de frotter les poires avec la moitié d'un citron pour qu'elles ne noircissent pas, vous pouvez les tremper dans un litre d'eau acidulée avec le jus de deux citrons.

Pour 4 personnes

Poires (1 kg)	6
Cassis frais	400 g
Sucre en poudre	700 g
Gousse de vanille fendue en 2 sur la longueur	1
Crème de cassis	10 cl
Citron coupé en 2	1

Rincez les grappes de cassis à l'eau claire et égrenez-les. Mettez-en la moitié dans une terrine pour la confection du coulis et réservez l'autre moitié sur une assiette. A l'aide du mixeur, réduisez la première moitié de cassis en purée fine. Passez cette purée à travers un chinois posé sur un bol et pressez bien sur le fond pour exprimer tout le jus. Vous devez obtenir à peu près 15 cl de coulis de cassis.

Sur une plaque électrique, thermostat 5, posez une marmite contenant 1,5 litre d'eau, ajoutez le sucre, la gousse de vanille, le coulis de cassis et la crème de cassis. Mélangez à la cuillère en bois pour que le sucre soit parfaitement dissous, puis laissez chauffer et amenez à l'ébullition.

Pendant ce temps, pelez les poires, éliminez la queue et le pédoncule à la base du fruit, évidez le centre avec un vide-fruits, puis frottez les poires avec les moitiés de citron pour qu'elles ne noircissent pas. Baissez le thermostat à 4 sous le sirop qui bout et plongez les 6 poires que vous laissez cuire pendant 12 minutes, puis ajoutez les grains de cassis réservés sur l'assiette et laissez cuire pendant 5 minutes supplémentaires. Laissez refroidir l'ensemble que vous versez ensuite dans une coupe de service. Servez bien frais.

ALAIN ET ÉVENTHIA SENDERENS
LA CUISINE RÉUSSIE

Compote de pruneaux et de figues du réveillon de Noël

Wigilijny Kompotz Suszonych Śliwek i Fig

Si vous préférez que les pruneaux soient plus tendres, baissez le feu et laissez-les frémir 10 minutes après l'ébullition.

Pour 6 personnes

Pruneaux dénoyauté, mis à tremper une nuit dans de l'eau froide, eau réservée	250 g
Figues sèches mises à tremper une nuit dans de l'eau froide, eau réservée	250 g
Sucre en poudre	2 cuillerées à soupe
Bâton de cannelle	5 cm
Petit citron, une lanière de zeste finement parée, jus passé	1

Mettez les pruneaux et leur eau de trempage dans une casserole, ajoutez la moitié du sucre et la cannelle et portez à ébullition. Enlevez du feu.

Mettez les figues et leur eau de trempage dans une autre casserole, ajoutez le reste de sucre, le jus et le zeste de citron et laissez cuire 5 minutes. Enlevez la cannelle et le zeste de citron et mélangez les deux compotes. Servez à température ambiante, en dessert de préférence.

MARIA LEMNIS ET HENRYK VITRY
OLD POLISH TRADITIONS IN THE KITCHEN AND AT THE TABLE

Figues Villamiel

Higos Villamiel

Pour 8 personnes

Figues sèches	500 g
Cerneaux de noix	250 g
Vin rouge	50 cl
Porto	50 cl
Miel	175 g
Jus d'orange	17 cl
Crème fraîche épaisse, fouettée	25 cl

Incisez chaque figue dans le sens de la longueur et remplissez-les le plus possible de noix. Mettez-les dans une casserole avec le vin, le porto, le miel et le jus d'orange. Faites-les cuire 1 heure à feu doux. Dressez-les sur un plat et décorez de crème fouettée.

LUIS BETTÓNICA (RÉDACTEUR)
COCINA REGIONAL ESPAÑOLA

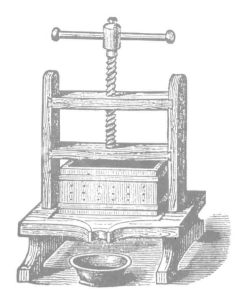

Compote de fruits de Bilbao

Compota a la Bilbaina

Pour 6 personnes

Pêches sèches mises à tremper une nuit dans de l'eau	50 g
Pruneaux mis à tremper une nuit dans de l'eau	100 g
Figues sèches mises à tremper 1 heure 30 minutes dans de l'eau	250 g
Raisins secs mis à tremper 1 heure 30 minutes dans de l'eau	100 g
Grosses pommes pelées, évidées et coupées en dés	3
Vin rouge	1 litre
Sucre en poudre	250 g
Bâton de cannelle	5 cm
Citron, zeste très finement paré	1

Égouttez les fruits secs. Coupez les pêches en gros morceaux et dénoyautez les pruneaux sans trop les ouvrir. Mettez-les dans une casserole profonde avec le vin, le sucre, la cannelle et le zeste de citron. Couvrez d'eau et portez à ébullition.

Quand la compote a cuit 20 minutes à feu doux, ajoutez les pommes et laissez encore sur le feu jusqu'à ce que tous les fruits soient cuits.

Le liquide doit avoir une consistance sirupeuse. A défaut, enlevez les fruits, remettez le liquide sur le feu et faites-le réduire à la consistance requise. Versez-le sur la compote.

JUAN CABANÉ ET ALEJANDRO DOMÉNECH
NUESTRA MEJOR COCINA

Coings au miel cuits au four

Baked Quinces in Honey

Pour 4 personnes

Petits coings (ou 4 gros) pelés, évidés et coupés en 4	6
Miel	300 g
Jus d'orange, jus de pamplemousse ou vin	30 cl

Mélangez le miel avec le jus de fruit ou le vin. Mettez les coings dans une cocotte ou un plat à four, ajoutez le liquide et faites-les cuire à découvert au four préchauffé entre 170°C et 180°C (3 ou 4 au thermostat) 2 heures au moins, jusqu'à ce qu'ils soient tendres. S'ils se dessèchent trop pendant la cuisson, ajoutez un peu d'eau et couvrez-les quelques minutes. Servez-les froids.

LORD WESTBURY ET DONALD DOWNES
WITH GUSTO AND RELISH

Salade de bananes cuites au four

Salatka z Bananów Pieczonych

Pour 4 personnes

Bananes	5
Rhum	8 cl
Crème fraîche épaisse mélangée avec 30 g de sucre vanillé	12 cl
Noix hachées	1 cuillerée à soupe

Mettez les bananes sur une grille et faites-les cuire 15 minutes au four préchauffé à 180°C (4 au thermostat) jusqu'à ce qu'elles soient tendres. Enlevez-les et laissez-les refroidir. Coupez-les en tranches et dressez-les sur un plat. Arrosez-les de rhum, nappez-les de crème et parsemez-les de noix.

ZOFIA ZAWISTOWSKA
SUROWKI I SALATKI

Poires cuites avec du riz

Stoofperen met Rijstebrij

Pour 6 à 8 personnes

Poires à cuire pelées, évidées et coupées en 4	1 kg
Riz à grain rond	200 g
Sucre cristallisé	150 g environ
Cannelle en poudre	2 pincées
Lait	1,50 litre
Sucre vanillé	2 cuillerées à soupe
Beurre	100 g
Cassonade fine	125 g

Faites cuire les poires dans de l'eau avec 100 g de sucre et une pincée de cannelle jusqu'à ce qu'elles soient tendres. Égouttez-les et dressez-les dans un compotier ou dans de petites coupes. Portez le lait à ébullition, ajoutez le riz et laissez frémir 30 minutes environ, jusqu'à ce qu'il soit complètement cuit. Ce riz au lait doit être crémeux. Ajoutez le sucre vanillé et du sucre cristallisé selon le goût.

Préparez une sauce; faites fondre le beurre, délayez-y la cassonade et incorporez une pincée de cannelle. Couvrez les poires de riz au lait et servez la sauce à part.

VAN PAREREN-BLES
ALLERHANDE RECEPTEN

Coings pochés garnis de crème

Punjene Kuvane Dunje

Pour 3 personnes

Coings moyens, mûrs	3
Crème fraîche épaisse bien rafraîchie	30 cl
Citron, jus passé	1
Sucre en poudre	300 g
Eau	50 cl
Sucre vanillé	1 à 2 cuillerées à soupe

Remplissez à moitié d'eau une grande casserole et ajoutez le jus de citron. Pelez les coings le plus finement possible, coupez une petite tranche en haut et une en bas, évidez-les et jetez-les dans l'eau citronnée pour qu'ils ne noircissent pas. Réservez les pelures, les trognons, les pépins et les petites tranches.

Dans une casserole assez grande pour contenir les coings debout, faites fondre le sucre dans l'eau à feu doux, en remuant. Mettez à feu vif. Dès que le sirop atteint l'ébullition, égouttez les coings et mettez-les debout dedans. Couvrez et faites frémir. Laissez pocher les coings à feu doux de 30 à 45 minutes, jusqu'à ce qu'ils soient tendres et encore intacts (la durée exacte de la cuisson dépend de la taille et de la maturité des fruits). Pendant le pochage, arrosez-les de temps en temps avec le sirop. Quand ils sont cuits, soulevez-les avec une écumoire et mettez-les à la verticale dans un joli compotier. Laissez-les refroidir.

Faites reprendre l'ébullition au sirop de pochage avec les pelures, les trognons, les pépins et les petites tranches de coings. Laissez-le frémir jusqu'à ce qu'il épaississe. Passez-le au tamis fin. Versez-le autour des coings et faites-le prendre en gelée 1 heure environ en encastrant le compotier dans de la glace pilée ou 2 à 3 heures au réfrigérateur.

Juste avant de servir, fouettez la crème fraîche, ajoutez le sucre vanillé et continuez à fouetter jusqu'à ce qu'elle soit ferme. Remplissez la partie évidée des coings de crème fouettée et couvrez-les d'un chapeau de crème fouettée. Servez avec un peu de gelée autour de chaque coing.

SPASENIJA-PATA MARKOVIĆ (RÉDACTEUR)
VELIKI NARODNI KUVAR

Compote d'abricots secs et de poires fraîches

Dried Apricot and Fresh Pear Compote

Vous pouvez ajouter des amandes râpées ou 40 g de pignons à la dernière minute. Servez cette compote avec ou sans crème.

Pour 4 personnes

Abricots secs couverts d'eau bouillante (ou moitié eau moitié jus d'oranges) et mis à tremper toute une nuit	350 g
Poires dures (4 ou 5 si elles sont petites) pelées, coupées en 4 ou en 8 et évidées	2 ou 3
Sucre en poudre	

Une heure avant de servir, égouttez les abricots et faites pocher les poires dans leur liquide de trempage 20 minutes environ, jusqu'à ce qu'elles soient tendres mais encore intactes. Ajoutez de l'eau s'il n'y a pas assez de liquide. Enlevez les poires du feu, ajoutez les abricots et laissez refroidir cette compote sans la mettre au réfrigérateur. Sucrez selon le goût.

LORD WESTBURY ET DONALD DOWNES
WITH GUSTO AND RELISH

Pamplemousse grillé

Grilled Grapefruit

Pour préparer des demi-pamplemousses, reportez-vous aux explications données à la page 22.

Pour 1 personne

Pamplemousse préparé	½
Cassonade	
Beurre	½ cuillerée à soupe

Saupoudrez le pamplemousse de cassonade. Mettez le beurre dans son centre évidé. Faites-le griller doucement de 5 à 7 minutes, jusqu'à ce qu'il soit légèrement doré.

BEE NILSON
THE PENGUIN COOKERY BOOK

Poires cuites caramélisées

Pere cotte caramellate

Vous les conserverez plusieurs jours au réfrigérateur dans un récipient fermé.

Pour 4 personnes

Grosses poires	4
Clous de girofle (facultatif)	4
Cassonade en petits cristaux	200 g
Eau	20 cl

Cloutez chaque poire selon le goût et mettez-les debout dans un plat à four, les unes contre les autres. Dans une casserole à fond épais, portez à ébullition la cassonade et l'eau et laissez cuire 5 minutes à feu doux. Versez le sirop obtenu sur les poires et faites-les cuire au four préchauffé à 180°C (4 au thermostat) de 25 à 30 minutes, en les mouillant de temps en temps avec le liquide de cuisson. Sortez-les du four quand elles sont dorées et caramélisées et servez-les chaudes ou froides.

Il existe plusieurs variantes de cette recette:

Avec du rhum: évidez les poires crues et farcissez-les de macarons émiettés et mélangés avec le rhum. Avant de servir, arrosez-les de rhum chauffé et flambé.

Avec du Grand Marnier: évidez les poires crues et farcissez-les de beurre ramolli mélangé avec la même quantité de sucre et un peu de zeste d'orange râpé. Avant de servir, ajoutez un peu de Grand Marnier au sirop.

Avec du vin: faites cuire les poires entières dans 20 cl de vin rouge avec 125 g de sucre en poudre et un peu de zeste de citron râpé 1 heure environ à feu doux, en les mouillant de temps en temps avec leur sirop. Servez-les presque caramélisées. Cette variante convient particulièrement aux poires Conférence.

LYDIA B. SALVETTI
CENTO RICETTE SPENDENDO MENO

Poires farcies

Stuffed Pears

Évidez soigneusement les poires avec un couteau à lame étroite et une cuillère à café, en partant de la base et en les conservant entières. Pour les cuire au four, préchauffez le four à 100°C (6 au thermostat), enveloppez-les dans du papier d'aluminium et laissez-les cuire 30 minutes.

Pour 4 personnes

Grosses poires évidées	4
Amandes en poudre	50 g
Sucre en poudre	2 cuillerées à soupe
Beurre ramolli	15 g
Gros jaune d'œuf	1
Extrait d'amandes (facultatif)	1 ou 2 gouttes

Travaillez les amandes avec le sucre, le beurre et le jaune d'œuf pour former une pâte. Si les amandes n'ont pas beaucoup de goût, ajoutez de l'extrait d'amandes. Remplissez les poires de ce mélange. Enveloppez-les hermétiquement dans du papier d'aluminium et faites-les cuire sur des braises chaudes 30 minutes, en les retournant une fois, jusqu'à ce qu'elles soient tendres.

CLAUDIA RODEN
PICNIC

Pommes au four avec des amandes

Manzanas asadas con almendras

Au lieu de frotter les pommes pelées avec un citron coupé pour qu'elles ne noircissent pas, vous pouvez les immerger dans un litre d'eau acidulé avec le jus de deux citrons.

Pour 6 personnes

Grosses reinettes	6
Amandes mondées, grillées et hachées	60 g
Rhum	2 cuillerées à soupe
Raisins de Corinthe	30 g
Citron	½
Jaunes d'œufs	2
Sucre en poudre	5 cuillerées à soupe
Beurre ramolli	30 g
Cerises confites	6

Dans une petite casserole, faites chauffer le rhum à feu doux, sans le laisser flamber. Hors du feu, ajoutez les raisins de Corinthe et une cuillerée à soupe d'eau. Pelez et évidez les pommes et frottez-les avec le citron pour qu'elles ne noircissent pas. Passez les raisins de Corinthe au tamis placé au-dessus d'une terrine et réservez le rhum.

Dans un bol, battez les jaunes d'œufs avec le sucre et ajoutez le beurre, les amandes et les raisins égouttés. Garnissez les pommes de ce mélange et mettez-les dans un plat à four. Versez le rhum au fond du plat avec 2 ou 3 cuillerées à soupe d'eau. Faites cuire les pommes au four préchauffé à 190°C (5 au thermostat) 30 minutes, selon leur grosseur et leur qualité. Servez-les chaudes ou froides, en les décorant d'une cerise.

SIMONE ORTEGA
MIL OCHENTA RECETAS DE COCINA

Pêches fourrées au four

Punjene Preskve

Le cédrat est une variété d'agrume qui ressemble au citron, à l'écorce épaisse et aromatique qu'on vend confite, en tranches ou en morceaux, dans les confiseries et dans les épiceries fines.

Pour 6 personnes

Pêches fermes et mûres, frottées avec un linge pour enlever le duvet, coupées en 2 et dénoyautées	6
Amandes en poudre	60 g
Sucre semoule	90 g
Biscuits peu sucrés écrasés ou pilés	5
Écorce de cédrat confite, hachée menu	1 cuillerée à soupe
Vin blanc	10 cl

Évidez légèrement les demi-pêches pour faire plus de place pour la garniture. Réservez la chair évidée. Mélangez les amandes avec 75 g de sucre, les biscuits, l'écorce de cédrat, la chair évidée et une quantité suffisante de vin pour obtenir un appareil ferme mais maniable. Divisez cet appareil en 12 parts égales que vous façonnez en forme de noyaux assez grands pour remplir les cavités évidées des pêches. Garnissez les demi-pêches et disposez-les dans un plat à four généreusement beurré, côté peau vers le bas. Saupoudrez-les de la moitié du reste de sucre et arrosez-les de la moitié du reste de vin. Mettez-les au four préchauffé à 230°C (8 au thermostat) 15 minutes environ, jusqu'à ce qu'elles soient tendres. A mi-cuisson, sortez le plat du four et ajoutez le reste de sucre et de vin. Quand les pêches sont cuites, mettez le plat sur de la glace ou au réfrigérateur.

Servez-les très fraîches.

SPASENIJA-PATA MARKOVIĆ (RÉDACTEUR)
VELIKI NARODNI KUVAR

Poires à la crème

Peras a la crema

Pour 4 personnes

Poires pelées et coupées en gros dés	4
Crème fraîche épaisse	12 cl
Sucre glace	120 g
Beurre coupé en petits morceaux	50 g
Amandes mondées, hachées et grillées	30 g

Disposez les poires dans un plat à four généreusement beurré. Saupoudrez-les de sucre et parsemez-les de beurre. Faites-les cuire au four préchauffé à 220°C (7 au thermostat) 30 minutes, jusqu'à ce qu'elles soient tendres, en les arrosant plusieurs fois avec le jus de cuisson.

Quand les poires sont dorées, couvrez-les de crème et remettez-les 3 minutes au four. Parsemez la surface de la crème d'amandes avant de servir.

CARLOS DELGADO (RÉDACTEUR)
CIEN RECETAS MAGISTRALES

Pruneaux et pommes au xérès

Pruimen en Appelen met Sherry

L'auteur conseille de présenter ce plat avec des coupes de cassonade et de crème fraîche.

Pour 4 personnes

Pruneaux mis à tremper une nuit dans de l'eau et égouttés	250 g
Reinettes pelées et évidées	4
Xérès sec	15 cl environ
Sucre en poudre	30 g environ
Citron, zeste finement paré	1
Amandes mondées	10 environ
Beurre	40 g

Faites cuire les pruneaux dans un peu d'eau légèrement sucrée avec le zeste de citron jusqu'à ce qu'ils soient tendres. Laissez-les refroidir. Coupez-les en deux dans le sens de la longueur et dénoyautez-les. Remplacez chaque noyau par une amande. Mettez les pommes dans un plat à four et couvrez-les d'un morceau de beurre. Comblez les espaces entre les pommes avec les pruneaux. Versez une quantité suffisante de xérès pour immerger pratiquement les pruneaux. Mettez au four préchauffé à 200°C (6 au thermostat) 20 minutes environ, jusqu'à ce que les pommes soient tendres mais pas trop cuites.

VAN PAREREN-BLES
ALLERHANDE RECEPTEN

Soufflés, mousses et crèmes

Soufflé aux framboises

Raspberry Soufflé

Si vous fouettez les jaunes d'œufs, le sucre et la purée de framboises avec un batteur électrique, la chaleur est inutile.

Pour 4 personnes

Framboises	500 g
Œufs, jaunes séparés des blancs	4
Sucre en poudre	250 g
Crème fraîche épaisse légèrement fouettée	30 cl
Gélatine	15 g
Eau	5 cuillerées à soupe
Pistaches hachées	

Réservez les huit plus belles framboises pour la décoration. Passez le reste au tamis de nylon ou à travers une passoire. Vous devez obtenir 20 cl environ de purée. Graissez légèrement une timbale de 15 cm de diamètre. Dans une terrine, fouettez les jaunes d'œufs avec le sucre et la purée de framboises à feu doux ou au bain-marie jusqu'à ce que le mélange épaississe et prenne la consistance d'une mousse. Hors du feu, faites refroidir en fouettant. Incorporez les deux tiers de la crème fraîche.

Battez les blancs d'œufs en neige. Faites fondre la gélatine dans l'eau à feu doux, ajoutez-la à la mousse aux framboises, mettez la terrine sur de la glace et remuez jusqu'à ce que l'appareil épaississe. Incorporez les blancs et remplissez la timbale.

Laissez ce soufflé prendre au frais. Quand il est ferme, décorez la surface avec le reste de crème, les framboises réservées et des pistaches.

ROSEMARY HUME ET MURIEL DOWNES
CORDON BLEU DESSERTS AND PUDDINGS

Soufflé aux pommes

Almafelfújt

Pour 6 personnes

Pommes pelées, coupées en 2 et évidées	6 à 8
Sucre en poudre	200 g environ
Citron, zeste râpé et jus passé	1
Beurre	60 g
Farine	100 g
Lait	50 cl
Œufs, jaunes séparés des blancs et battus	4
Chapelure	30 g
Confiture d'abricots	125 g
Raisins de Smyrne	30 g environ
Cannelle en poudre	1 à 2 cuillerées à café

Faites cuire les demi-pommes quelques minutes dans très peu d'eau avec 30 g de sucre et le jus de citron, jusqu'à ce qu'elles soient tendres mais encore fermes.

Dans une casserole, faites fondre le beurre à feu doux. Incorporez la farine et délayez lentement avec le lait, sans cesser de remuer, jusqu'à ce que la sauce soit homogène. Laissez cuire encore une minute ou deux puis enlevez du feu et laissez tiédir. Incorporez 150 g de sucre, le zeste de citron et les jaunes d'œufs. Battez les blancs en neige et incorporez-les à l'appareil.

Graissez une timbale de 1,25 litre et enduisez l'intérieur de chapelure. Versez une couche d'appareil de 1 à 2,5 cm de profondeur. Remplissez la partie évidée de chaque demi-pomme de confiture d'abricots et de deux raisins de Smyrne. Couchez les demi-pommes sur l'appareil. Couvrez du reste d'appareil et faites cuire de 30 à 40 minutes au four préchauffé à 180°C (4 au thermostat). Pendant ce temps mélangez le reste de sucre avec de la cannelle et saupoudrez-en le soufflé 10 minutes avant la fin de la cuisson. Remettez-le au four jusqu'à ce qu'il soit doré et consistant. Servez-le dans la timbale ou démoulez-le et saupoudrez-le encore de sucre à la cannelle.

Ce soufflé est également bon froid.

FRED MACNICOL
HUNGARIAN COOKERY

Soufflés à l'orange

Vous pouvez préparer l'appareil à soufflé 3 ou 4 heures à l'avance, enduire la surface de beurre fondu pour qu'une peau ne se forme pas et le conserver à température ambiante. Réchauffez-le 30 minutes avant de servir jusqu'à ce qu'il soit très chaud mais non bouillant.

Pour préparer des soufflés à l'orange, reportez-vous aux explications données à la page 52. Au lieu de parfumer l'appareil avec de l'extrait de vanille, vous pouvez ajouter une gousse de vanille au lait avant de le chauffer. Pour que l'appareil ne soit pas trop cuit, ne laissez pas bouillir le lait après l'avoir incorporé; faites-le chauffer, laissez-le légèrement refroidir, enlevez la gousse de vanille et ajoutez-le ensuite seulement. Vous pourrez préparer une mousse ou un sorbet avec la pulpe des oranges.

Pour 4 personnes

Grosses oranges Navel, 4 coupées en deux dans le sens de la hauteur, zeste d'une orange râpé	5
Lait	25 cl
Jaunes d'œufs	3
Sucre cristallisé	60 g
Farine	2½ cuillerées à soupe
Grand-Marnier ou autre liqueur à l'orange	3 cuillerées à soupe
Extrait de vanille	1 cuillerée à café
Blancs d'œufs	5
Sucre glace tamisé	2 cuillerées à soupe

Évidez les demi-oranges sans percer l'écorce. Dans une casserole, faites chauffer le lait presque jusqu'à ébullition. Dans une terrine, battez les jaunes d'œufs avec le zeste d'orange et la moitié du sucre cristallisé jusqu'à ce que le mélange épaississe. Incorporez la farine. Incorporez au fouet le lait bouillant et remettez le tout dans la casserole. Portez à ébullition et laissez frémir 2 minutes, sans cesser de fouetter. Hors du feu, incorporez la liqueur à l'orange et l'extrait de vanille.

Battez les blancs d'œufs en neige, ajoutez le reste de sucre et continuez à fouetter jusqu'à ce qu'ils soient brillants. Incorporez-en le quart à l'appareil à l'orange puis ajoutez le tout au reste de blancs en neige et mélangez le plus délicatement possible. Avec une poche munie d'une douille étoilée, ou avec une cuillère, remplissez les demi-écorces. Faites cuire ces soufflés au four préchauffé à 200°C (6 au thermostat) 5 minutes, jusqu'à ce qu'ils aient gonflé et doré. Saupoudrez-les de sucre glace et remettez-les 2 minutes au four. Servez immédiatement.

FAYE LEVY
LA VARENNE TOUR BOOK

Mousse de citron aux noisettes

Citroenschuim met Noten

Pour 4 personnes

Citrons, zeste râpé et jus passé	2
Noisettes hachées	2 cuillerées à soupe
Gélatine en poudre	1½ cuillerée à café
Eau froide	12 cl
Sucre glace	120 g
Blancs d'œufs	2

Mélangez la gélatine avec l'eau froide et le sucre dans une casserole et laissez 5 minutes. Remuez à feu doux jusqu'à ce que la gélatine et le sucre soient dissous, sans laisser atteindre l'ébullition. Hors du feu, incorporez le zeste et le jus de citron.

Laissez refroidir cet appareil jusqu'à ce qu'il commence à épaissir et fouettez-le à la main ou au batteur électrique jusqu'à ce qu'il soit léger et mousseux.

Battez les blancs d'œufs en neige ferme et incorporez-les à l'appareil au citron. Versez la mousse obtenue dans des verres à entremets et faites-la prendre au réfrigérateur. Décorez de noisettes hachées et servez.

HUGH JANS
VRIJ NEDERLANDS KOOKBOEK

Soufflé chaud aux groseilles à maquereau

Hot Gooseberry Soufflé

Pour réduire les groseilles à maquereau en purée, faites-en cuire 125 g avec 2 cuillerées à soupe d'eau et une bonne pincée de sucre, à feu doux et à couvert pendant 20 minutes environ, jusqu'à ce qu'elles soient très tendres. Tamisez et sucrez encore la purée obtenue si besoin est.

Pour 4 personnes

Purée de groseilles à maquereau épaisse, sucrée	4 cuillerées à soupe
Beurre	90 g
Farine	60 g
Lait	30 cl
Gros œufs, jaunes séparés des blancs	3

Dans une casserole à fond épais, faites fondre le beurre à feu doux. Incorporez la farine. Quand le roux est homogène, délayez-le progressivement avec le lait, sans cesser de remuer pour que la sauce reste lisse. Portez à ébullition, toujours en remuant, et laissez cuire 3 minutes. Incorporez la purée de groseilles à maquereau.

Battez les jaunes d'œufs jusqu'à ce qu'ils blanchissent et incorporez-les au mélange précédent. Battez les blancs d'œufs en neige ferme (jusqu'à ce qu'ils restent dans la terrine renversée) et incorporez-les délicatement à l'aide d'une cuillère en métal.

Huilez légèrement une timbale de 1,25 litre. Remplissez-la d'appareil à soufflé et faites cuire 45 minutes environ à mi-hauteur du four préchauffé à 190°C (5 au thermostat). A ce stade, le soufflé doit être croustillant à l'extérieur et encore crémeux à l'intérieur. Si vous le préférez plus onctueux encore, faites-le cuire au bain-marie dans une casserole remplie d'eau chaude jusqu'à 5 cm environ des parois de la timbale. N'oubliez pas qu'un soufflé ne reste à son apogée que quelques minutes après la sortie du four.

PAMELA WESTLAND
A TASTE OF THE COUNTRY

Soufflé Rothschild

Confectionnez ce soufflé avec les fruits de saison de votre choix.

Pour 4 personnes

Pêches pelées, dénoyautées et coupées en petits morceaux	2
Ananas coupé en petits morceaux	½
Fraises coupées en 2	125 g
Kirsch	2 cuillerées à soupe
Sucre glace	90 g environ
Jaunes d'œufs	4
Sucre semoule	1 cuillerée à soupe
Crème fraîche légèrement fouettée	2 cuillerées à soupe
Blancs d'œufs	5

Beurrez légèrement une timbale de 17,5 cm de diamètre et ficelez une bande de papier sulfurisé autour des bords. Versez le kirsch sur les fruits et saupoudrez légèrement de sucre glace. Garnissez la timbale de fruits sur 2,5 cm de profondeur.

Battez vigoureusement les jaunes d'œufs avec le sucre semoule. Incorporez la crème fouettée. Fouettez les blancs d'œufs en neige, dans un cul de poule de préférence, incorporez-en une cuillerée au mélange puis le reste. Ajoutez cet appareil dans la timbale, saupoudrez de sucre glace et faites cuire au milieu du four préchauffé à 190°C (5 au thermostat) de 15 à 20 minutes.

Quand le soufflé est bien levé et doré, saupoudrez-le rapidement de sucre glace et remettez-le rapidement au four pour caraméliser. Enlevez le papier sulfurisé et servez.

ROSEMARY HUME ET MURIEL DOWNES
CORDON BLEU DESSERTS AND PUDDINGS

Mousse de marrons

Spuma di castagne

Pour varier, incorporez 4 cuillerées à soupe de lait, 150 g de sucre en poudre, 2 cuillerées à soupe de cacao, 50 g de beurre et 2 cuillerées à soupe de rhum à la purée de marrons. Faites chauffer le tout quelques minutes dans une cocotte à feu doux, sans cesser de remuer. Garnissez un moule rond ou un moule à gâteau foncé d'une feuille de papier d'aluminium ou de mousseline humide, mettez 12 heures au réfrigérateur et décorez selon le goût.

Pour 4 personnes

Marrons secs mis à tremper 12 heures dans de l'eau froide, égouttés et épluchés	250 g
Sucre en poudre	150 g
Cacao (facultatif)	2 cuillerées à soupe
Sucre vanillé ou ½ cuillerée à café d'extrait de vanille	30 g
Crème fraîche épaisse fouettée	20 cl

Garniture :

Cacao ou 4 cuillerées à soupe de crème fouettée et 4 cerises confites	1 cuillerée à café

Mettez les marrons dans une cocotte ou dans une casserole, couvrez-les de 2 litres d'eau froide et portez à ébullition à feu doux. Couvrez et laissez cuire à feu doux 1 heure 30 minutes environ. Égouttez-les et passez-les au moulin à légumes.

Incorporez le sucre, le cacao (si vous en utilisez), le sucre vanillé puis la crème fouettée, en remuant délicatement. Versez cet appareil dans une grande coupe ou dans quatre petites coupes et mettez plusieurs heures au réfrigérateur.

Servez cette mousse saupoudrée de cacao ou, pour une présentation plus raffinée, coiffée d'une bonne cuillerée de crème fouettée surmontée d'une cerise confite.

LYDIA B. SALVETTI
CENTO RICETTE SPENDENDO MENO

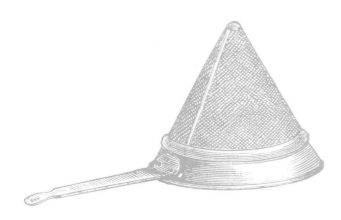

Mousse de pommes aux pêches

Pour préparer la mousse de pommes aux pêches, reportez-vous aux explications données à la page 64.

Pour 4 à 6 personnes

Pommes pelées, évidées et coupées en tranches	500 g
Pêches pelées, coupées en 2 et dénoyautées	3
Sirop de sucre moyen *(page 163)*	30 cl
Porto	12 cl
Bâton de cannelle ou une pincée de cannelle en poudre	2,5 cm
Lait	50 cl
Gousse de vanille ou 1 cuillerée à café d'extrait de vanille	1
Sucre semoule	150 g
Jaunes d'œufs	4
Gélatine en poudre délayée dans un peu d'eau froide	1 cuillerée à soupe
Crème fraîche épaisse	17 cl
Huile d'amandes douces ou huile végétale non parfumée	
Abricots	350 g
Citron, jus passé (facultatif)	½

Meringues :

Blancs d'œufs	2
Sel	
Sucre glace	125 g

Faites pocher les pêches dans le sirop de sucre. Quand elles sont tendres, mettez-les dans une terrine. Ajoutez le porto et laissez-les macérer quelques heures.

Dans une casserole, faites cuire les pommes avec 8 cl d'eau et la cannelle à feu modéré, en remuant de temps en temps, jusqu'à ce qu'elles soient tendres mais non réduites en purée. Enlevez le bâton de cannelle, si vous en avez utilisé un, et tamisez les pommes dans une terrine. Réservez cette purée.

Faites chauffer le lait presque jusqu'à ébullition avec la gousse de vanille et le sucre semoule. Si vous utilisez de l'extrait de vanille, ajoutez-le après. Enlevez du feu et laissez infuser de 15 à 20 minutes. Pour les meringues, battez les blancs d'œufs en neige avec une petite pincée de sel et mélangez-les intimement mais délicatement avec le sucre glace.

Enlevez la gousse de vanille du lait infusé et réchauffez-le en réglant la flamme pour qu'il frémisse à peine. Formez les meringues avec une cuillère à café et jetez-les dans le lait par petites quantités car elles gonflent à la cuisson et doivent rester séparées. Au bout de 2 minutes, retournez-les délicatement et laissez-les pocher encore 2 minutes. Faites-les égoutter dans un tamis en nylon placé sur une terrine. Répétez ces opérations jusqu'à ce que toutes les meringues soient pochées, en les mettant sur un plat quand elles sont égouttées.

Préparez une crème anglaise: mélangez le lait de pochage avec le lait recueilli dans la terrine. Dans une casserole, battez les jaunes d'œufs et délayez-les lentement avec le lait, en fouettant. Faites cuire à feu modéré, sans cesser de remuer avec une cuillère en bois, jusqu'à ce que le mélange nappe la cuillère. Incorporez la gélatine préalablement mélangée avec deux ou trois cuillerées à soupe de mélange et remuez encore quelques secondes sur feu modéré jusqu'à ce qu'elle soit parfaitement dissoute, sans laisser bouillir. Mélangez la crème anglaise obtenue avec la purée de pommes et mettez au réfrigérateur, en surveillant de près. Quand l'appareil commence à prendre en gelée, incorporez la crème fraîche épaisse fouettée jusqu'à ce qu'elle soit assez ferme.

Huilez légèrement un moule à savarin, remplissez-le de mousse, tapez-en le fond deux ou trois fois sur une table pour bien répartir la mousse et mettez 4 heures au moins au congélateur, dans le compartiment à glace du réfrigérateur ou directement sur de la glace pilée.

Faites cuire les abricots dans 8 cl d'eau 15 minutes environ, jusqu'à ce qu'ils soient tendres et passez-les au tamis de nylon. Sortez les pêches du porto, réservez-les et ajoutez le porto à la purée d'abricots. Goûtez et sucrez si besoin est. Ajoutez le jus de citron si vous en utilisez.

Juste avant de servir, trempez le moule 2 ou 3 secondes dans de l'eau chaude et démoulez la mousse sur un grand plat de service rond préalablement rafraîchi. Versez un peu de sauce à l'abricot en cercle autour de la mousse, répartissez les meringues sur ce ruban de sauce, remplissez le centre de la mousse de pêches macérées, masquez-les de quelques cuillerées à soupe de sauce et servez le reste de sauce dans une saucière.

RICHARD OLNEY
FRENCH MENU COOKBOOK

Purée d'airelles

Cranberry Kisiel

Vous pouvez servir cette purée avec du lait sucré mélangé avec un jaune d'œuf battu.

Pour 4 personnes

Airelles mûres	150 g
Sucre en poudre	175 g environ
Fécule de pomme de terre	6 cuillerées à soupe

Couvrez les airelles de 60 cl d'eau chaude. Faites-les cuire jusqu'à ce qu'elles soient tendres et tamisez-les avec l'eau de cuisson. Ajoutez 150 g de sucre à la pulpe obtenue et réchauffez. Hors du feu, incorporez lentement la fécule délayée dans 12 cl d'eau froide. Remettez sur le feu, portez à ébullition et laissez épaissir, sans cesser de remuer. Sucrez encore si besoin est. Divisez cette purée en portions que vous arrosez de quelques gouttes d'eau froide. Laissez refroidir avant de servir.

ZOFIA CZERNY
POLISH COOKBOOK

Crème de pêches

Pesche alla Chicchera

Pour 6 personnes

Pêches fermes et mûres, pelées, dénoyautées et coupées en deux	3
Sucre semoule	100 g
Jaunes d'œufs	6
Vin blanc doux	15 cl

Tamisez les pêches pour obtenir une purée. Avec un fouet ou un batteur électrique, battez le sucre avec les jaunes d'œufs et le vin. Incorporez la purée de pêches et continuez à battre pour obtenir une crème très épaisse et mousseuse. Versez cette crème dans des tasses à café et faites-la rafraîchir au réfrigérateur sans toutefois la laisser glacer.

FELICE CÙNSOLO
LA CUCINA LOMBARDA

Crème de cerises

Cherry Cream

Le secret de la réussite de cette crème consiste à travailler avec de la crème fraîche, du jus et des œufs parfaitement glacés et à ajouter le jus petit à petit pour qu'elle ne se sépare pas.

Vous pouvez remplacer les cerises par des raisins de Corinthe ou par des mûres sauvages. Vous pouvez aussi utiliser du jus d'oranges, de citrons ou de tout autre fruit juteux.

Pour 6 personnes

Cerises	650 g
Sucre en poudre	300 g environ
Crème fraîche épaisse	60 cl
Blancs d'œufs battus en neige	2

Écrasez les cerises sans les dénoyauter, couvrez-les de 175 g de sucre et laissez-les macérer 2 heures au frais. Passez-les à travers un linge très fin ou une passoire. Sucrez le jus recueilli selon le goût avec 125 g de sucre ou plus. Fouettez légèrement la crème fraîche, incorporez progressivement le jus de fruits et les blancs en neige et continuez à fouetter jusqu'à ce qu'il n'y ait plus de mousse. Servez immédiatement.

MRS HESTER M. POOLE
FRUITS AND HOW TO USE THEM

Marmelade de pommes et de pruneaux ivres

Tipsy Black Apple Fool

Pour 8 personnes

Pommes à cuire pelées, évidées et coupées en tranches	500 g
Pruneaux	250 g
Assortiment de fruits secs (poires, pêches et abricots)	200 g
Vin rouge	30 cl
Liqueur douce	1 cuillerée à soupe
Crème fraîche épaisse	30 cl

Mettez les pommes dans un plat à four fermant hermétiquement. Ajoutez les pruneaux et le vin, couvrez et faites cuire au four préchauffé à 130°C (½ au thermostat) de 3 à 4 heures, jusqu'à ce que les fruits soient très tendres. Au bout de 2 heures 30 minutes à 3 heures, mettez les fruits secs dans un autre plat à four fermant hermétiquement, couvrez-les généreusement d'eau, couvrez et faites-les cuire 1 heure environ dans le four.

Sortez les pruneaux de leur plat, dénoyautez-les et passez-les au tamis avec les pommes et le vin (s'il en reste). Égouttez soigneusement les fruits secs, passez-les au tamis et incorporez-les à la première marmelade. Mettez au réfrigérateur. Juste avant de servir, incorporez la liqueur et servez avec la crème.

ELIZABETH GILI
APPLE RECIPES FROM A TO Z

Fromage blanc caillé russe aux fruits

Tvorog s Frouktami

Pour 3 ou 4 personnes

Fromage blanc caillé ou frais, égoutté ou pressé une nuit sous un objet lourd	400 g
Fruits frais (fraises, cerises, demi-abricots ou quartiers d'orange)	400 g environ
Sucre en poudre	60 g
Eau	4 cuillerées à soupe
Crème fraîche épaisse	3 cuillerées à soupe

Passez le fromage blanc à la grille fine du hachoir ou tamisez-le dans une terrine. Faites bouillir le sucre et l'eau et laissez refroidir le sirop obtenu dans une terrine d'eau froide. Incorporez le fromage blanc puis la crème fraîche et battez jusqu'à ce que l'appareil soit homogène.

Répartissez l'appareil en portions égales sur 3 ou 4 assiettes de service. Avec un couteau de table humide, moulez les parts en dômes que vous entourez des fruits de votre choix. Servez.

DETSKOE PITANIE

Cœur à la crème

Pour préparer les cœurs à la crème, reportez-vous aux explications données à la page 36. Si vous ne trouvez pas de crème double, fouettez de la crème fraîche jusqu'à ce qu'elle forme des crêtes molles avant de la mélanger avec le fromage blanc. Vous pouvez remplacer le fromage frais battu par du fromage blanc caillé, et utiliser de petites faisselles individuelles en forme de cœur au lieu d'une grande.

Pour 4 personnes

Fromage frais battu, non salé	250 g
Crème double très épaisse	30 cl
Sucre semoule	2 cuillerées à soupe
Blancs d'œufs battus en neige	2
Fraises ou framboises	
Crème fleurette	30 cl

Passez le fromage frais à travers un tamis de nylon à mailles fines et mélangez-le avec la crème double. Ajoutez le sucre et incorporez délicatement les blancs en neige. Mettez cet appareil dans une faisselle en forme de cœur garnie de mousseline et faites égoutter une nuit au réfrigérateur, sur une grande soucoupe. Juste avant de servir, démoulez le cœur à la crème sur un grand plat de service. Entourez-le de fraises ou de framboises et nappez-le de crème fleurette.

MARGARET COSTA
MARGARET COSTA'S FOUR SEASONS COOKERY BOOK

Cœur à la crème

Si vous servez le cœur à la crème avec des poires, ajoutez 6 morceaux environ de gingembre au sirop haché et remplacez le sucre vanillé par 4 cuillerées à soupe de sirop de gingembre ou davantage, selon le goût.

Cette recette permet d'obtenir une crème riche et ferme que vous moulerez dans un grand moule en forme de cœur (ou dans plusieurs petits). Il est essentiel que ce moule ait des trous pour que l'excès de liquide du fromage puisse s'égoutter. L'auteur propose de remplacer le fromage blanc caillé par du fromage frais bien égoutté ou par du yogourt, à l'exclusion des fromages blancs à la crème gras, trop riches et pas assez liquides.

Pour 4 personnes

Fromage blanc caillé	250 g
Œufs, jaunes séparés des blancs	2
Sucre vanillé	60 g
Gélatine en poudre	15 g
Crème fraîche épaisse ou moitié crème fraîche épaisse, moitié crème fleurette	25 cl

Tamisez le fromage caillé si besoin est, pour lui donner une consistance lisse. Mélangez-le avec les jaunes d'œufs et le sucre. Dans une terrine, délayez la gélatine dans 6 cuillerées à soupe d'eau très chaude mais non bouillante, en remuant. Laissez refroidir presque complètement puis ajoutez la crème fraîche et fouettez jusqu'à ce qu'elle soit ferme. Incorporez l'appareil au fromage pour obtenir un mélange homogène, le plus léger possible. Montez les blancs d'œufs en neige et incorporez-les.

Garnissez un moule de 75 cl ou plusieurs petits moules d'une double épaisseur de mousseline humide. Avec une louche, versez l'appareil dans le moule que vous tapez contre une table pour le remplir uniformément. Rabattez la mousseline par-dessus et mettez au réfrigérateur. Quand le cœur est moulé, renversez-le sur un plat et servez-le entouré de fruits tendres ou pochés.

JANE GRIGSON
JANE GRIGSON'S FRUIT BOOK

———————◆———————

Purée de marrons à la milanaise
Purè di castagne

Pour 8 personnes

Marrons secs mis à tremper une nuit	1 kg
Chocolat de ménage râpé	1 cuillerée à soupe
Sucre en poudre	100 g
Extrait de vanille	
Beurre	30 g
Rhum	10 cl
Lait	10 cl
Crème fraîche épaisse fouettée avec 2 cuillerées à soupe de sucre vanillé	25 cl

Dans une casserole contenant de l'eau, faites pocher les marrons 30 minutes environ, jusqu'à ce qu'ils soient très tendres. Égouttez-les et passez-les au tamis. Remettez la purée obtenue dans la casserole. Ajoutez le chocolat, le sucre, quelques gouttes d'extrait de vanille, le beurre, le rhum et le lait. Mélangez intimement à feu doux avec une cuillère en bois pour obtenir une purée homogène puis enlevez du feu et laissez refroidir.

Quand la purée est froide, passez-la encore au tamis en recueillant délicatement les « fils » qui tombent sur un plat de service. Couvrez d'une couronne de crème fouettée.

FELICE CÙNSOLO
LA CUCINA LOMBARDA

Entremets moulé aux marrons et au caramel
Dolce di castagne al caramello

Pour 6 personnes

Marrons, écorce incisée avec un couteau	1 kg
Lait	90 cl
Sucre vanillé	30 g
Sucre semoule	100 g
Beurre	100 g

Caramel :

Sucre en poudre	4 cuillerées à soupe
Eau	1 cuillerée à soupe

Crème :

Jaunes d'œufs	4
Sucre cristallisé	125 g
Lait bouillant	50 cl
Sel	1 pincée
Rhum	8 cl
Crème fraîche épaisse, fouettée	5 cuillerées à soupe

Jetez les marrons dans une casserole d'eau bouillante salée et faites-les cuire 15 minutes. Enlevez-les du feu, sortez-les et écorcez-les un à un. Mélangez le lait avec le sucre vanillé, ajoutez les marrons et faites-les cuire à feu modéré pour qu'ils absorbent le lait et deviennent tendres. Passez le tout au tamis ou au mixeur. Incorporez le sucre semoule et le beurre pour donner à la purée la consistance requise.

Pour caraméliser le moule, faites bouillir le sucre et l'eau dans un moule à charlotte de 1,25 litre, à feu modéré, en faisant tourner le moule fréquemment jusqu'à ce que le sirop caramélise. Trempez-le immédiatement dans de l'eau froide pour le refroidir et inclinez-le dans tous les sens pour chemiser le fond et les parois. Laissez refroidir. Remplissez le moule de purée de marrons, en tassant la surface avec le dos d'une cuillère et mettez 2 heures au réfrigérateur.

Pendant ce temps, préparez la crème. Battez les jaunes d'œufs avec le sucre, jusqu'à ce que le mélange blanchisse et fasse le ruban. Continuez à mélanger rapidement en ajoutant petit à petit le lait bouillant et le sel. Faites épaissir cette crème 15 minutes au bain-marie, sans cesser de remuer. Laissez-la tiédir avant d'incorporer le rhum et la crème fouettée.

Sortez la purée de marrons du réfrigérateur. Trempez le moule quelques secondes dans une casserole d'eau bouillante, renversez l'entremets sur un plat rond et peu profond et garnissez-le d'une couronne de crème.

SAVINA ROGGERO
100 RICETTE PER CENARE CON GLI AMICI

———————◆———————

Mont-Blanc

The White Mountain

Pour griller les marrons, incisez le haut de l'écorce avec un couteau pointu, mettez-les sur une plaque et passez-les vingt minutes au four préchauffé à 200°C (6 au thermostat).

L'auteur déconseille d'utiliser de la purée de marrons en boîte car les marrons frais donnent un goût nettement meilleur.

Pour 6 personnes

Marrons incisés, grillés, écorcés et épluchés	500 g
Lait	25 cl environ
Sucre semoule	125 g
Chocolat de ménage râpé	125 g
Extrait de vanille	
Crème fraîche épaisse	15 cl
Œuf battu	1

Mettez les marrons dans une casserole. Dans une autre casserole, versez une quantité de lait suffisante pour les couvrir. Faites chauffer le lait à feu doux et ajoutez le sucre et le chocolat. Parfumez de quelques gouttes d'extrait de vanille. Versez le lait sur les marrons et laissez-les cuire 20 minutes environ, jusqu'à ce qu'ils soient tendres. Sortez-les avec une écumoire et passez-les au tamis à grosses mailles. Façonnez cette purée en dôme sur un plat de service et mettez-la 2 heures au réfrigérateur.

Fouettez légèrement la crème fraîche avec l'œuf. Sortez la purée de marrons du réfrigérateur et nappez-la de crème pour recréer le Mont-Blanc.

OSWELL BLAKESTON
COOKING WITH NUTS

Diplomate

Pouding diplomate

Pour assembler ce pouding et confire différents fruits, reportez-vous aux explications données à la page 66 et aux recettes de la page 165, respectivement. L'auteur conseille de servir ce diplomate avec une sauce aux fruits (recette page 163) comme une sauce aux abricots parfumée au kirsch ou une sauce aux groseilles parfumée au curaçao.

Pour 6 personnes

Bavarois *(page 160)*	60 cl
Biscuits à la cuillère *(page 160)* trempés dans 8 cl de kirsch	250 g
Assortiment de fruits confits coupés en dés	125 g

Dans une timbale ou un moule à charlotte de 1 litre, mettez une couche de bavarois de 2 cm environ. Couvrez d'une couche de biscuits à la cuillère que vous parez pour remplir les interstices si besoin est. Parsemez d'une fine couche de fruits confits. Recouvrez de bavarois, ajoutez encore une couche de biscuits et de fruits confits et terminez par du bavarois. Mettez au réfrigérateur jusqu'au moment de servir. Démoulez avant de servir.

ANN SERANNE
THE COMPLETE BOOK OF DESSERTS

Le bavarois aux pruneaux à l'armagnac

Ayez toujours dans votre placard de beaux pruneaux dénoyautés trempant dans de l'armagnac jeune sans qu'aucun dépasse le niveau du liquide. Ne les faites pas bouillir au préalable, mais laissez-les mariner trois semaines; ils seront bien meilleurs.

Pour 6 personnes

Pruneaux à l'armagnac	250 g
Feuilles de gélatine fondues dans 17 cl d'eau tiède	4
Sucre vanillé	100 g
Crème fraîche épaisse, fouettée	17 cl

Mettez la gélatine à fondre dans l'eau tiède, égouttez les pruneaux et passez-en rapidement la moitié au mixeur avec le sucre, puis jetez cette pâte dans le récipient où fond la gélatine; mélangez le tout et ajoutez la crème fouettée avant que la gélatine ne commence à prendre.

Moulez dans un moule huilé, puis mettez au réfrigérateur jusqu'au moment de servir. A ce moment-là, démoulez sur le plat et décorez du reste de pruneaux.

ANDRÉ DAGUIN
LE NOUVEAU CUISINIER GASCON

Gelées et glaces

Gelée de raisin

Grape Jelly

Servez ce léger entremets avec des biscuits aux amandes.

Pour 6 personnes

Muscat ou autre raisin très parfumé, 12 des plus gros grains pelés, coupés en 2 et épépinés	1 kg
Sucre semoule	125 g environ
Gélatine en poudre dissoute dans 4 cuillerées à soupe d'eau chaude	15 g
Citron, jus passé	1
Grand Marnier ou curaçao ou jus passé d'une orange	3 à 5 cl
Crème fraîche épaisse	15 cl

Mettez les grains de raisin non pelés dans une casserole avec le sucre. Faites-les cuire à feu doux 2 minutes environ, jusqu'à ce qu'ils éclatent, en les laissant le moins longtemps possible sur le feu. Tamisez-les dans un verre gradué. Si besoin est, complétez le jus avec de l'eau pour obtenir 50 cl. Incorporez la gélatine dissoute. Ajoutez le jus de citron et la liqueur ou le jus d'orange. Goûtez et sucrez modérément. Laissez reposer au frais 1 heure environ, jusqu'à ce que la gelée ait presque pris. Battez-la avec un fouet en mousse crémeuse. Versez-la dans six verres et faites-la prendre au réfrigérateur. Décorez avec les demi-raisins réservés, côté peau vers le haut.

Fouettez la crème fraîche jusqu'à ce qu'elle soit épaisse mais encore liquide. Juste avant de servir, versez-la sur les gelées, sans couvrir les dômes de raisin qui doivent ressortir comme de petites îles.

JANE GRIGSON
JANE GRIGSON'S FRUIT BOOK

Gelée aux fraises et au yogourt

Legumina z Kwaśnego Mleka

Pour 6 à 8 personnes

Fraises épluchées et réduites en purée à travers un tamis en nylon	300 g
Yogourt ou lait aigre	1 litre
Sucre en poudre	125 g
Gélatine en poudre	25 g
Eau chaude	12 cl

Battez le yogourt ou le lait aigre. Incorporez le sucre et la purée de fraises. Délayez la gélatine dans l'eau chaude, en remuant, puis incorporez-la au premier mélange, en battant. Faites prendre en gelée dans un compotier en verre placé au frais.

ZOFIA CZERNY ET MARIA STRASBURGER
ŻYWIENIE RODZINY

Fruits en boule de neige

Fruit Snowball

Pour 4 personnes

Fraises	150 g
Banane	1
Jus d'orange ou d'autre fruit	4 cuillerées à soupe

Mettez les fraises dans un sac ou dans une boîte en plastique. Épluchez la banane, coupez-la en tranches de 2,5 cm et enroulez-la immédiatement dans un film plastique en serrant. Mettez ces fruits 2 heures environ au congélateur.

Équipez un mixeur d'une lame métallique. Mettez les fruits congelés dans le bol, ajoutez le jus d'orange et mettez le mixeur en marche. Il hachera les fruits en petits morceaux avant de les amalgamer en une masse rose et onctueuse. Servez.

CAROL CUTLER (RÉDACTRICE)
THE WOMAN'S DAY LOW-CALORIE DESSERT COOKBOOK

Neige granitée aux pêches cardinalisées

Pour obtenir la purée de framboises, passez 500 g de framboises fraîches à travers un tamis fin et sucrez selon le goût.

Pour 5 personnes

Grosses pêches blanches pelées	10
Sirop de sucre léger *(page 163)*	1 litre
Sucre en poudre (facultatif)	
Alcool d'abricot ou de pêche	
Purée de framboises	30 cl

Faire pocher les pêches quelques minutes dans le sirop. Dès que les pêches sont cuites, les retirer du sirop et les laisser refroidir. (Réserver le sirop).

Enlever le noyau de 5 pêches, remettre celles-ci dans le sirop (50 cl) et mixer ensemble au mixeur à main. Laisser prendre au freezer. Lorsque des petits glaçons commencent à se former, donner un coup de mixeur. Remettre au freezer et recommencer cette opération toutes les 30 minutes (au moins 8 fois). Ajouter au besoin un peu de sucre et aromatiser à l'alcool lorsque la neige est encore moelleuse. Servir les pêches entières pochées en accompagnement de la neige nappée de purée de framboises ou posées dessus dans des coupes.

ANDRE GUILLOT
LA VRAIE CUISINE LÉGÈRE

Granité au melon

Granita van Meloen

Pour 4 personnes

Melon doux d'Espagne, ou autre, chair coupée en dés	1
Sucre glace	40 g
Kirsch	1½ cuillerée à soupe
Jus de citron	1 cuillerée à soupe
Cerises rouges confites	4

Passez les dés de melon au mixeur et incorporez le sucre, le kirsch et le jus de citron. Versez cet appareil dans un bac à glaçons et mettez-le 3 heures au congélateur. Au bout de 30 minutes, sortez-le du congélateur et remuez avec une fourchette. Remettez au congélateur et répétez cette opération deux fois à 30 minutes d'intervalle. Servez le granité dans des verres glacés et décorez avec les cerises.

HUGH JANS
VRIJ NEDERLAND

Melon avec sorbet au porto et framboises

Avec moins de sucre, ce sorbet fait un hors-d'œuvre estival.

Pour préparer des sorbets, reportez-vous aux explications données à la page 38.

Pour 6 personnes

Melons cantaloups coupés en 2 et épépinés	3
Framboises	1 kg
Porto	75 cl
Citrons, jus passé	2
Eau	35 cl
Grains de poivre vert	1 cuillerée à café
Lanière de zeste d'orange	5 cm
Lanière de zeste de citron	5 cm
Sucre en poudre	3 cuillerées à soupe environ
Feuilles de menthe	

Dans une casserole, mélangez le porto avec le jus d'un citron et demi, l'eau, les grains de poivre, le zeste d'orange et de citron et une cuillerée à soupe de sucre. Portez à ébullition et laissez cuire 5 minutes. Passez et laissez refroidir. Faites congeler ce sorbet dans une sorbetière ou dans le compartiment à glace du réfrigérateur, en le sortant plusieurs fois pour le remuer.

Passez la moitié des framboises au mixeur avec le reste de jus de citron et 2 cuillerées à soupe de sucre. Passez le tout. Goûtez et sucrez davantage ce coulis si besoin est.

Garnissez chaque demi-melon de deux boules de sorbet. Nappez légèrement le sorbet de coulis de framboises. Décorez avec le reste de framboises et les feuilles de menthe.

WOLFGANG PUCK
WOLGANG PUCK'S MODERN FRENCH COOKING

Granité à l'ananas

Après avoir versé le granité dans l'écorce de l'ananas, vous pouvez le remettre une heure environ au congélateur pour le rendre un peu plus ferme — mais ne le servez pas congelé car il perdrait toutes ses qualités.

Pour préparer l'ananas afin d'obtenir un granité, reportez-vous aux explications données à la page 38.

Pour 4 personnes

Gros ananas mûr	1
Sucre en poudre	175 g
Oranges, jus passé	3

Coupez et jetez la base de l'ananas. Coupez-le circulairement au-dessous du chapeau pour obtenir un couvercle. Raclez l'intérieur du chapeau et mettez la chair recueillie dans une terrine. Réservez le chapeau.

Pour évider l'ananas, enfoncez un couteau à lame longue, pointue et aiguisée à mi-hauteur et coupez la chair le plus près possible de l'écorce, sans la percer. Faites une autre incision circulaire autour du cœur fibreux et plusieurs incisions semblables à des rayons entre les deux cercles. Retirez les quartiers obtenus avec une cuillère à soupe et mettez-les dans la terrine. Répétez ces opérations avec la moitié inférieure de l'ananas. Raclez le cœur pour vider entièrement l'écorce de toute la chair. Avec la pointe d'un couteau, sectionnez le cœur à la base et détachez-le le plus proprement possible. Réservez l'écorce.

Écrasez la chair avec un pilon. Pour en extraire le plus de jus possible, passez-la au tamis, au-dessus d'une terrine. Mélangez 25 cl environ du jus recueilli avec le sucre et faites bouillir le tout pour obtenir un sirop. Laissez refroidir avant de mélanger ce sirop avec le reste de jus d'ananas et le jus d'orange. Versez cet appareil dans des bacs à glaçons en métal que vous mettez au congélateur avec l'écorce et le chapeau. Au bout d'une heure environ, sortez les bacs du congélateur. Remuez l'appareil en ramenant vers le centre les cristaux qui se sont formés au fond et contre les parois et en les écrasant dans le liquide. Remettez au congélateur et répétez ces opérations deux fois pendant les 3 heures qui suivent, jusqu'à ce que le granité soit légèrement ferme mais encore fondant. Versez-le dans l'écorce glacée, couvrez avec le chapeau et servez.

RICHARD OLNEY
FRENCH MENU COOKBOOK

Entremets de pêches glacé

Sformato di pesche al gelo

Pour 8 personnes

Grosses pêches à chair jaunes mûres, pelées, dénoyautées et coupées en tranches	8
Sucre en poudre	100 g
Eau	50 cl environ

Crème cuite :

Jaunes d'œufs	4
Sucre en poudre	100 g
Farine	2 cuillerées à soupe
Sel	1 pincée
Sucre vanillé	30 g
Lait	50 cl
Cognac	4 cuillerées à soupe
Biscuits à la cuillère émiettés	16
Petites meringues émiettées	8

Garniture :

Crème fraîche épaisse mélangée avec 30 g de sucre semoule et fouettée	25 cl

Dans une casserole, portez à ébullition le sucre et l'eau et laissez frémir 5 minutes. Laissez refroidir ce sirop puis ajoutez les tranches de pêches et réservez.

Pour la crème, battez les jaunes d'œufs avec le sucre et ajoutez la farine et le sel. Mélangez le sucre vanillé et le lait, portez à ébullition et incorporez très lentement l'appareil aux œufs, sans cesser de remuer. Faites cuire cette crème au bain-marie, à feu doux, en remuant lentement et toujours dans le même sens pendant 15 minutes environ, jusqu'à ce qu'elle soit épaisse. Hors du feu, ajoutez le cognac et laissez refroidir. Incorporez très délicatement les biscuits à la cuillère et les petites meringues.

Égouttez les tranches de pêches et prenez-en assez pour foncer un moule à gâteau huilé de 23 cm de diamètre. Mélangez le reste avec la crème cuite. Remplissez le moule de cet appareil et mettez-le 4 heures au moins au congélateur.

Avant de servir, immergez le fond du moule dans une casserole d'eau bouillante et renversez-le sur un plat de service. Entourez l'entremets glacé d'une couronne de crème fouettée.

SAVINA ROGGERO
100 RICETTE PER CENARE CON GLI AMICI

Poudings, gâteaux et beignets divers

Pouding estival

Summer Pudding

Pour 4 personnes

Framboises, groseilles rouges, grains de cassis ou mûres, ou assortiment	1 kg
Tranches de pain blanc rassis débarrassées de la croûte	6
Eau	2 cuillerées à soupe
Sucre en poudre	175 g environ
Crème fouettée	

Beurrez légèrement un moule à pouding de 1 litre et tapissez le fond et les parois de quelques tranches de pain. Mettez les fruits dans une casserole, ajoutez l'eau et le sucre et faites-les cuire à feu doux de 5 à 10 minutes, jusqu'à ce qu'ils soient tendres sans avoir perdu leur couleur vive. Goûtez et sucrez encore si besoin est. Laissez tiédir hors du feu. Parez le reste de tranches de pain aux dimensions du haut du moule et trempez-les sur les deux faces dans les fruits pour les imbiber de jus.

Mettez les fruits et leur jus dans le moule tapissé et couvrez avec le pain paré. Placez le moule sur un plat, posez une soucoupe sur le pouding et pressez avec un poids de 500 g. Mettez une nuit au frais ou au réfrigérateur. Avant de servir, enlevez la soucoupe et le poids et recueillez le jus rendu par le pouding. Renversez un plat de service sur le moule, retournez le tout, donnez un coup sec et démoulez. Nappez le pouding de jus de fruits réservé et servez avec de la crème fouettée.

PRUDENCE LEITH ET CAROLINE WALDEGRAVE
LEITH'S COOKERY COURSE

Roulé aux marrons et aux bananes

Režnjevi od Kestena i Banana

Pour 8 à 10 personnes

Marrons	1,500 kg
Bananes	2
Sucre en poudre	200 g
Eau	25 cl
Beurre ramolli à température ambiante	150 g
Glace au chocolat :	
Chocolat au lait ou chocolat de ménage cassé en morceaux	150 g
Café noir frais	3 cuillerées à soupe
Lait chauffé presque jusqu'à l'ébullition	1 à 2 cuillerées à soupe
Beurre	20 g
Décoration :	
Crème fraîche épaisse rafraîchie	50 cl
Sucre glace	1 à 2 cuillerées à soupe

Incisez les marrons et faites-les bouillir dans l'eau pendant 25 minutes, jusqu'à ce qu'ils soient tendres. Égouttez-les, décortiquez-les et pelez-les pendant qu'ils sont encore chauds et passez-les au moulin à légumes.

Dans une grande casserole, faites fondre le sucre avec l'eau à feu doux, sans cesser de remuer. Mettez à feu plus vif et laissez cuire rapidement quelques minutes pour obtenir un sirop clair. Ajoutez la purée de marrons et mélangez intimement. Enlevez du feu et laissez refroidir.

Battez le beurre en pommade et incorporez-le à l'appareil aux marrons refroidi. Rincez un moule à pain à l'eau froide et laissez-le égoutter. Sur un plan de travail, abaissez l'appareil aux marrons en rectangle assez épais, trois fois plus large que le moule. Disposez les bananes côte à côte sur le rectangle, dans le sens de la longueur, parallèlement au bord, et roulez le rectangle comme une bûche. Mettez le roulé obtenu dans le moule, pliure vers le bas. Encastrez le moule dans un récipient rempli de glace pilée ou mettez-le au réfrigérateur quelques heures, jusqu'à ce que le roulé soit ferme. Dans une petite casserole, faites fondre le chocolat avec le café et le lait à feu doux, sans cesser de remuer, pour obtenir une pâte parfaitement onctueuse. Hors du feu, incorporez le beurre. Laissez tiédir.

Démoulez le roulé et déposez-le soigneusement sur un plat ou un plateau allongé. Masquez-le de glace au chocolat et remettez-le au réfrigérateur.

Pendant que la glace durcit, fouettez la crème fraîche. Ajoutez le sucre et continuez à fouetter jusqu'à ce que la crème soit ferme. Mettez-la au réfrigérateur. Juste avant de servir le roulé, recouvrez-le entièrement de crème fouettée. A table, coupez-le en tranches fines.

SPASENIJA-PATA MARKOVIĆ (RÉDACTEUR)
VELIKI NARODNI KUVAR

Pommes en pâte

Apple Crisp or Crumble

Vous pouvez remplacer les pommes par de la rhubarbe ou par d'autres fruits. S'ils sont très acides, ajoutez du sucre en poudre avant de les couvrir de pâte friable.

Pour 3 ou 4 personnes

Pommes pelées, évidées et coupées en tranches fines	500 g
Cannelle en poudre	2 pincées
Eau	4 cuillerées à soupe
Farine	90 g
Sucre en poudre	60 g
Beurre	30 g

Mettez les pommes dans un plat à four. Saupoudrez-les de cannelle et ajoutez l'eau. Mélangez la farine avec le sucre et amalgamez le beurre jusqu'à ce que la préparation soit friable.

Parsemez les pommes de pâte friable et faites dorer 40 minutes environ au four préchauffé à 170°C (3 au thermostat). Le four ne doit pas être trop chaud car le jus des pommes détremperait la croûte.

BEE NILSON
THE PENGUIN COOKERY BOOK

Pouding aux bananes

Banana Brown Betty

Pour raffiner la présentation de ce pouding, l'auteur suggère de napper la surface d'un appareil à meringue à base de deux blancs d'œufs battus en neige avec deux cuillerées à soupe de sucre et de faire rapidement glacer cette meringue au four.

Pour 6 personnes

Bananes coupées en tranches fines	6
Sucre en poudre	125 g
Beurre coupé en petits morceaux	90 g
Marmelade d'oranges ou gelée de goyaves	60 g
Chapelure	60 g
Cannelle en poudre	½ cuillerée à café

Mettez une couche de banane dans un plat à four beurré. Ajoutez la moitié du sucre et du beurre et un peu de marmelade d'oranges ou de gelée de goyaves. Couvrez d'une couche de chapelure et saupoudrez de cannelle. Recommencez à alterner les ingrédients en terminant par une couche de chapelure. Faites cuire au four préchauffé à 170°C (3 au thermostat) pendant 45 minutes, jusqu'à ce que la surface soit croustillante et dorée. Servez chaud avec de la crème fraîche.

AGNES B. ALEXANDER
HOW TO USE HAWAIIAN FRUIT

Pouding aux marrons

Legumina Kasztanowa

Pour servir ce pouding froid, mettez-le au réfrigérateur et nappez-le de 25 cl de crème fraîche épaisse fouettée avec du sucre vanillé selon le goût.

Pour 4 personnes

Marrons blanchis 15 minutes, écorcés et épluchés	500 g
Lait	
Sucre vanillé	2 à 3 cuillerées à soupe
Assortiment de fruits secs (abricots, pruneaux, poires et pommes) mis à tremper, égouttés et coupés en 2 ou en 4	150 g
Blancs d'œufs battus en neige avec du sucre selon le goût	2

Mettez les marrons dans une casserole, couvrez-les de lait et faites-les pocher 30 minutes environ, jusqu'à ce qu'ils soient très tendres et aient absorbé presque tout le lait. Passez-les, écrasez-les, ajoutez le sucre et passez au tamis. Disposez la purée obtenue en dôme dans un plat à four et garnissez de fruits secs. Couvrez de blancs en neige et faites cuire de 20 à 25 minutes au four préchauffé à 180°C (4 au thermostat). Servez chaud.

MARJA OCHOROWICZ-MONATOWA
POLISH COOKERY

Croûtes aux prunes

Indignes de figurer au menu d'un grand dîner, ces pâtisseries aux allures campagnardes n'en sont pas moins excellentes. Vous pouvez remplacer les prunes par des abricots.

Pour servir 2 croûtes

Prunes dénoyautées et coupées en 2	5 ou 6
Beurre	60 g
Tranches de pain frais de 1 cm d'épaisseur	2
Cassonade fine	45 g

Beurrez les tranches de pain d'un côté et posez les demi-prunes dessus, côté peau vers le bas, en les pressant à l'aide d'un couteau. Mettez un peu de beurre et de cassonade dans chacune et placez ces croûtes dans un plat à four généreusement beurré, prunes vers le haut. Couvrez de papier beurré et faites cuire 30 minutes environ au four préchauffé à 180°C (4 au thermostat), jusqu'à ce que le pain soit doré et croustillant et les prunes cuites sous un glaçage de sirop sucré.

ELIZABETH DAVID
FRENCH COUNTRY COOKING

Pouding polonais aux prunes

Legumina ze Świeżych Śliwek

Pour 6 personnes

Prunes	500 g
Beurre	60 g
Sucre en poudre	250 g
Œufs, blancs séparés des jaunes et battus en neige	6
Mie de pain émiettée	30 g
Chapelure	2 cuillerées à soupe
Crème aigre	

Ébouillantez les prunes, égouttez-les et pelez-les. Mettez-les dans une casserole contenant 15 g de beurre fondu. Quand elles commencent à rendre leur jus, incorporez 125 g de sucre et laissez-les mijoter 20 minutes, jusqu'à ce qu'elles soient tendres. Laissez-les refroidir, mettez-les dans une terrine et dénoyautez-les. Écrasez-les pendant 15 minutes avec un pilon en bois pour obtenir une purée homogène ou passez-les au tamis fin.

Faites fondre le reste de beurre dans une petite casserole. Battez-le avec les jaunes d'œufs, le reste de sucre et le pain. Incorporez cet appareil à la purée de prunes, ajoutez les blancs en neige et garnissez un moule beurré et parsemé de chapelure de cet appareil. Faites cuire le pouding au four préchauffé à 220°C (7 au thermostat) 20 minutes, jusqu'à ce qu'il soit consistant et doré. Démoulez-le et servez-le chaud, avec de la crème aigre et du sucre.

IDA PLUCINSKA
KSIAŻKA KUCHARSKA

Clafoutis aux pêches

Baked Peach Pudding

L'auteur recommande cette pâte pour des cerises ou d'autres fruits et conseille de servir ce clafoutis accompagné d'une crème anglaise (recette page 159).

Pour 4 personnes

Pêches mûres pelées, coupées en 2 et dénoyautées	8
Sucre en poudre	100 g environ
Farine	40 g
Lait	1,25 litre
Œufs, jaunes séparés des blancs et battus, blancs battus en neige	6

Faites pocher les pêches dans de l'eau sucrée selon le goût. Délayez la farine avec 12 cl de lait froid et incorporez les jaunes d'œufs battus. Portez le reste de lait à ébullition, incorporez-le à la pâte en remuant jusqu'à ce qu'elle épaississe puis ajoutez les blancs en neige en battant rapidement.

Quand les pêches sont cuites et encore chaudes, mettez-les dans un plat. Versez la pâte dessus immédiatement après avoir incorporé les blancs en neige. Faites cuire ce clafoutis au four préchauffé à 200°C (6 au thermostat) 30 minutes, jusqu'à ce qu'il soit consistant et doré. Servez-le chaud.

MRS HESTER M. POOLE
FRUITS AND HOW TO USE THEM

Flaugnarde

Pour faire la flaugnarde, reportez-vous aux explications données à la page 56. Au lieu de parfumer le lait avec de l'extrait de vanille, vous pouvez le mettre dans une casserole avec une gousse de vanille et le faire chauffer à feu très doux jusqu'à ce que des bulles se forment contre les parois. Enlevez-le du feu et laissez-le infuser 15 minutes avant de retirer la vanille.

Pour 6 personnes

Raisins secs	60 g
Pruneaux	250 g
Cognac ou eau-de-vie de prune	12 cl
Sucre en poudre	125 g
Œufs	4
Sel	
Farine	60 g
Lait	25 cl
Extrait de vanille	½ cuillerée à café
Beurre	30 g

Couvrez les raisins secs d'eau froide et portez à ébullition. Enlevez immédiatement du feu, laissez-les gonfler 10 minutes et égouttez-les dans un tamis. Coupez les pruneaux en deux et dénoyautez-les. Mélangez-les avec les raisins secs dans un bocal en verre. Versez le cognac ou l'eau-de-vie. Fermez hermétiquement le bocal et secouez-le de temps en temps en le renversant. Au bout de 6 à 7 heures, les fruits auront entièrement absorbé le liquide. Quelques heures de plus ou de moins ne feront pas une grande différence.

Dans une terrine, battez le sucre avec les œufs et une petite pincée de sel. Incorporez progressivement la farine, sans cesser de remuer avec un fouet. Incorporez le lait, l'extrait de vanille et le contenu du bocal: la pâte doit être très fluide. Beurrez généreusement un plat à four, remplissez-le de pâte et faites cuire cette flaugnarde au four préchauffé entre 190°C et 200°C (5 à 6 au thermostat) 20 minutes, jusqu'à ce qu'elle ait doré.

RICHARD OLNEY
FRENCH MENU COOKBOOK

Pouding aux noix

Pudim de Noses

Pour 4 personnes

Noix, dont 250 g pilées	375 g
Épices composées	2 pincées
Sucre semoule	250 g
Œufs, jaunes séparés des blancs battus, blancs battus en neige	4
Beurre	60 g
Kirsch	1 cuillerée à café
Crème fraîche épaisse, fouettée	15 cl

Mélangez les noix pilées avec les épices et le sucre. Ajoutez ce mélange aux jaunes d'œufs battus. Incorporez les blancs en neige. Beurrez légèrement l'intérieur d'un moule et garnissez-le. Couvrez d'une feuille de papier d'aluminium et faites cuire le pouding à la vapeur au-dessus d'une casserole d'eau pendant 1 heure 30 minutes environ.

Dans une poêle contenant le reste de beurre fondu, faites dorer les noix entières. Quand elles sont presque cuites, ajoutez le kirsch. Laissez refroidir. Démoulez le pouding et laissez-le aussi refroidir. Recouvrez-le de crème fouettée et décorez-le avec les noix entières.

OSWELL BLAKESTON
COOKING WITH NUTS

———————◆———————

Pouding aux figues

Fig Pudding

Pour préparer un pouding aux figues, reportez-vous aux explications données à la page 58. L'auteur conseille de le servir avec de la crème anglaise (recette, page 159).

Pour 6 personnes

Figues sèches hachées	250 g
Farine	125 g
Graisse de rognon de bœuf hachée menu	125 g
Mie de pain émiettée	125 g
Levure en poudre	1 cuillerée à café
Sucre semoule	125 g
Sel	1 pincée
Muscade râpée	1 pincée
Œufs	2
Lait	20 cl environ

Dans une terrine, mélangez les figues avec la farine, la graisse de rognon de bœuf, la mie de pain, la levure, le sucre, le sel et la muscade. Battez les œufs avec 15 cl de lait et incorporez-les au mélange aux figues. Ajoutez du lait si besoin est pour que l'appareil soit assez liquide.

Graissez un moule à pouding de 1,25 litre. Foncez-le d'un cercle de papier sulfurisé coupé au même diamètre que le fond. Remplissez-le d'appareil aux figues. Farinez un linge humide et placez-le sur le moule, côté fariné vers le bas. Plissez le linge pour que le pouding puisse lever pendant la cuisson et ficelez-le sous les bords du moule. Posez le moule sur un trépied, dans une grande casserole et immergez-le d'eau bouillante aux deux tiers de sa hauteur. Couvrez la casserole et laissez frémir 2 heures 30 minutes. Démoulez le pouding sur un plat et servez-le chaud.

MRS BEETON'S ALL ABOUT COOKERY

———————◆———————

Croquette aux poires

Pear Dumpling

On enveloppe l'assiette dans de la mousseline pour que la croquette ne se déforme pas, pour maintenir les fruits et pour soulever plus facilement le tout quand la cuisson est terminée.

Pour 6 personnes

Poires et pruneaux secs, mis à tremper une nuit et égouttés	500 g de chaque
Pain blanc rassis	250 g
Farine	125 g
Sel	2 pincées
Muscade râpée	2 pincées
Cannelle en poudre	1 ½ cuillerée à café
Graisse de rognon de bœuf râpée	90 g
Œuf battu	1
Cassonade	250 g
Vin rouge	2 cuillerées à soupe

Enlevez la croûte du pain et râpez-la. Faites tremper la mie dans de l'eau jusqu'à ce qu'elle ait ramolli et exprimez-la. Dans une terrine, tamisez la farine avec le sel, la muscade et la moitié de la cannelle. Ajoutez la mie de pain, les miettes de croûte, la graisse de rognon de bœuf et l'œuf. Mélangez intimement et battez jusqu'à ce que la pâte soit homogène. Roulez-la en grosse croquette que vous mettez sur une assiette ronde allant au feu.

Disposez les fruits autour de la croquette et saupoudrez-les de cassonade. Arrosez de vin rouge et saupoudrez du reste de cannelle. Enveloppez l'assiette dans un morceau de mousseline, sans serrer, et mettez-la dans une grande casserole. Couvrez d'eau. Fermez hermétiquement et portez à ébullition. Laissez cuire 2 heures à forte ébullition. Enlevez l'assiette et son contenu de la casserole, enlevez la mousseline et servez la croquette et les fruits sur l'assiette de cuisson.

MADELEINE MASSON
THE INTERNATIONAL WINE AND FOOD SOCIETY'S
GUIDE TO JEWISH COOKERY

Pierogui aux fruits

Ciasto na Pierogi

Vous pouvez également garnir ces pierogui de marmelade ou de fruits au sirop.

Pour 4 personnes

Myrtilles ou cerises dénoyautées ou pommes pelées et hachées	500 g
Mie de pain émiettée	1 cuillerée à soupe
Sucre en poudre	1 cuillerée à soupe
Beurre fondu	60 g
Crème aigre	
Pâte :	
Farine	350 g
Sel	1 pincée
Œuf	1

Pour la pâte, tamisez la farine avec le sel sur une planche. Faites un puits au centre, cassez l'œuf dedans et ajoutez 8 cl d'eau tiède. Remuez pour amalgamer la farine puis pétrissez pour obtenir une pâte souple et homogène qui ne colle ni aux doigts ni à la planche. Divisez cette pâte en quatre parties que vous abaissez finement. Conservez ces abaisses dans une terrine couverte d'un linge humide pour qu'elles ne sèchent pas. Avec une tasse ou un verre, découpez des ronds de 5 à 6 cm de diamètre.

Mélangez les fruits avec le pain et le sucre. Placez un peu de cette garniture au centre de chaque rond de pâte, pliez-les en forme de demi-lunes et pressez les bords pour les souder. Répétez ces opérations jusqu'à épuisement des fruits et de la pâte. Portez à ébullition une casserole d'eau légèrement salée. Ajoutez les quenelles et comptez 4 ou 5 minutes de cuisson à partir du moment où elles remontent à la surface. Enlevez-les avec une écumoire et égouttez-les. Placez-les sur un plat, nappez-les de beurre fondu et servez-les avec du sucre et de la crème aigre.

MARIA LEMNIS ET HENRYK VITRY
OLD POLISH TRADITIONS IN THE KITCHEN AND AT THE TABLE

Croquettes aux pommes

Fried Apple Dumplings

Pour 4 personnes

Pomme acide moyenne pelée, évidée et hachée menu	1
Raisins secs et raisins de Corinthe	60 g de chaque
Ecorce de citron confite	30 g
Farine	250 g
Levure de boulanger (ou 2 cuillerées à café de levure sèche délayée dans 3 cuillerées à soupe de lait chaud)	15 g
Lait	15 cl
Citron, jus passé	½
Huile d'olive pour friture	
Sucre semoule	2 cuillerées à soupe

Mettez la farine dans une terrine et incorporez la pomme, tous les raisins secs et l'écorce confite. Ajoutez la levure, le lait et le jus de citron et mélangez pour obtenir une pâte ferme. Pétrissez vigoureusement cette pâte 2 minutes environ et laissez-la doubler de volume au chaud 1 heure environ.

Faites chauffer l'huile jusqu'à ce qu'elle soit très chaude (190 °C). Jetez la pâte dans cette friture par cuillerées à café, à raison de 3 croquettes à la fois. Faites-les uniformément dorer 3 minutes environ. Égouttez-les sur du papier absorbant, saupoudrez-les de sucre et servez-les immédiatement.

ELIZABETH GILI
APPLE RECIPES FROM A TO Z

Bananes « ivres »

Maia Ona

Pour 6 personnes

Petites bananes fermes	6
Rhum	12 cl
Jus de citron	2 cuillerées à café
Œuf battu	1
Noix de coco râpée, ou amandes, ou noix hachées	60 g
Huile	

Faites tremper les bananes dans le rhum et le jus de citron 1 heure environ, en les retournant souvent. Trempez-les ensuite dans l'œuf et roulez-les dans la noix de coco ou dans les amandes ou les noix hachées. Faites-les dorer sur toutes leurs faces, à feu doux, dans 1 cm d'huile chaude, pendant 5 minutes environ, jusqu'à ce qu'elles soient tendres. Égouttez-les sur des serviettes en papier et servez-les chaudes.

ROANA ET GENE SCHINDLER
HAWAIIAN COOKBOOK

Pêches sautées

Fritos de melocotón

Pour 4 personnes

Pêches pelées, coupées en 4 et dénoyautées	4
Cognac	25 cl
Sucre en poudre	60 g
Lanière de zeste de citron finement parée	1
Eau de fleur d'oranger	4 cuillerées à soupe
Farine	40 g
Beurre	60 g

Faites macérer les pêches dans une terrine avec le cognac, le sucre, le zeste de citron et l'eau de fleur d'oranger 2 heures. Égouttez-les, farinez-les et faites-les rapidement dorer dans le beurre à feu vif. Saupoudrez-les de sucre et servez.

MANUEL M. PUGA Y PARGA (PICADILLO)
LA COCINA PRACTICA

Beignets de melon au coulis de fraises

Vous pouvez traiter tous les fruits de la même manière.

Pour enlever la peau des melons, reportez-vous à la page 74.

Pour 4 personnes

Melons de 400 g environ chacun	2
Fraises	500 g
Levure de boulanger (ou 1 cuillerée à soupe de levure sèche)	30 g
Bière	25 cl
Sel	2 pincées
Farine	200 g
Sucre en poudre (facultatif)	
Huile d'arachide	1 litre
Sucre glace	100 g

Émiettez la levure avec les doigts dans une terrine, faites-la fondre dans la bière en délayant au fouet et ajoutez le sel. Lorsque la levure est parfaitement dissoute, versez la farine dans la terrine et amalgamez rapidement l'ensemble à la cuillère en bois pour obtenir une pâte lisse. Couvrez la terrine d'un torchon, et laissez reposer et gonfler la pâte 3 heures au moins.

Après 2 heures, coupez les melons en deux et, avec une cuillère à café, éliminez-en les pépins. Divisez chaque demi-melon (comme un gâteau) en morceaux de 2 cm de large environ, enlevez la peau. Réservez ces morceaux sur une assiette.

Lavez les fraises, équeutez-les, égouttez-les dans une passoire et séchez-les dans un linge. Passez les fraises au mixeur pour les réduire en une fine purée que vous passez à travers un chinois posé sur une terrine. Fouettez le coulis obtenu et goûtez-le.

Suivant la variété de fraises utilisées, il vous faudra éventuellement les sucrer légèrement pour enlever l'acidité. Versez le coulis de fraises dans une saucière que vous réservez au frais.

Allumez une plaque, thermostat 5, sur laquelle vous posez une casserole contenant l'huile que vous laissez chauffer 15 minutes. Pendant que l'huile chauffe, allumez le gril du four, préparez la plaque à four légèrement graissée, un linge absorbant qui servira à égoutter les beignets frits et une assiette creuse contenant le sucre glace. Lorsque l'huile est chaude, baissez le thermostat à 4. Deux par deux, trempez les morceaux de melon dans la pâte et, lorsqu'ils en sont parfaitement enrobés, en les prélevant avec une fourchette, plongez-les dans la friture. Vous pouvez faire cuire 8 beignets environ en même temps. Au bout de 3 minutes, les beignets sont gonflés et prennent de la couleur sur le premier côté, retournez-les alors avec la cuillère en bois et faites dorer l'autre face 2 minutes. Puis sortez les beignets à l'aide d'une écumoire, déposez-les sur le linge absorbant et recommencez l'opération jusqu'à épuisement des morceaux de melon.

Quand les beignets sont égouttés, posez-les dans l'assiette contenant le sucre pour les en enrober et déposez-les sur la plaque à four préparée. Lorsque tous les beignets sont sur la plaque, glissez celle-ci dans le four à 12 ou 13 cm du gril, fermez le four et laissez les beignets se glacer pendant 15 minutes. Sortez la plaque du four, faites glisser les beignets sur le plat de service et servez aussitôt avec le coulis de fraises bien frais.

ALAIN ET ÉVENTHIA SENDERENS
LA CUISINE RÉUSSIE

Beignets de pommes

Frittelle di mele

Prenez des pommes vertes, pas trop sucrées de préférence car si vous voulez préparer des beignets plus raffinés, vous les arroserez d'une goutte ou deux de Marsala et il serait bon qu'elles soient encore acides.

Pour 4 personnes

Pommes pelées, évidées et émincées en anneaux	4
Œufs	2
Sucre en poudre	1 cuillerée à soupe
Farine	3 cuillerées à soupe
Sel	1 pincée
Huile de friture	
Sucre semoule	

Mélangez les œufs avec le sucre, la farine et le sel. Trempez les anneaux de pomme dans cette pâte et faites-les frire dans l'huile chaude. Égouttez les beignets sur du papier sulfurisé et servez-les généreusement saupoudrés de sucre semoule.

GIOVANNI RIGHI PARENTI
LA GRANDE CUCINA TOSCANA

Gâteau aux pommes danois

Danish Applecake

Pour 4 personnes

Pommes pelées, évidées et coupées en tranches	750 g
Beurre	90 g
Sucre en poudre	60 à 90 g
Amandes mondées et hachées	60 g
Chapelure blanche	125 g
Cassonade en gros cristaux	90 g
Xérès (facultatif)	2 cuillerées à café
Crème fraîche épaisse fouettée	15 cl
Gelée de groseilles	

Faites cuire les pommes à feu doux avec une quantité d'eau suffisante pour couvrir le fond de la casserole. Quand elles sont tendres, écrasez-les avec une fourchette ou passez-les au mixeur. Ajoutez 30 g de beurre et sucrez selon le goût. Laissez refroidir. Faites fondre le reste de beurre dans une poêle, ajoutez les amandes, la chapelure et la cassonade et faites dorer en remuant souvent avec une cuillère en bois. Laissez refroidir.

Quand la purée de pommes et le mélange à la chapelure sont froids, alternez-les dans une coupe en verre en commençant et en finissant par une couche de mélange à la chapelure. Arrosez légèrement de xérès, selon le goût. Nappez de crème fouettée et décorez de volutes de gelée de groseilles fondue.

PAMELA WESTLAND
A TASTE OF THE COUNTRY

Beignets d'abricots ou de pêches

Wolwodina

Pour 4 personnes

Abricots ou 4 pêches, pelés et coupés en 2	8
Huile de friture	
Cannelle en poudre	1 cuillerée à soupe
Sucre glace	60 g

Pâte :

Œufs	2
Lait	25 cl
Vin blanc	15 cl
Sucre glace	1 cuillerée à soupe
Farine	200 g
Sel	1 pincée

Mélangez tous les ingrédients de la pâte et trempez les fruits dedans pour les enrober. Faites chauffer l'huile dans une grande cocotte jusqu'à ce qu'elle soit très chaude. Faites dorer les fruits enrobés de pâte dans cette friture. Avant de servir, roulez les beignets dans la cannelle et saupoudrez-les de sucre glace.

MARIA HORVATH
BALKAN-KÜCHE

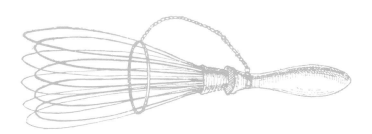

Beignets d'ananas à la frangipane

Pour préparer des beignets d'ananas à la frangipane, reportez-vous aux explications données à la page 60. L'auteur conseille de donner à la pâte la consistance d'une crème épaisse pour que les beignets soient croustillants et délicats, bien que cela fasse perdre beaucoup de pâte dans la friture.

Préparez la frangipane et l'ananas quelques heures avant la pâte que vous préparerez une heure avant le repas. Laissez reposer la pâte pour qu'elle perde son élasticité — autrement, elle n'enroberait pas bien l'ananas et la frangipane.

Pour 4 personnes

Ananas	½

Frangipane :	
Lait	25 cl
Gousse de vanille	1
Sucre en poudre	3 cuillerées à soupe
Farine	40 g
Œuf	1
Jaune d'œuf	1
Macarons aux amandes séchés	2
Beurre	30 g
Pistaches mises à tremper dans de l'eau bouillante, frottées dans une serviette pour enlever la peau et concassées	1 cuillerée à soupe

Pâte :

Farine	90 g
Sel	1 pincée
Sucre en poudre	1 cuillerée à café
Œuf, jaune séparé du blanc	1
Bière chaude	8 cl
Beurre fondu	30 g
Huile de friture	

Pour la frangipane, portez le lait à ébullition avec la vanille et le sucre et laissez tiédir. Tamisez la farine dans une casserole, ajoutez l'œuf entier et le jaune d'œuf et remuez avec une cuillère en bois en travaillant vers le centre pour que l'œuf absorbe progressivement la farine. Ôtez la vanille du lait et incorporez-le lentement au mélange, sans cesser de remuer. Faites cuire à feu modéré, sans cesser de remuer, jusqu'à ce que le mélange soit très épais. Hors du feu, incorporez les macarons émiettés puis le beurre et les pistaches et laissez refroidir.

Détaillez l'ananas en tranches de 8 mm à 1 cm d'épaisseur. Coupez chaque tranche en 4 et enlevez l'écorce et le cœur fibreux. Beurrez une assiette, étalez-y la moitié de la frangipane, rangez les morceaux d'ananas dessus et couvrez-les du reste de frangipane pour les enrober. Mettez au réfrigérateur jusqu'au dernier moment.

Pour la pâte, mettez la farine, le sel et le sucre dans une terrine, ajoutez le jaune d'œuf et délayez avec la bière en deux ou trois fois pour obtenir une consistance normale. Ne battez pas la pâte. Incorporez le beurre fondu et une quantité d'eau suffisante (4 à 6 cuillerées à soupe environ) pour lui donner la consistance d'une crème épaisse. Couvrez-la d'une assiette et laissez-la reposer à température ambiante jusqu'au dernier moment. Juste avant de l'utiliser, incorporez le blanc d'œuf battu en neige.

Faites chauffer l'huile jusqu'à ce qu'elle grésille au contact d'une goutte de pâte. Avec une spatule, détachez soigneusement les morceaux d'ananas enrobés de frangipane. Jetez-les un à un dans la pâte puis dans la friture par petites quantités. Retournez délicatement ces beignets avec les dents d'une fourchette et sortez-les avec une écumoire dès qu'ils sont dorés et croustillants sur les deux faces. Faites-les égoutter sur du papier absorbant et mettez-les sur le napperon plié dans lequel vous allez les servir. Quand tous les beignets sont prêts, saupoudrez-les de sucre semoule et servez-les immédiatement.

RICHARD OLNEY
FRENCH MENU COOKBOOK

Rosace à l'orange

Pour préparer la génoise et assembler la rosace, reportez-vous aux explications données à la page 60. Si vous enlevez l'écorce et la membrane blanche des oranges avant de les couper en rondelles, en suivant les explications données à la page 32, elles ne conféreront pas leur amertume au gâteau et il sera inutile de les faire frémir dans du sirop. Vous pouvez remplacer l'une des oranges par deux kiwis pelés et coupés en fines rondelles.

Pour que la rosace soit un peu plus ferme, vous pouvez ajouter 15 g de gélatine ramollie dans un peu d'eau chaude et fondue sur feu doux à la crème pâtissière. L'auteur conseille de déguster ce gâteau dans les 48 heures.

Pour 6 personnes

Oranges, dont 4 non épluchées et coupées en rondelles très fines, jus de la demie passé	4½
Eau	1 litre
Sucre semoule	600 g
Sirop de sucre moyen *(page 163)* parfumé avec 2 cuillerées à soupe de Grand-Marnier	15 cl
Crème pâtissière *(page 159)*	30 cl
Crème fraîche épaisse parfumée avec ¾ de cuillerée à café de sucre vanillé et fouettée en Chantilly	25 cl
Génoise de 20 cm de diamètre *(page 160)*	1

Faites bouillir l'eau avec le sucre semoule. Mettez les rondelles d'oranges dans ce sirop et laissez frémir pendant 2 heures. Laissez macérer dans un compotier couvert, jusqu'au lendemain. Le lendemain, préparez le sirop au grand-marnier parfumé avec le jus de la demi-orange. Réservez la moitié des rondelles d'oranges confites pour le décor en choisissant les plus belles. Coupez le reste en très petits morceaux et mélangez-le à la crème pâtissière, puis incorporez délicatement la Chantilly.

Beurrez au pinceau un moule à génoise de 22 cm de diamètre et saupoudrez-le de sucre. Tapissez-le entièrement de rondelles d'oranges confites en les faisant se chevaucher par moitié. Remplissez le moule à mi-hauteur de crème à l'orange. Coupez la génoise en deux dans l'épaisseur avec un couteau-scie. Punchez les deux épaisseurs de sirop avec le pinceau. Posez une épaisseur de génoise sur la crème (retaillez-la éventuellement pour qu'elle entre bien dans le moule). Couvrez avec le reste de crème à l'orange. Recouvrez de l'autre moitié de génoise. Tassez avec une assiette et mettez au frais 2 heures au moins. Pour démouler, trempez le fond du moule dans l'eau chaude. Retournez sur le plat de service. Tenir au frais jusqu'au moment de servir.

GASTON LENÔTRE
FAITES VOTRE PÂTISSERIE COMME LE NÔTRE

Gâteau aux fraises

Strawberry Shortcake

Pour 6 personnes

Fraises	500 g
Farine	350 g
Sucre semoule	250 g
Sel	1 cuillerée à café
Levure en poudre	4 cuillerées à café
Epices composées	2 cuillerées à café
Beurre	175 g
Noix hachées menu	125 g
Œufs, blancs séparés des jaunes et battus en neige	2
Lait	15 cl environ
Crème fraîche épaisse fouettée	15 cl

Graissez et farinez trois moules à manqué de 20 cm de diamètre. Dans une terrine, tamisez la farine avec la moitié du sucre, le sel, la levure et les épices. Amalgamez le beurre jusqu'à ce que la préparation soit friable. Incorporez les noix hachées. Ajoutez progressivement les jaunes d'œufs battus avec le lait pour obtenir une pâte souple mais pas collante — il vous restera des jaunes d'œufs délayés.

Sur une planche légèrement farinée, pétrissez la pâte jusqu'à ce qu'elle soit homogène et bien lisse. Divisez-la en trois et pressez chaque morceau dans un moule avec le plat de la main. Faites cuire au four préchauffé à 230°C (8 au thermostat) de 12 à 15 minutes, jusqu'à ce que les gâteaux soient fermes et dorés. Démoulez-les et laissez-les refroidir sur une grille.

Réservez quelques fraises pour la décoration. Hachez le reste et saupoudrez-les du reste de sucre semoule.

Incorporez les blancs en neige à la crème fraîche et répartissez cet appareil sur les gâteaux. Parsemez-en deux de fraises hachées et superposez-les. Couvrez avec le dernier gâteau et décorez avec les fraises entières réservées.

PAMELA WESTLAND
A TASTE OF THE COUNTRY

Gâteau aux kakis

Torta di cachi

Si vous avez dans votre jardin un plaqueminier qui donne des tas de kakis à la pulpe tendre et gélatineuse en même temps, ce gâteau vous permettra de les consommer agréablement.

Prenez des kakis très mûrs et tendres car avant la maturité ils ont tendance à être secs et amers. Pour en recueillir la pulpe, équeutez-les, coupez-les en 4 et évidez-les avec une cuillère.

Pour 8 à 10 personnes

Kakis mûrs, pulpe écrasée	10
Amandes hachées	60 g
Noix hachées	90 g
Cacahuètes hachées	40 g
Pignons	1½ cuillerée à soupe
Sucre en poudre	125 g
Farine	350 g
Levure en poudre	1 cuillerée à café
Zeste de citron ou d'orange râpé	1 cuillerée à café

Mélangez les amandes avec les noix, les cacahuètes, les pignons et la pulpe des kakis. Incorporez le sucre, la farine, la levure et le zeste râpé. Faites cuire dans un moule de 20 cm de diamètre beurré et fariné, au four préchauffé à 180°C (4 au thermostat) pendant 40 minutes, en vérifiant la cuisson à la lame de couteau qui doit ressortir propre. Démoulez le gâteau sur une grille et laissez-le refroidir avant de servir.

WILMA PEZZINI
THE TUSCAN COOKBOOK

Brioches aux myrtilles

Blueberry Muffins

Pour 5 personnes

Myrtilles	150 g
Saindoux	125 g
Sucre en poudre	200 g
Cannelle en poudre	½ cuillerée à café
Muscade râpée	½ cuillerée à café
Œufs battus	2
Farine	175 g
Sel	1 cuillerée à café
Levure en poudre	1 cuillerée à soupe
Lait	12 cl

Battez vigoureusement le saindoux et incorporez progressivement le sucre en battant jusqu'à ce que le mélange soit léger et crémeux. Ajoutez les épices et les œufs et battez vigoureusement. Ajoutez la farine tamisée avec le sel et la levure, en alternant avec le lait. Incorporez les myrtilles. Faites cuire dans dix moules à brioche généreusement huilés, au four préchauffé à 190°C (5 au thermostat) de 35 à 40 minutes, jusqu'à ce que les brioches aient levé et doré.

IDA BAILEY ALLEN
BEST LOVED RECIPES OF THE AMERICAN PEOPLE

Gâteau renversé aux mangues

Mango-Upside-Down Cake

Pour 6 personnes

Mangues mûres et sucrées, épluchées et coupées en tranches épaisses et égales	3 ou 4
Jus de citron vert	1 cuillerée à soupe
Cassonade fine	90 g
Beurre	175 g
Sucre cristallisé	250 g
Œufs battus	3
Farine tamisée	275 g
Levure en poudre	1½ cuillerée à café
Lait ou eau	25 cl
Extrait d'amandes	3 à 4 cuillerées à café
Cerises confites rouges ou vertes	6 à 8

Dans une casserole, portez à ébullition 8 cl d'eau avec le jus de citron vert et la cassonade. Ajoutez les mangues et laissez-les cuire jusqu'à ce qu'elles soient glacées, sans remuer. Battez le beurre avec le sucre cristallisé. Incorporez progressivement les œufs sans cesser de battre puis la farine et la levure en alternant avec le lait et ajoutez l'extrait d'amandes.

Disposez les tranches de mangues en forme de marguerite au fond d'un moule à gâteau graissé et fariné de 20 cm de diamètre et placez les cerises au centre pour former le cœur de la marguerite. Remplissez le moule et mettez-le au four préchauffé à 150°C (2 au thermostat). Au bout de 15 minutes, baissez la température à 140°C (1 au thermostat) et laissez cuire le gâteau 1 heure 30 minutes environ, en vérifiant la cuisson à la lame de couteau qui doit ressortir propre.

Sortez le gâteau du four et laissez-le refroidir 5 minutes avant de le renverser sur un plat. Servez-le chaud.

BERYL WOOD
CARIBBEAN FRUITS AND VEGETABLES

Gâteau aux amandes

Almond Cake

Pour préparer le beurre d'amandes, faites blanchir 60 g d'amandes et pilez-les en pâte dans un mortier. Incorporez progressivement 90 g de beurre ramolli. Tamisez avant d'utiliser.

Pour un gâteau de 20 cm de diamètre

Amandes en poudre	100 g
Sucre glace tamisé	250 g
Œufs, jaunes séparés des blancs	4
Raisins secs roulés dans 4 cuillerées à soupe de farine	250 g
Crème de riz	125 g
Farine	175 g

Garniture :

Sucre glace tamisé	150 g
Beurre d'amandes	150 g
Blancs d'œufs	2

Pour la garniture, mélangez le sucre glace avec le beurre d'amandes et incorporez les blancs d'œufs par petite quantité. Réservez. Mélangez les amandes en poudre avec le sucre glace. Dans une terrine, battez les jaunes d'œufs jusqu'à ce qu'ils moussent. Battez les blancs d'œufs en neige ferme, incorporez-les aux jaunes puis incorporez les amandes et le sucre, les raisins secs et enfin la crème de riz et la farine.

Remplissez un moule à gâteau graissé de 20 cm de diamètre d'une couche de pâte de 1 cm. Avec une spatule, étalez une couche fine de garniture par-dessus. Répétez ces opérations jusqu'à épuisement des ingrédients, en terminant par une couche de pâte. Faites cuire au four préchauffé à 180°C (4 au thermostat) pendant 45 minutes, jusqu'à ce que le centre du gâteau soit ferme et élastique au toucher. Sortez-le du four et laissez-le refroidir sur une grille.

ALMEDA LAMBERT
GUIDE FOR NUT COOKERY

Gâteau aux marrons

Castagnaccio

Ce gâteau est friable à dessein. Le romarin vient de l'inspiration miraculeuse d'un maître.

Vous trouverez de la fécule de marrons dans les épiceries italiennes spécialisées.

Pour 4 personnes

Fécule de marrons	150 g
Huile d'amandes	2 cuillerées à soupe
Sel	1 pincée
Pignons, raisins de Smyrne et raisins secs	1 cuillerée à soupe de chaque
Romarin séché émietté	1 pincée

Dans une terrine, mélangez la fécule de marrons avec l'huile d'amandes. Salez et délayez avec une quantité d'eau bouillante suffisante pour obtenir 8 cl environ de pâte liquide. Versez-la dans un moule beurré de 18 cm de côté. Parsemez de pignons, de raisins de Smyrne, de raisins secs et de romarin. Faites cuire ce gâteau 45 minutes au four préchauffé à 180°C (4 au thermostat) jusqu'à ce qu'il soit ferme. Laissez-le refroidir sur une grille.

OSWELL BLAKESTON
COOKING WITH NUTS

Gâteau aux pruneaux

Torta con le prugne

Pour un gâteau de 20 cm de diamètre

Pruneaux mis à ramollir 1 heure dans de l'eau tiède, coupés en 2 et dénoyautés	200 g
Sucre en poudre	215 g
Citron, zeste râpé	1
Vin rouge	8 cl
Beurre	150 g
Œufs, blancs séparés des jaunes et battus en neige	4
Farine	200 g
Levure en poudre	15 g
Chapelure	

Faites cuire les pruneaux dans une casserole avec 15 g de sucre, le zeste de citron et le vin rouge à feu doux pendant 20 minutes, jusqu'à ce que tout le liquide se soit évaporé. Laissez refroidir.

Avec une cuillère en bois, battez le beurre en pommade. Incorporez le reste de sucre, sans cesser de battre jusqu'à ce que le mélange blanchisse. Incorporez ensuite les jaunes d'œufs un à un puis la farine préalablement tamisée avec la levure et enfin les blancs en neige, en procédant délicatement.

Beurrez un moule à gâteau rond de 20 cm de diamètre et parsemez-le de chapelure. Garnissez-le de pâte et répartissez uniformément les pruneaux à la surface. Faites cuire le gâteau au four préchauffé à 180°C (4 au thermostat) 1 heure environ.

OTTAVIO CAVALCANTI
IL LIBRO D'ORO DELLA CUCINA E DEI VINI DI CALABRIA E BASILICATA

Tarte à la papaye

Papaya Pie

Pour 6 personnes

Chair de papaye écrasée	250 g
Beurre	125 g
Sucre en poudre	250 g
Œufs battus	2
Citron, jus passé	½
Pâte brisée abaissée, utilisée pour foncer un moule à tarte de 20 cm de diamètre et cuite à blanc *(page 160)*	250 g

Meringue :

Blancs d'œufs	2
Sucre semoule	2 cuillerées à soupe

Battez le beurre avec le sucre. Incorporez les œufs, le jus de citron et la papaye. Garnissez le fond de tarte et faites cuire au four préchauffé à 190°C (5 au thermostat) 20 minutes, jusqu'à ce que la garniture soit consistante.

Battez les blancs d'œufs en neige, incorporez progressivement le sucre et continuez à battre jusqu'à ce que l'appareil soit ferme. Étalez-le rapidement sur la garniture et remettez la tarte 10 minutes environ au four pour dorer la meringue.

AGNES B. ALEXANDER
HOW TO USE HAWAIIAN FRUIT

Tourte aux baies de sureau

Elderberry Pie

Vous pouvez remplacer les baies de sureau par des grains de cassis, des myrtilles ou des ronces-framboises.

Pour 6 personnes

Baies de sureau très mûres	1 kg
Cassonade à gros cristaux ou mélasse raffinée	175 g
Eau chaude	2 cuillerées à soupe
Clous de girofle	2 ou 3
Pâte à foncer fine *(page 160)*	350 à 400 g

Remplissez presque entièrement une tourtière profonde de baies de sureau. Sucrez avec la cassonade ou la mélasse raffinée. Ajoutez l'eau chaude et les clous de girofle.

Abaissez la pâte et couvrez la garniture. Faites cuire au four préchauffé à 220°C (7 au thermostat) 20 minutes, jusqu'à ce que le couvercle soit doré. Baissez la température à 190°C (5 au thermostat) et laissez encore cuire les fruits de 10 à 15 minutes.

B. JAMES
WILD FRUITS, BERRIES, NUTS AND FLOWERS

Tarte aux noisettes

Hazelnut Pie

Pour 4 à 6 personnes

Noisettes grillées et pilées	125 g
Sucre semoule	100 g
Poudre de cacao tamisée	15 g
Blancs d'œufs battus en neige	4

Beurre	125 g
Farine	200 g
Sucre vanillé	60 g
Sel	1 pincée
Jaune d'œuf	1
Crème aigre	5 cuillerées à soupe environ

Amalgamez le beurre et la farine, incorporez le sucre et le sel et ajoutez le jaune d'œuf et la crème aigre. Divisez la pâte obtenue en deux morceaux. Abaissez-les séparément et foncez un moule à tarte peu profond de 17,5 cm de diamètre avec une abaisse.

Pour la garniture, mélangez les noisettes en poudre, le sucre semoule et le cacao et incorporez les blancs en neige. Étalez cette garniture sur le fond de pâte. Coupez la deuxième abaisse en longues lanières que vous placez sur la garniture en formant des croisillons. Faites dorer de 20 à 25 minutes au four préchauffé à 180°C (4 au thermostat).

FRED MACNICOL
HUNGARIAN COOKERY

Tarte au citron et à l'ananas

Lemon Fresh Pineapple Pie

Vous pouvez couvrir cette tarte d'un couvercle de pâte ou de croisillons de pâte, en en comptant respectivement 350 g et 250 g. Il est inutile de sucrer les croisillons.

Pour 6 personnes

Jus de citron	1 cuillerée à soupe
Zeste de citron râpé	1 cuillerée à soupe
Ananas épluché, débarrassé du cœur et coupé en dés de 2,5 cm de côté	1
Sucre en poudre	350 g
Farine	2 cuillerées à soupe
Sel	1 pincée
Œufs légèrement battus	2
Pâte brisée *(page 160)*	250 à 350 g

Battez le jus de citron avec le zeste, le sucre, la farine, le sel et les œufs. Incorporez l'ananas. Abaissez la pâte et utilisez une partie de l'abaisse pour foncer une tourtière de 23 cm de diamètre. Remplissez-la de garniture à l'ananas. Couvrez du reste de pâte dans lequel vous faites un trou décoratif et coupez le reste de pâte en lanières que vous disposez en croisillons sur la garniture. Pincez les bords pour les souder. Sucrez très légèrement. Faites cuire au four préchauffé à 220°C (7 au thermostat) de 40 à 45 minutes. Laissez refroidir.

SHIRLEY SARVIS
CRAB AND ABALONE WEST COAST WAYS WITH FISH AND SHELLFISH

Tarte de Plymouth

Plymouth Chess Pie

Pour une tarte de 23 cm de diamètre

Noix hachées	125 g
Raisins secs	150 g
Beurre	125 g
Sucre en poudre	250 g
Œufs, dont 1 jaune séparé du blanc	4
Crème fraîche épaisse	4 cuillerées à soupe
Zeste de citron râpé	1 cuillerée à café
Jus de citron	1 cuillerée à café
Extrait de vanille	1 cuillerée à café
Pâte brisée *(page 160)*	250 g

Battez le beurre avec le sucre jusqu'à ce que le mélange blanchisse. Incorporez un à un les œufs entiers et le jaune d'œuf, sans cesser de battre. Incorporez ensuite la crème fraîche, le zeste et le jus de citron et l'extrait de vanille (l'appareil ressemblera à du fromage blanc). Ajoutez les noix et les raisins secs et incorporez le blanc d'œuf battu en neige.

Abaissez la pâte et foncez un moule à tarte aux bords cannelés de 23 cm de diamètre. Remplissez le moule et faites cuire la tarte au four préchauffé à 180°C (4 au thermostat) de 40 à 45 minutes, jusqu'à ce que la garniture soit dorée.

WILLIAM I. KAUFMAN
THE NUT COOKERY BOOK

Tourte aux bananes

Banana Pie

Pour 4 à 6 personnes

Bananes coupées en tranches fines	6
Pâte brisée *(page 160)*	500 g
Sucre en poudre	60 g
Sel	
Jus d'orange ou de citron	1 cuillerée à soupe
Beurre coupé en noisettes	15 g

Abaissez la moitié de la pâte et foncez une tourtière peu profonde de 20 cm de diamètre. Mélangez le sucre avec un peu de sel et le jus d'orange ou de citron et enduisez le fond de pâte de la moitié de ce mélange. Parsemez de la moitié du beurre et couvrez d'une couche de banane. Répétez ces opérations avec le reste de mélange au sucre, de beurre et de banane. Abaissez le reste de pâte et couvrez-en la tourte. Rognez la pâte et pincez les bords pour les souder. Faites cuire au four préchauffé à 200°C (6 au thermostat) 30 minutes, jusqu'à ce que le couvercle soit doré.

AGNES B. ALEXANDER
HOW TO USE HAWAIIAN FRUIT

Gâteau roulé « tutti frutti »

Rotolo dolce « tutti frutti »

La pâte sera meilleure si vous la préparez un jour à l'avance.

Pour 8 personnes

Raisins secs mis à tremper 1 heure dans de l'eau chaude et égouttés	100 g
Pruneaux dénoyautés et hachés	6
Figues sèches hachées	150 g
Assortiment de fruits confits hachés	75 g
Noix hachées	60 g
Amandes hachées	60 g
Mie de pain émiettée	60 g
Marsala	10 cl
Citron, zeste râpé	½
Cannelle en poudre	1 pincée
Muscade râpée	1 pincée

Pâte :

Farine	300 g
Sel	1 pincée
Beurre ramolli à température ambiante	125 g
Sucre en poudre	100 g
Œufs, dont 1 jaune séparé du blanc	2
Marsala	2 cuillerées à soupe

Pour la pâte, tamisez la farine avec le sel sur une table, faites un puits au centre et mettez-y le beurre, le sucre, l'œuf entier, le jaune d'œuf et le Marsala. Travaillez rapidement du bout des doigts, roulez la pâte obtenue en boule, enveloppez-la dans une feuille de papier d'aluminium ou de papier huilé et laissez-la reposer 30 minutes au moins au réfrigérateur.

Pour la garniture, faites tremper le pain dans le Marsala. Mélangez les raisins secs avec les pruneaux, les figues, les fruits confits, les noix, les amandes et le zeste de citron. Ajoutez le pain et le Marsala, la cannelle et la muscade.

Reprenez la pâte et travaillez-la un peu si elle est trop froide. Abaissez-la finement sur une surface farinée ou, mieux encore, entre deux feuilles de papier huilé. Couvrez le centre de garniture, à 2,5 cm des bords, et étalez cette garniture avec le dos d'une cuillère humide pour que la pâte ne se déchire pas. Rabattez les bords de pâte sur cette garniture, roulez-la délicatement dans le sens de la longueur et façonnez le rouleau obtenu en couronne que vous placez sur une plaque graissée. Badigeonnez la surface de blanc d'œuf et faites cuire 55 minutes au four préchauffé à 180 °C (4 au thermostat). Servez froid.

LYDIA B. SALVETTI
100 RICETTE DEL FUTURO

Rabottes de pommes ou douillon normand

On peut éplucher les pommes avant de les mettre en pâte. On peut aussi les faire cuire préalablement. Dans ce cas, la cuisson des rabottes s'effectue en 15 minutes.

Pour cuire des pommes dans de la pâte, reportez-vous aux explications données à la page 54. Vous pouvez également les garnir de quatre cuillerées à soupe de miel, de cassonade ou de confiture. Servez avec de la crème fraîche.

Pour 4 personnes

Grosses pommes de reinette bien saines, vidées à la colonne	4
Beurre ramolli et pétri avec 30 g de sucre en poudre et une pincée de cannelle	60 g
Pâte à foncer fine *(page 160)*	500 g
Œuf battu	1

Incisez circulairement les pommes, à mi-hauteur, pour éviter qu'elles n'éclatent à la cuisson. Remplissez le vide fait par le moule à colonne avec le beurre pétri avec le sucre. (Abaissez la pâte sur 3 mm d'épaisseur). Enfermez chaque pomme dans une abaisse de pâte. Mettez sur chaque pomme une rondelle de pâte (détaillée au coupe-pâte dentelé et légèrement humectée d'eau. Placez les pommes sur une plaque à four.) Dorez à l'œuf ; rayez peu profondément la pâte (avec la pointe d'un couteau). Cuisez au four (préchauffez à 200 °C, 6 au thermostat) de 25 à 30 minutes. Servez brûlant.

PROSPER MONTAGNÉ
NOUVEAU LAROUSSE GASTRONOMIQUE

La tourte de pruneaux à l'armagnac

Pour préparer la pâte sablée, mélangez sur un plan de travail ou dans une terrine 500 g de farine avec 100 g d'amandes en poudre, le zeste râpé d'un citron, 150 g de sucre semoule et une pincée de sucre. Faites un puits au centre et mettez-y 380 g de beurre coupé en gros dés avec un œuf entier, deux jaunes d'œufs et trois bonnes cuillerées à soupe de rhum ambré. Travaillez légèrement

— pas trop — le tout pour obtenir une pâte homogène. Rassemblez cette pâte et divisez-la en 12 pâtons de 100 g que vous roulez légèrement en boule. Enveloppez chaque boule dans un sac en plastique et mettez-les au congélateur jusqu'au dernier moment. Vous les conserverez quatre mois. Sortez-les du congélateur une heure avant de les utiliser.

Il est plus pratique et plus économique de préparer la pâte sablée en grande quantité. Chacune des 12 boules suffit pour une tarte. Pour simplifier, vous pouvez utiliser une pâte brisée ordinaire (recette page 160).

Pour 4 personnes

Pruneaux d'Agen dénoyautés et mis à tremper 15 minutes dans de l'eau chaude	250 g
Pâte sablée	100 g
Crème fraîche épaisse	5 cuillerées à soupe
Œufs	2
Sucre vanillé	4 cuillerées à soupe
Amandes en poudre	3 cuillerées à soupe
Eau de fleur d'oranger	2 cuillerées à soupe
Beurre	30 g
Armagnac	4 cuillerées à soupe

Farinez légèrement une planche à pâtisserie et la pâte que vous abaissez en cercle de 25 cm de diamètre. Soulevez-la au-dessus d'un moule à tarte de 20 cm de diamètre que vous tapissez soigneusement. Avec une fourchette, piquez le fond et les côtés de pâte et rognez le bord avec un petit couteau. Mettez au réfrigérateur de 15 à 20 minutes.

Dans une terrine, battez la crème fraîche avec les œufs, le sucre vanillé, les amandes en poudre et l'eau de fleur d'oranger. Incorporez au fouet le beurre préalablement fondu.

Sortez le fond de tarte rafraîchi du réfrigérateur. Égouttez les pruneaux et épongez-les sur un linge ou avec du papier absorbant. Couchez-les sur le fond de tarte et versez la garniture dessus. Faites dorer 25 minutes au four préchauffé à 200°C (6 au thermostat). Quand la tourte est cuite, arrosez-la d'armagnac et servez-la chaude.

ROGER VERGÉ
MA CUISINE DU SOLEIL

Chaussons aux pommes

Apple Turnovers

Pour 6 personnes

Pommes fermes moyennes, pelées, évidées et coupées en tranches	6
Farine	250 g
Sel	½ cuillerée à café
Levure en poudre	2 cuillerées à café
Saindoux	175 g
Lait	5 cuillerées à soupe
Cassonade fine	90 g
Cannelle en poudre	1 cuillerée à café
Muscade râpée	1 cuillerée à café
Beurre	30 g

Tamisez la farine avec le sel et la levure. Ajoutez le saindoux. Mouillez avec le lait. Sur une surface légèrement farinée, abaissez la pâte obtenue sur 5 mm d'épaisseur et coupez-la en six carrés de 12,5 cm de côté. Mettez une pomme coupée en tranches au centre de chaque carré. Mélangez la cassonade avec la cannelle et la muscade et saupoudrez-en les pommes. Parsemez de beurre. Pliez les coins de pâte pour former des triangles et pressez les bords avec une fourchette pour les souder. Posez les chaussons obtenus sur une plaque à 1 cm d'intervalle et mettez-les au four préchauffé à 230°C (8 au thermostat). Baissez immédiatement la température à 190°C (5 au thermostat) et laissez-les dorer 35 minutes.

IDA BAILEY ALLEN
BEST LOVED RECIPES OF THE AMERICAN PEOPLE

Tarte aux figues et aux amandes

Tarta de higos y almendras

Pour cette tarte, choisissez des figues très mûres. Dans l'idéal, il faudrait piler les amandes en poudre à la dernière minute.

Pour 6 personnes

Figues mûres pelées	500 g
Amandes en poudre	250 g
Sucre en poudre	250 g
Pâte brisée *(page 160)*	200 g

Mélangez les amandes avec le sucre. Foncez un moule rond et peu profond de pâte et enduisez de la moitié des amandes au sucre. Disposez les figues par-dessus, côté queue vers le haut. Parsemez du reste d'amandes au sucre et faites dorer 30 minutes au four préchauffé à 200°C (6 au thermostat). Démoulez soigneusement la tarte et servez-la chaude ou froide.

MAGDALENA ALPERI
LA COCINA: TRATADO COMPLETO DE COMIDAS Y BEBIDAS

Clafoutis aux kiwis

Le clafoutis se prépare habituellement avec des cerises. Les kiwis sont des fruits exotiques qui les remplacent très bien.

Pour 8 personnes

Kiwis pelés et coupés en 4 tranches chacun	8
Pâte à foncer fine *(page 160)*	250 g
Œufs	4
Crème fraîche épaisse	25 cl
Sucre en poudre	175 g
Eau-de-vie de mirabelle ou de poire	4 cuillerées à café
Sucre glace	

Abaissez la pâte et foncez un moule à tarte de 25 cm de diamètre sur 4 cm de profondeur. Pincez et rognez les bords. Couvrez d'une feuille de papier sulfurisé ou d'aluminium que vous remplissez de boulettes de papier d'aluminium. Faites cuire ce fond de tarte à blanc au four préchauffé à 180°C (4 au thermostat) de 15 à 20 minutes, jusqu'à ce qu'il soit ferme. Sortez-le du four et baissez la température à 170°C (3 au thermostat).

Dans un bol, mélangez intimement les œufs avec la crème, le sucre et l'eau-de-vie. Passez ce mélange au tamis.

Disposez les kiwis sur le fond de tarte. Couvrez-les de crème aux œufs et faites cuire au four de 45 à 50 minutes, jusqu'à ce que la garniture soit consistante et dorée. Quand le clafoutis est cuit, sortez-le du four, saupoudrez-le de sucre glace et faites-le dorer sous le gril une minute environ. Laissez-le refroidir sur une grille et servez-le à température ambiante.

WOLFGANG PUCK
WOLFGANG PUCK'S MODERN FRENCH COOKING

Tartes aux amandes de Linz

Linzertorten

Pour 10 à 12 tartes

Amandes mondées et hachées	150 g
Beurre	100 g
Sucre semoule	100 g
Œufs, dont 1 battu	3
Jaunes d'œufs	2
Citron, zeste râpé	1
Cannelle en poudre	1 cuillerée à café
Farine	100 g
Confiture d'abricots ou de cerises	

Battez le beurre avec le sucre jusqu'à ce que le mélange blanchisse. Ajoutez les deux œufs entiers et les jaunes, un à un. Mélangez intimement. Incorporez le zeste de citron râpé, la cannelle, 100 g d'amandes hachées et la farine. Remplissez à moitié de cet appareil 10 à 12 moules à tartelette graissés de 6 cm de diamètre, lissez la surface et dorez à l'œuf battu. Abricotez légèrement le centre de chaque tarte et parsemez du reste d'amandes hachées. Faites légèrement dorer 20 minutes environ au four préchauffé à 180°C (4 au thermostat).

ELEK MAGYAR
KOCHBUCH FÜR FEINSCHMECKER

Poires confites au miel

Gruszki Smażone iv Miodzie

Pour 1,250 kg

Poires fermes pelées, coupées en 2 et évidées	1 kg
Miel	700 g
Sucre en poudre	

Couvrez les poires d'eau et faites-les pocher jusqu'à ce qu'elles soient tendres mais encore intactes (la durée dépend de la maturité et de la qualité des poires ; vérifiez la cuisson en les piquant avec un bâtonnet). Égouttez-les et laissez-les sécher pendant que vous faites fondre le miel dans une casserole, à feu doux. Ajoutez les poires et laissez reposer 2 jours au frais. Faites-les cuire à feu doux dans une casserole peu profonde jusqu'à ce que le miel épaississe en glace. Laissez-les légèrement refroidir puis roulez-les dans le sucre. Étalez-les sur une plaque à four beurrée et faites-les sécher 1 heure environ au four préchauffé à 100°C (¼ au thermostat).

MARJA OCHOROWICZ-MONATOWA
POLISH COOKERY

Dattes fourrées aux amandes

Pourmi s Bademi

Pour 25 dattes fourrées

Grosses dattes fraîches incisées dans le sens de la longueur sur un côté et dénoyautées	25
Grosses amandes mondées	25
Sucre	200 g

Étalez les amandes sur une plaque et faites-les griller au four préchauffé à 150°C (2 au thermostat) 15 minutes environ, jusqu'à ce qu'elles soient légèrement dorées et parfumées. Surveillez attentivement la cuisson car elles brûlent facilement. Sortez-les du four et laissez-les refroidir. Mettez une amande dans chaque datte et placez-les sur une grille, au-dessus d'un plat graissé.

Dans une petite poêle ou une casserole, faites fondre le sucre à feu doux jusqu'à ce qu'il prenne une couleur légèrement ambrée. Versez immédiatement goutte à goutte une cuillerée à café de ce caramel chaud sur chaque datte pour couvrir l'incision et l'amande incrustée. Vous pouvez manger les fruits dès que la glace a refroidi et s'est solidifiée. Vous les conserverez un mois au moins dans un récipient hermétiquement fermé.

M. TSOLOVA, V. STOILOVA ET SN. EKIMOVA
IZPOLZOUVANE NA ZELENCHOUTSITE I PLODOVETE V DOMAKINSTVOTO

Pruneaux farcis

Pour préparer la pâte d'amandes, mélangez 60 g d'amandes en poudre avec 60 g de sucre cristallisé. Liez progressivement avec un jaune d'œuf battu, en remuant avec une fourchette. Dès que la pâte devient humide, travaillez-la à la main jusqu'à ce que tout l'œuf ait été incorporé. Roulez-la en boule et pétrissez-la rapidement pour lui donner une consistance homogène.

Pour 6 personnes

Pruneaux	500 g
Raisins secs	100 g
Armagnac	
Mandarine ou petite orange, zeste râpé	1
Sucre en poudre	
Pâte d'amandes	100 g
Noisettes grillées	

Faites tremper les pruneaux et les raisins secs dans de l'eau additionnée d'une bonne rasade d'armagnac et laissez-les macérer de 12 à 14 heures, jusqu'à ce qu'ils aient gonflé. Mettez le zeste de mandarine dans un verre gradué, mélangez avec un volume égal de sucre et laissez infuser 12 heures au moins.

Mettez les pruneaux dans une casserole. Égouttez les raisins secs. Ajoutez le liquide de macération aux pruneaux et faites-les pocher 15 minutes, jusqu'à ce qu'ils soient tendres. Laissez-les refroidir dans le liquide. Mélangez la pâte d'amandes avec les raisins égouttés et le mélange zeste de mandarine-sucre. Ajoutez une goutte d'armagnac.

Quand les pruneaux ont refroidi, sortez-les du liquide et épongez-les dans une serviette propre. Incisez-les sur le côté, dénoyautez-les et farcissez-les. Décorez chaque pruneau d'une noisette grillée.

COEN HEMKER ET JACQUES ZEGUERS
DE VERSTANDIGE KEUKEN

Boulettes aux amandes de San Leandro

Yemas de San Leandro

Pour 6 personnes

Amandes mondées	100 g
Sucre en poudre	260 g
Citron, zeste râpé	½
Jaunes d'œufs battus	6

Pilez les amandes dans un mortier. Mélangez intimement 200 g de sucre avec le zeste de citron et les jaunes d'œufs. Incorporez les amandes pilées. Roulez l'appareil obtenu en boulettes que vous plongez dans le reste de sucre. Laissez sécher ces boulettes et mettez-les dans des caissettes en papier.

MAGDALENA ALPERI
LA COCINA : TRATADO COMPLETO DE COMIDAS Y BEBIDAS

Bananes cristal

Crystal Bananas

Pour 6 personnes

Petites bananes pas trop mûres	6
Huile	8 cl
Gingembre frais haché menu	2,5 cm
Sel	½ cuillerée à café
Sucre en poudre	600 g
Cannelle en poudre (facultatif)	
Vinaigre	½ cuillerée à soupe

Faites dorer les bananes dans l'huile chaude avec le gingembre et le sel 2 minutes environ, en remuant souvent. Réservez-les sur un grand plat graissé. Dans une casserole, mélangez le sucre avec la cannelle si vous en utilisez, le vinaigre, 50 cl d'eau et l'huile de cuisson des bananes s'il en reste. Faites cuire dans une plus grande casserole contenant 5 cm d'eau bouillante (pour que le sirop n'épaississe pas trop rapidement) en maintenant l'ébullition. Vérifiez la cuisson en prenant un peu de sirop sur le bord d'une cuillère et en le trempant dans de l'eau froide: il doit former un fil mince.

Avec des pinces, trempez les bananes dans ce sirop en les enrobant et plongez-les immédiatement dans de l'eau glacée.

ROANA ET GENE SCHINDLER
HAWAIIAN COOKBOOK

Pâte de coings en rouleau

Salama od Dunja

Pour 2 kg environ

Gros coings finement pelés	1 kg
Sucre en poudre	850 g
Citron, jus passé	1
Assortiment de fruits confits (cerises, ananas, poires, pommes, pêches, abricots ou prunes par exemple) coupés en dés	150 g
Amandes mondées et concassées	250 g

Remplissez une grande casserole d'eau au tiers de sa hauteur et portez à ébullition. Ajoutez les coings, couvrez et laissez-les cuire jusqu'à ce qu'ils soient tendres. Faites-les égoutter dans une passoire en réservant l'eau de cuisson. Pendant qu'ils sont encore chauds, passez-les au tamis ou évidez-les et passez-les au moulin à légumes ou au mixeur. Réservez la purée obtenue.

Versez 25 cl d'eau de cuisson réservée dans une casserole ou dans une bassine à confitures. Faites fondre 750 g de sucre dans ce liquide à feu très doux, sans cesser de remuer avec une spatule en bois. Portez le sirop obtenu à ébullition sans remuer et laissez-le bouillir une minute ou deux, jusqu'à ce qu'il épaississe. Ajoutez la purée de coings et laissez cuire en remuant jusqu'à obtention d'une pâte très épaisse qui se détache des parois de la casserole. Hors du feu, incorporez le jus de citron, les fruits confits et les amandes. Remuez pour les répartir uniformément dans la pâte de coings.

Sur une surface lisse, façonnez cette pâte en forme de rouleau dès qu'elle a suffisamment refroidi. Roulez-la dans le reste de sucre et laissez-la refroidir. Servez-la coupée en rondelles.

SPASENIJA-PATA MARKOVIĆ (RÉDACTEUR)
VELIKI NARODNI KUVAR

Marrons glacés

Pour confectionner des marrons glacés, reportez-vous aux explications données à la page 62. On utilise du glucose ou dextrose car les marrons l'absorbent plus facilement que le sucre seul, ce qui empêche la chair de se rider.

Pour 1 kg

Marrons	1 kg
Sucre	1 kg
Glucose ou dextrose	500 g
Extrait de vanille	

Avec un petit couteau pointu, incisez en croix le côté arrondi de chaque marron, en veillant à ne pas entamer la chair. Ébouillantez-les 2 ou 3 minutes par petites quantités. Sortez-les de l'eau bouillante avec une écumoire, écorcez-les et pelez-les délicatement avec un couteau pointu pendant qu'ils sont encore chauds. Placez-les dans une grande casserole d'eau froide, portez progressivement à frémissement et laissez frémir à feu très doux 15 minutes environ, jusqu'à ce qu'ils soient tendres et encore entiers. Égouttez-les dans une passoire.

Mettez 500 g de sucre avec le glucose ou dextrose et 35 cl d'eau dans une casserole assez grande pour contenir les marrons. Portez à ébullition, ajoutez les marrons égouttés dans le sirop obtenu et faites reprendre l'ébullition. Enlevez la casserole du feu, couvrez-la et mettez-la une nuit au chaud si possible.

Le lendemain, découvrez et portez à ébullition à feu modéré. Enlevez la casserole du feu, couvrez-la et mettez-la encore une nuit au chaud. Répétez ces opérations le troisième jour en ajoutant 6 à 8 gouttes d'extrait de vanille avant de faire bouillir le sirop. Quelques marrons s'émietteront sûrement: faites glacer les miettes avec les marrons entiers. En fin de cuisson, vous pourrez les façonner en boulettes qui constitueront d'acceptables succédanées de marrons entiers. Sortez les marrons, faites-les égoutter sur une grille et laissez-les sécher 3 ou 4 heures.

Pour leur donner un aspect glacé, préparez une nouvelle quantité de sirop avec le reste de sucre et 15 cl d'eau que vous portez à ébullition. Chauffez une tasse ou un bol en le rinçant à l'eau chaude et versez-y une petite quantité de sirop. Couvrez le reste d'un linge humide ou d'un couvercle hermétique et tenez-le au chaud, au bain-marie. Avec une fourchette ou une brochette, trempez chaque marron 20 secondes dans de l'eau bouillante puis plongez-le rapidement dans la tasse de sirop et mettez-le sur une grille. Dès que le sirop de la tasse se voile, renouvelez-le par une quantité prélevée dans la masse tenue au bain-marie.

Quand tous les marrons ont été trempés, mettez la grille au chaud, à une température de 48°C maximum. Retournez-les soigneusement pour qu'ils sèchent sur toutes les faces, pendant 3 heures environ.

Conservez les marrons glacés dans un récipient garni de papier paraffiné hermétiquement fermé ou mettez-les dans des bocaux que vous couvrez de papier ou d'un linge.

MINISTRY OF AGRICULTURE, FISHERIES AND FOOD
DOMESTIC PRESERVATION OF FRUIT AND VEGETABLES

Loukoums aux coings

Lokoum ot Dyuli

Conservez ces loukoums dans une boîte en fer blanc ou en bois, en couches séparées par du sucre glace.

Pour 2 kg environ

Coings mûrs, soigneusement épongés et coupés en tranches fines avec la peau et les pépins	3 kg
Sucre cristallisé	1 kg
Sucre glace	90 g

Dans une grande casserole fermant hermétiquement, faites cuire les coings avec 2,5 cm d'eau, à couvert et à feu doux, de 30 à 40 minutes, jusqu'à ce que les fruits soient tendres et réduits en pulpe. Réduisez-les en purée au moulin à légumes ou au tamis placé au-dessus d'une terrine pendant qu'ils sont encore chauds. Jetez les peaux et les pépins.

Mettez cette purée dans une grande casserole à fond épais, ajoutez le sucre cristallisé et faites-le fondre à feu modéré, sans cesser de remuer avec une spatule en bois. Remuez de temps en temps jusqu'à ce que la pâte épaississe puis laissez-la cuire encore 20 minutes sans cesser de remuer pour qu'elle ne brûle pas. Vérifiez la cuisson en en jetant une petite boule sur une assiette glacée et refroidie et en la poussant avec le doigt: le loukoum est prêt quand elle se détache facilement. Enlevez la casserole du feu, laissez légèrement refroidir la pâte et versez-la sur du papier sulfurisé en couche de 2,5 à 4 cm d'épaisseur. Laissez refroidir, coupez en morceaux carrés et enduisez ces loukoums de sucre glace.

M. TSOLOVA, V. STOILOVA ET SN. EKIMOVA
IZPOLZOUVANE NA ZELENCHOUTSITE I PLODOVETE V DOMAKINGSTVOTO

Soupes, sauces et préparations salées

Soupe au melon et au lait

Melon Soup

Pour préparer la soupe au melon et au lait, reportez-vous aux explications données à la page 74. L'auteur conseille d'utiliser un cantaloup, cavaillon par exemple, ou tout autre melon brodé. Pour extraire le maximum de saveur du melon cuit, pressez-le dans le chinois avec un pilon ou une cuillère.

Pour 4 personnes

Melon moyen, légèrement en-dessous de la maturité, coupé en 2 et épépiné	1
Lait	90 cl
Beurre	
Sel et poivre	
Cerfeuil haché	2 cuillerées à soupe
Jaune d'œuf battu avec 4 cuillerées à soupe de crème fraîche épaisse	1
Croûtons, pluches de cerfeuil ou dés de melon sautés dans un peu de beurre	

Coupez le melon en tranches. Passez la lame d'un couteau aiguisé sous ces tranches pour les éplucher et coupez-les en dés. Faites-les revenir quelques minutes dans une casserole contenant un peu de beurre fondu. Salez, poivrez et ajoutez le cerfeuil.

Portez le lait à ébullition, versez-le dans la casserole contenant le melon et faites reprendre l'ébullition à feu doux. Laissez frémir 30 minutes. Passez la soupe obtenue au chinois dans une autre casserole. Liez-la avec l'œuf battu avec la crème. Réchauffez-la, sans cesser de remuer et sans laisser atteindre l'ébullition. Servez-la dans des bols chauds et garnissez de croûtons, de pluches et de cerfeuil ou de dés de melon cuits.

PAUL DINNAGE
THE BOOK OF FRUIT AND FRUIT COOKERY

Soupe aux amandes et aux pignons

Sopa de almendras y piñones

Pour 4 personnes

Amandes mondées et mises à tremper 2 heures dans de l'eau chaude	75 g
Pignons mis à tremper 2 heures dans de l'eau chaude	75 g
Sucre en poudre	100 g
Lait	75 cl
Cannelle en poudre	1 cuillerée à café

Dans un mortier, pilez finement les amandes et les pignons avec le sucre. Incorporez ce mélange au lait, portez à ébullition, saupoudrez de cannelle et servez.

ANTONIO ARAGONES SUBERO
GASTRONOMIA DE GUADALAJARA

Soupe de fruits scandinave

Scandinavian Fruit Soup

Servez cette soupe chaude ou froide, en entrée ou au dessert.

Pour 8 personnes

Pruneaux dénoyautés, mis à tremper une nuit dans de l'eau froide et égouttés	125 g
Abricots secs mis à tremper une nuit dans de l'eau froide et égouttés	150 g
Raisins secs	40 g
Citron coupé en rondelles	½
Cardamome en poudre	1 cuillerée à café
Sucre en poudre	60 g
Tapioca	3 cuillerées à soupe
Eau	1,5 litre
Pomme pelée, évidée et coupée en dés	125 g

Dans une grande casserole mélangez tous les ingrédients sauf la pomme. Portez à ébullition en remuant de temps en temps. Ajoutez la pomme, couvrez et laissez frémir pendant 5 minutes.

JEAN H. SHEPHARD
THE FRESH FRUITS AND VEGETABLES COOKBOOK

Soupe à l'ail et aux raisins

Ajo blanco con uvas

Pour 6 personnes

Grosses gousses d'ail	2
Raisins (noir ou muscat) pelés	200 g
Mie de pain émiettée et mise à tremper 30 minutes dans de l'eau froide	250 g
Amandes mondées	150 g
Huile d'olive	12 cl
Vinaigre de vin blanc	2 cuillerées à soupe
Sel	
Eau glacée	90 cl environ

Exprimez légèrement le pain et passez-le au mixeur avec l'ail, les amandes, l'huile et le vinaigre. Quand le mélange est homogène, versez-le dans une soupière. Salez selon le goût et mettez 2 heures au moins au réfrigérateur.

Juste avant de servir, allongez progressivement la soupe avec de l'eau glacée pour lui donner la consistance désirée (celle du *gazpacho*). Ajoutez les grains de raisin et servez.

SIMONE ORTEGA
MIL OCHENTA RECETAS DE COCINA

Soupe de quetsches au vin

Soupa ot Sini Slivi

Vous pouvez piler la glace dans une terrine avec l'extrémité d'un rouleau à pâtisserie en bois ou dans un sac solide en polyéthylène avec un rouleau à pâtisserie. Vous pouvez également la concasser au mixeur.

Pour 4 ou 5 personnes

Quetsches dénoyautées	500 g
Vin blanc	25 cl
Sucre en poudre	2 à 3 cuillerées à soupe
Sucre vanillé	30 g
Zeste de citron finement râpé	2 pincées
Jaune d'œuf	1
Crème fraîche ou 45 cl de yogourt mis à égoutter une nuit dans un sac en mousseline	25 cl
Glace pilée	4 à 5 cuillerées à soupe

Mettez les quetsches dans une casserole émaillée, ajoutez un peu d'eau et portez à ébullition. Laissez frémir jusqu'à ce que le liquide se soit évaporé et que les fruits soient réduits en pulpe. Tamisez-les dans une terrine pendant qu'ils sont encore chauds. Jetez les peaux. Vous pouvez aussi les passer au mixeur.

Remettez la purée obtenue dans la casserole et ajoutez le vin, les sucres et le zeste de citron. Faites fondre les sucres à feu doux en remuant puis portez à ébullition. Enlevez du feu et laissez refroidir.

Pendant ce temps, fouettez le jaune d'œuf dans une terrine. Ajoutez la crème ou le yogourt égoutté et continuez à battre pour mélanger les ingrédients. Incorporez peu à peu la soupe aux quetsches, sans cesser de battre. Faites rafraîchir la soupe quelques heures en mettant la terrine dans un seau de glace pilée ou au réfrigérateur. Incorporez la glace pilée avant de servir.

SOFIA SMOLNITSKA
IZKOUSTVOTO DA GOTVIM

Soupe de groseilles

Ribizkeleves

Pour 4 personnes

Groseilles rouges de préférence, ou groseilles blanches ou grains de cassis	600 g
Eau	1 litre
Sucre en poudre	5 cuillerées à soupe
Sel	1 pincée
Farine	½ cuillerée à soupe
Crème aigre	8 cl
Œufs, jaunes séparés des blancs	2

Faites pocher les groseilles 15 minutes dans 25 cl d'eau. Passez le tout au tamis. Diluez la purée obtenue avec le reste d'eau et remettez-la sur le feu avec 3 cuillerées à soupe de sucre et le sel. Mélangez la farine avec la crème aigre, ajoutez à la soupe et faites frémir 5 minutes sans laisser atteindre l'ébullition.

Mettez les jaunes d'œufs dans une soupière. Battez les blancs en neige, ajoutez le reste de sucre et continuez à battre jusqu'à ce que le sucre soit parfaitement absorbé. Avec une cuillère à soupe, formez des boules de garniture *(galuskas)* de blancs en neige que vous placez sur la soupe frémissante. Tournez-les une fois et retirez-les très délicatement au bout de 5 minutes: elles doivent être fermes. Versez la soupe chaude sur les jaunes d'œufs, mélangez intimement et posez les *galuskas* à la surface.

FRED MACNICOL
HUNGARIAN COOKERY

Soupe rouge au babeurre

Rote Buttermilch-Kaltschale

Pour 6 personnes

Fraises et framboises (ou autres fruits de saison)	250 g de chaque
Babeurre	1 litre
Sucre en poudre	40 g environ
Lait	8 cl
Farine d'avoine	75 g
Beurre	30 g

Mettez les fruits dans un compotier ou dans des coupes et mélangez-les avec le sucre. Délayez le babeurre avec le lait et versez sur les fruits. Faites revenir la farine d'avoine avec un peu de sucre dans le beurre fondu, parsemez-en les fruits et servez.

URSULA GRÜNINGER
COOKING WITH FRUIT

Soupe de pommes au vin rouge

Apple and Red Wine Soup

Pour 8 personnes

Pommes à cuire pelées, évidées et coupées en tranches	1 kg
Vin rouge	75 cl
Beurre	60 g
Eau	12 cl
Muscade râpée	1 pincée
Zeste de citron râpé	½ cuillerée à café
Jus de citron	4 cuillerées à soupe environ
Crème aigre	12 cl

Dans une casserole à fond épais contenant le beurre fondu, faites fondre les pommes 5 minutes à feu doux. Mouillez avec l'eau et laissez frémir 10 minutes environ, jusqu'à ce qu'elles soient tendres. Ajoutez la muscade, le zeste de citron et une cuillerée à soupe environ de jus de citron. Passez le mélange au tamis ou réduisez-le en purée au mixeur. Laissez refroidir, incorporez le vin et ajoutez 2 ou 3 cuillerées à soupe de jus de citron pour aciduler la soupe. Pour la servir chaude, réchauffez-la et incorporez la crème aigre sans laisser atteindre l'ébullition. Si vous la servez froide, incorporez la crème aigre sans réchauffer et mettez au réfrigérateur.

ELIZABETH GILL
APPLE RECIPES FROM A TO Z

Soupe aux brocolis et à la pomme

Broccoli and Apple Soup

Si vous prévoyez de servir cette soupe froide, remplacez la ciboulette par de la menthe hachée menu. Vous pouvez la préparer deux jours à l'avance.

Pour 4 à 6 personnes

Brocolis, tiges parées à 5 cm, pelées et hachées menu avec les bouquets	500 g
Pomme pelée, évidée et grossièrement coupée en dés	1
Beurre	45 g
Petit oignon finement émincé	1
Fond de volaille *(page 167)* ou eau	1 litre
Sel	1 cuillerée à café
Poivre du moulin	½ cuillerée à café
Crème fraîche ou crème aigre (facultatif)	4 cuillerées à soupe
Ciboulette ou persil haché menu	2 cuillerées à soupe

Dans une grande casserole, faites fondre le beurre. Ajoutez l'oignon et la pomme, couvrez et laissez étuver 10 minutes. Ajoutez les brocolis, le bouillon ou l'eau, le sel et le poivre. Portez à ébullition, couvrez et laissez frémir 30 minutes à feu modéré.

Enlevez la soupe du feu. Passez-la au mixeur, un tiers après l'autre, jusqu'à ce qu'elle soit homogène. Avec une grande cuillère, tamisez-la dans une casserole propre et jetez les morceaux qui restent dans le tamis. Réchauffez-la sans cesser de remuer. Goûtez l'assaisonnement.

Servez la soupe dans des bols chauds, garnie d'une bonne cuillerée de crème fraîche ou de crème aigre, selon le goût, et parsemée de ciboulette ou de persil.

MICHÈLE URVATER ET DAVID LIEDERMAN
COOKING THE NOUVELLE CUISINE IN AMERICA

Soupe au vin rouge et aux abricots

Apricot Soup

Pour préparer la soupe au vin rouge et aux abricots, reportez-vous aux explications données à la page 74. Pour concentrer davantage le goût des abricots, tamisez-les sans leur liquide de cuisson. Vous l'ajouterez à la purée obtenue avec le vin rouge, en en réservant un peu pour délayer l'arrow-root. Vous pouvez faire cuire les abricots avec un bâton de cannelle de 2,5 cm que vous enlèverez avant de les tamiser, au lieu d'utiliser de la cannelle en poudre. De même, vous pouvez remplacer l'arrow-root par 30 g de tapioca trempé 30 minutes dans un peu d'eau froide jusqu'à ce qu'il ait gonflé, en l'ajoutant après le sucre en poudre.

Pour 4 personnes

Abricots coupés en 2 et dénoyautés	500 g
Vin rouge	35 cl environ
Sucre en poudre (facultatif)	
Arrow-root délayé dans un peu d'eau froide	1 cuillerée à café
Cannelle en poudre	1 pincée
Croûtons	
Crème aigre (facultatif)	

Mettez les abricots dans une casserole et couvrez-les d'eau. Faites-les cuire à feu doux 15 minutes environ, jusqu'à ce qu'ils soient tendres. Tamisez-les avec leur liquide de cuisson au-dessus d'une casserole. Ajoutez le vin et jusqu'à 15 cl d'eau froide selon la consistance désirée. Sucrez légèrement selon le goût. Liez avec l'arrow-root délayé et ajoutez la cannelle. Faites chauffer cette soupe à feu doux, sans laisser atteindre l'ébullition. Servez-la très chaude avec des croûtons et la crème aigre.

PAUL DINNAGE
THE BOOK OF FRUIT AND FRUIT COOKERY

Soupe aux marrons

Chestnut Soup

Pour 4 ou 5 personnes

Marrons	750 g
Grosse pomme de terre émincée	1
Grosse carotte émincée	1
Lard fumé haché	30 g
Sucre en poudre	2 cuillerées à café
Eau	60 cl
Feuille de laurier	1
Bouillon chaud *(page 167)*	60 cl environ
Sel et poivre	
Croûtons	

Coupez le sommet de l'écorce des marrons et faites-les cuire au four préchauffé à 200 °C (6 au thermostat) ou griller pendant 20 minutes. Écorcez-les et épluchez-les. Faites-les pocher dans une casserole avec les légumes, le lard, le sucre, l'eau et le laurier 45 minutes environ, jusqu'à ce qu'ils soient tendres. Tamisez ou passez le tout au mixeur et délayez la soupe obtenue avec le bouillon chaud pour lui donner la consistance d'une crème fluide. Réchauffez-la une minute ou deux, vérifiez l'assaisonnement, garnissez de croûtons et servez.

BEE NILSON
THE PENGUIN COOKERY BOOK

Soupe grecque au citron

Avgolemono

Pour 4 personnes

Citrons, jus passé, zeste du citron entier finement râpé	1½
Fond de volaille ou de veau (page 167)	1,25 litre
Safran en poudre	2 pincées
Crème fleurette	15 cl
Jaunes d'œufs	2
Moutarde anglaise en poudre	½ cuillerée à café

Portez le fond à ébullition, incorporez le safran et ajoutez le jus de citron. Enlevez du feu et laissez tiédir 30 minutes. Battez la crème avec les jaunes d'œufs et incorporez ce mélange à la soupe avec la moutarde. Remuez pour mélanger les ingrédients. Garnissez avec le zeste de citron. Pour servir la soupe chaude, faites-la réchauffer à feu doux, sans laisser atteindre l'ébullition. Pour la servir froide, faites-la rafraîchir au réfrigérateur.

PAUL DINNAGE
THE BOOK OF FRUIT AND FRUIT COOKERY

Soupe aux noix de cajou et aux carottes

Cashew Carrot Soup

Pour 4 à 6 personnes

Noix de cajou concassées	150 g
Carottes râpées	200 g
Huile	4 cuillerées à soupe
Oignons moyens émincés	2
Chou, fanes de navet ou bettes grossièrement ciselés	150 g
Pomme hachée	100 g
Bouillon de bœuf (page 167)	1,25 litre
Sauce tomate	2 cuillerées à soupe
Riz complet	60 g
Raisins secs	75 g
Sel et poivre	
Yogourt	22 à 30 cl

Dans une casserole à fond épais contenant l'huile, faites revenir les oignons. Incorporez les légumes ciselés et faites-les revenir quelques minutes. Ajoutez les carottes et laissez cuire encore une minute environ. Incorporez la pomme, le bouillon et la sauce tomate. Portez à ébullition et ajoutez le riz. Couvrez et laissez mijoter de 35 à 40 minutes, jusqu'à ce que les carottes soient tendres et le riz cuit.

Ajoutez les noix de cajou et les raisins secs et laissez cuire 5 minutes environ, jusqu'à ce que les raisins aient gonflé. Assaisonnez selon le goût. Couvrez chaque bol de soupe d'une cuillerée généreuse de yogourt.

NANCY ALBRIGHT
RODALE'S NATURALLY GREAT FOODS COOKBOOK

Soupe chaude aux cerises

Soupa ot Chereshi

Pour 5 ou 6 personnes

Cerises dénoyautées	800 g
Bouillon de bœuf ou fumet de gibier (page 167)	90 cl
Sucre en poudre	30 g
Sel	
Beurre	100 g
Œuf battu	1
Lait ou crème fleurette	15 cl
Tranches de pain de mie coupées en dés et séchées, mais non dorées, au four préchauffé à 150°C (2 au thermostat) pendant 15 minutes	2 ou 3

Dans une grande casserole, mélangez les cerises avec le bouillon et le sucre et faites-les pocher à feu modéré 30 minutes environ, jusqu'à ce qu'elles soient tendres. Salez selon le goût et enlevez du feu. Passez le tout au tamis de nylon en jetant les peaux des cerises. Incorporez la moitié du beurre à cette soupe aux cerises et tenez-la au chaud pendant que vous préparez la liaison.

Délayez progressivement l'œuf avec le lait ou la crème fleurette, versez cette liaison dans la soupe et mélangez bien.

Passez les dés de pain séchés dans le reste de beurre jusqu'à ce qu'ils soient croustillants et dorés. Égouttez-les sur du papier absorbant. Pour servir, faites chauffer la soupe jusqu'à ce qu'elle soit très chaude, sans la laisser bouillir pour qu'elle ne se décompose pas. Servez-la chaude et faites passer les croûtons dans un bol chaud.

NATSKO SOTIROV
SOVREMENNA KOUHNYA

Sauce au pistou

Pesto

Cette quantité suffit pour assaisonner 500 g de spaghetti. On sert également cette sauce avec du bœuf ou de la langue bouillis.

Pour 4 ou 5 personnes

Feuilles de basilic frais haché	30 à 40
Pignons hachés	30
Gousse d'ail hachée	1
Parmesan et/ou *pecorino* hachés	10 cuillerées à soupe
Sel	1 pincée
Huile d'olive	15 cl

Dans une terrine, mélangez le basilic avec les pignons, l'ail, le fromage et le sel. Ajoutez lentement l'huile avec une main, en remuant avec l'autre. La sauce est prête quand toute l'huile a été incorporée. Vous pouvez également mélanger les ingrédients au mixeur ou avec un mortier et un pilon.

WILMA PEZZINI
THE TUSCAN COOKBOOK

Sauce aux noix

Salsa di noci

Pour préparer la sauce aux noix, reportez-vous aux explications page 80. Pour monder les cerneaux de noix, faites-les tremper une minute dans de l'eau bouillante, égouttez-les et détachez la peau brune avec les doigts. L'auteur conseille d'utiliser cette sauce pour assaisonner des gnocchi, des lasagne et des tagliolini. *Vous pouvez aussi la servir avec des tagliatelle.*

Pour 30 cl

Cerneaux de noix mondés	60 g
Pignons	60 g
Persil haché menu	2 cuillerées à soupe
Gousse d'ail hachée menu	1
Huile d'olive	15 cl
Eau chaude	4 cuillerées à soupe

Faites griller les pignons sur une plaque au four préchauffé à 180°C (4 au thermostat) 15 minutes environ, jusqu'à ce qu'ils soient dorés. Dans un mortier, pilez-les avec les noix pour obtenir une pâte granuleuse. Faites légèrement revenir le persil et l'ail 2 minutes dans la moitié de l'huile chaude. Ajoutez la pâte de noix et de pistaches et laissez dorer encore 2 minutes. Hors du feu, délayez avec le reste d'huile et l'eau chaude.

G. B. RATTO
LA CUCINIERA GENOVESE

Sauce au verjus

Salsa d'Agresto

Agresto signifie verjus en italien et autrefois on l'utilisait davantage, à la place du vinaigre et du jus de citron.

Pour préparer la sauce au verjus, reportez-vous aux explications données à la page 80. Pour monder les cerneaux de noix afin de leur enlever toute amertume, faites-les tremper une minute dans de l'eau bouillante, égouttez-les et détachez la peau brune avec les doigts. Vous pouvez remplacer l'oignon à peau rouge par deux échalotes. Vous pouvez conserver cette sauce dans un bocal sous une pellicule d'huile d'olive.

Pour 35 à 50 cl

Verjus ou 1 citron, jus passé et moitié du zeste râpé	4 cuillerée à soupe
Cerneaux de noix	9
Amandes mondées	60 g
Petit oignon à peau rouge, haché	½
Brins de persil à feuilles plates équeutés, feuilles hachées	6 à 8
Gousse d'ail hachée	1
Tranches de pain de mie coupées en dés	2
Sel et poivre	
Sucre en poudre	1 cuillerée à café
Fond de volaille ou de veau tiède *(page 167)*	12 cl environ

Pilez le verjus ou le jus et le zeste de citron, les noix et les amandes dans un mortier ou passez-les au mixeur. Ajoutez l'oignon, le persil, l'ail et le pain et pilez ou mixez jusqu'à ce que le mélange soit homogène. Salez, poivrez, sucrez et délayez avec une quantité suffisante de fond pour obtenir une sauce homogène. Passez cette sauce à la grille fine du moulin à légumes ou au mixeur pour la rendre très homogène. Versez-la dans une casserole et faites-la chauffer 2 minutes à feu doux, sans la laisser bouillir. Transvasez-la dans une saucière et laissez-la refroidir avant de servir.

GIULIANO BUGPIALLI
THE FINE ART OF ITALIAN COOKING

Sauce aigre-douce

Salsa dolce e forte

C'est une sauce pour le gibier à poil comme la venaison et le lièvre. Pour varier, l'auteur suggère d'y incorporer 30 g de chocolat fondu.

Pour 3 ou 4 personnes

Raisins secs	30 g
Pruneaux	3
Sucre en poudre	90 g environ
Gousses d'ail écrasées	2
Feuille de laurier émiettée	1
Vinaigre de vin	8 cl environ
Cerises à l'eau-de-vie dénoyautées et hachées (n'utilisez pas de marasques)	6
Pignons hachés	3 cuillerées à soupe
Ecorce de citron et d'orange confite, hachée	60 g

Faites tremper les raisins secs et les pruneaux dans de l'eau chaude. Dans une casserole, faites fondre 60 g de sucre avec l'ail, le laurier et 8 cl de vinaigre à feu modéré, en remuant. Portez à ébullition et enlevez le sirop obtenu du feu.

Égouttez les raisins secs et les pruneaux et mettez-les dans le sirop chaud avec les cerises si vous en utilisez, les pignons et l'écorce confite. Faites reprendre l'ébullition et remuez avant de goûter. Sucrez et vinaigrez si besoin est pour obtenir le goût aigre-doux idéal. Servez cette sauce chaude, tiède ou froide.

WILMA PEZZINI
THE TUSCAN COOKBOOK

Sauce aux groseilles à maquereau pour poisson à chair blanche

Gooseberry Sauce for White Fish

Pour 30 cl

Groseilles à maquereau vertes	250 g
Brin de fleur de sureau	1
Vin blanc sec	15 cl
Jaune d'œuf	1
Fenouil haché	2 cuillerées à soupe

Mettez les groseilles à maquereau, le brin de sureau et le vin dans une casserole. Couvrez, portez à ébullition et laissez frémir 15 minutes. Laissez légèrement refroidir et tamisez. Remettez la purée obtenue dans la casserole rincée et incorporez le jaune d'œuf et le fenouil. Faites épaissir à feu doux, en remuant, sans laissez atteindre l'ébullition. Servez la sauce chaude.

GAIL DUFF
PICK OF THE CROP

Sauce aux cerises

Stettener Kirschensauce

Selon l'auteur, cette sauce mélangée avec du jus de rôti accompagne très bien le canard, la dinde ou le gibier rôtis. Pour la servir avec un pouding, remplacez le jus de rôti par du sucre.

Pour 45 cl

Cerises acides dénoyautées et hachées ou pilées	125 g
Cerises sucrées dénoyautées et hachées ou pilées	200 g
Citron, zeste râpé	½
Bâton de cannelle	2,5 cm
Clou de girofle	1
Vin rouge sec	15 cl
Fécule de pomme de terre	¾ de cuillerée à café

Portez la pulpe de cerises à ébullition avec le zeste de citron, la cannelle, le clou de girofle, le vin et 15 cl environ d'eau. Laissez mijoter 30 minutes et tamisez.

Délayez la fécule de pomme de terre avec un peu d'eau. Incorporez-la à la sauce aux cerises, remettez sur le feu et laissez épaissir. Allongez la sauce avec du vin ou du jus de rôti.

URSULA GRÜNINGER
COOKING WITH FRUIT

Sauce à la rhubarbe pour le bœuf

Rhabarbersauce zu Rindfleisch

Cette sauce est excellente avec le bœuf bouilli.

Pour faire la compote de rhubarbe, faites cuire 500 g de rhubarbe hachée avec 8 cl de sirop de sucre (recette page 163) 20 minutes environ, jusqu'à ce qu'elle soit tendre.

Pour 1,25 litre

Compote de rhubarbe épaisse	30 cl
Beurre	60 g
Farine	75 g
Bouillon sans sel *(page 167)* ou eau	60 à 90 cl
Citron, jus passé	1
Sucre en poudre	

Faites un roux blond avec le beurre et la farine, à feu doux. Délayez avec le bouillon ou l'eau, sans cesser de remuer. Citronnez et sucrez. Ajoutez la compote de rhubarbe.

URSULA GRÜNINGER
COOKING WITH FRUIT

Sauce aux pommes et au raifort

Almas Tormakrém

Une des variantes les plus séduisantes de cette recette consiste à mélanger le raifort râpé avec de la betterave crue râpée en parfumant le tout de quelques graines de carvi.

L'auteur conseille de servir cette sauce avec de la viande bouillie, chaude ou froide.

Pour 35 cl environ

Pommes acides finement râpées	2 ou 3
Raifort finement râpé	150 g
Crème aigre	10 cl
Sel	2 pincées
Sucre en poudre	1 cuillerée à café
Bouillon de bœuf *(page 167)* (facultatif)	3 à 4 cuillerées à soupe
Vinaigre (facultatif)	2 cuillerées à soupe

Mettez le raifort dans un plat à four et passez-le 2 minutes au four préchauffé entre 230°C et 240°C (8 ou 9 au thermostat) pour l'adoucir légèrement. Incorporez les pommes et la crème aigre. Salez et sucrez. Battez le mélange pour obtenir une crème ferme. Si vous voulez en faire une sauce, allongez-la avec un peu de bouillon de bœuf et vinaigrez selon le goût. Salez si besoin est.

FRED MACNICOL
HUNGARIAN COOKERY

Soles à la Nyoca

Lenguado a la Nyoca

Pour 4 personnes

Soles	Quatre de 250 à 300 g
Huile	12 cl
Sel	
Farine	60 g
Pignons	50 g
Raisins secs	50 g
Amandes grillées et concassées	25 g
Noisettes grillées et concassées	25 g
Tomates moyennes pelées	4

Faites chauffer 8 cl d'huile. Salez les soles, farinez-les et faites-les cuire et dorer dans l'huile chaude. Répartissez le reste d'huile entre deux casseroles. Dans la première, faites revenir les pignons avec les raisins secs, les amandes et les noisettes. Dans l'autre, faites revenir les tomates entières. Quand la garniture aux pignons est prête, parsemez-en les soles et servez une tomate cuite avec chaque poisson.

LUÍS BETTÓNICA
COCINA REGIONAL ESPAÑOLA

Morue aux raisins secs et aux pignons

Bacalao con pasas y piñones

Pour 4 personnes

Morue coupée en morceaux, mise à dessaler 24 heures en renouvelant l'eau plusieurs fois et égouttée	500 g
Raisins secs	100 g
Pignons lavés	75 g
Farine	30 g
Huile	12 cl
Oignon haché	1
Tomates pelées et hachées	100 g
Eau	15 cl
Tranche de pain rassis, coupée en dés dorés à l'huile	1

Farinez la morue et faites-la cuire 5 minutes environ dans la moitié de l'huile, à feu modéré. Faites revenir l'oignon dans le reste de l'huile jusqu'à ce qu'il commence à dorer. Ajoutez les tomates. Quand elles ont fondu, ajoutez les raisins secs et les pignons. Réchauffez et mouillez avec l'eau. Ajoutez les dés de pain et enfin la morue. Laissez cuire 5 minutes à feu doux.

VICTORIA SERRA SUNOL
SABORES: COCINA DEL HOGAR

Poisson farci aux pignons et au riz
Rice-Nut Stuffed Fish

En Bulgarie, on prépare souvent ainsi les poissons du Danube: farcis et cuits au four.

Pour 4 à 6 personnes

Poissons à chair blanche	Deux de 1,500 à 2 kg
Pignons hachés	45 g
Riz	90 g
Oignon moyen haché	1
Huile d'olive ou huile végétale	3 cuillerées à soupe
Fond de volaille *(page 167)* ou eau	25 cl
Raisins de Corinthe	60 g
Cannelle en poudre	2 pincées
Persil haché	3 cuillerées à soupe
Sel et poivre	
Brins de persil (facultatif)	
Citron coupé en quartiers (facultatif)	1

Faites fondre l'oignon dans l'huile. Ajoutez les pignons et le riz et faites-les sauter 3 ou 4 minutes en remuant, jusqu'à ce que l'oignon soit transparent. Ajoutez le fond ou l'eau, les raisins de Corinthe, la cannelle et le persil. Salez et poivrez selon le goût. Couvrez et laissez mijoter 20 minutes environ, jusqu'à ce que le liquide ait été absorbé et que les grains de riz soient séparés. Salez et poivrez l'intérieur et l'extérieur des poissons. Farcissez-les avec cette garniture et refermez-les avec des bâtonnets pour cocktails. Faites-les cuire sur une plaque graissée, au four préchauffé à 180°C (4 au thermostat) de 30 à 40 minutes, jusqu'à ce qu'ils soient tendres. Comptez 10 minutes environ de cuisson par livre. Servez-les garnis de brins de persil et de quartiers de citron, selon le goût.

KAY SHAW NELSON
THE EASTERN EUROPEAN COOKBOOK

◆━━━◆━━━◆

Terrine d'églefin aux groseilles
Potted Fish and Redcurrants

Pour 4 personnes

Eglefin coupé en 4 morceaux environ	350 g
Groseilles	125 g
Vin blanc sec	12 cl
Bouquet garni avec 1 brin d'estragon	1
Grains de poivre noir	6
Beurre	90 g
Estragon haché	1 cuillerée à soupe

Garniture :	
Brins d'estragon	2
Chapelets de groseilles	2 à 4

Mettez les morceaux de poisson dans un plat à four peu profond et mouillez avec le vin. Ajoutez le bouquet garni et le poivre. Couvrez de papier d'aluminium. Faites cuire 20 minutes au four préchauffé à 180°C (4 au thermostat). Sortez le plat du four, débarrassez le poisson de la peau, désarêtez-le et effeuillez-le. Dans une poêle, faites fondre le beurre à feu très doux. Ajoutez le poisson et écrasez-le dans le beurre avec une fourchette. Incorporez l'estragon haché. Hors du feu, incorporez délicatement les groseilles, en prenant soin de ne pas les écraser. Mettez cet appareil dans une terrine et pressez délicatement. Faites raffermir au réfrigérateur. Démoulez soigneusement la terrine en passant la lame d'un couteau contre les parois. (Si elle se détache imparfaitement, récupérez les parties collées que vous remettrez facilement en place). Garnissez de brins d'estragon et de chapelets de groseilles.

GAIL DUFF
PICK OF THE CROP

◆━━━◆━━━◆

Terrine de maquereau aux groseilles à maquereau
Mackerel and Gooseberry Terrine

Cette terrine peut se servir au déjeuner, par une chaude journée d'été, ou comme entrée d'un dîner, garnie d'un brin de fleur de sureau. A midi, accompagnez-la d'une salade verte assaisonnée avec de l'huile et du vinaigre et parfumée avec du fenouil.

Pour 4 personnes

Maquereaux (1 kg environ en tout), vidés et levés en filets	2
Groseilles à maquereau vertes	100 g
Cidre sec	2 cuillerées à soupe
Fenouil haché	2 cuillerées à soupe
Ciboulette hachée	1 cuillerée à soupe

Coupez la moitié d'un filet de maquereau en petites lanières. Mettez-les dans une terrine avec le cidre et la moitié du fenouil. Ajoutez quatre groseilles finement émincées. Passez le reste de maquereau et de groseilles à la grille fine du hachoir. Incorporez le reste de fenouil et la ciboulette. Mettez le tiers de cette farce dans une terrine ou un moule à pain de 500 g. Disposez la moitié des lanières de maquereau, des groseilles émincées et du fenouil par-dessus. Ajoutez encore un tiers de farce, le reste des lanières de maquereau et couvrez du reste de farce. Couvrez la terrine et faites-la cuire 15 minutes au four préchauffé à 170°C (3 au thermostat). Laissez-la refroidir avant de la démouler.

GAIL DUFF
PICK OF THE CROP

Poulet au citron

Lemon Chicken

Ce plat est aussi délicieux froid. Pour le servir froid, mettez le poulet au réfrigérateur dans son liquide de cuisson qui prendra en gelée. Raclez cette gelée au citron, mettez-la dans un bol et disposez-en quelques cuillerées autour du poulet. Décorez de quelques olives noires.

Pour 6 personnes

Poulet coupé en morceaux	2 kg
Jus de citron passé	25 cl
Sel et poivre	
Huile	12 cl
Vin blanc sec	12 cl

Rincez les morceaux de poulet et épongez-les avec des serviettes en papier. Salez-les et poivrez-les sur les deux faces. Mettez-les dans un plat non métallique qui les contienne confortablement.

Avec une fourchette, battez la moitié de l'huile d'olive avec le jus de citron. Versez cette marinade sur les morceaux de poulet. Retournez-les pour enduire toute la surface. Couvrez hermétiquement et laissez mariner 6 heures au moins au frais, de préférence une nuit au réfrigérateur. Retournez les morceaux une fois ou deux.

Préchauffez le gril. Sortez les morceaux de poulet de la marinade et épongez-les avec des serviettes en papier. Mettez-les sur une plaque, badigeonnez-les du reste d'huile et assaisonnez-les. Faites-les griller 5 minutes, jusqu'à ce qu'ils soient dorés, puis retournez-les et laissez-les griller encore 5 minutes.

Mettez les morceaux de poulet dans une grande sauteuse ou dans une grande cocotte et mouillez avec la marinade et le vin blanc. Couvrez et laissez mijoter de 20 à 25 minutes, jusqu'à ce qu'ils soient tendres.

Dressez les morceaux de poulet sur un plat de service et nappez-les légèrement de sauce. Servez le reste de sauce à part dans une saucière.

CAROL CUTLER
THE SIX MINUTE SOUFFLÉ AND OTHER CULINARY DELIGHTS

Poule de Circassie

Circassian Chicken

Pour 4 à 6 personnes

Poule	1,750 à 2 kg
Petite carotte	1
Oignon moyen haché	1
Persil haché	4 cuillerées à soupe
Sel et poivre	
Eau	1,25 litre

Sauce :

Noix	250 g
Tranches de pain rassis	3
Gros oignon haché	1
Paprika	1 cuillerée à soupe

Dans un fait-tout, mettez la poule, la carotte, l'oignon et le persil. Salez et poivrez selon le goût. Ajoutez l'eau et portez à ébullition. Baissez le feu, couvrez et laissez mijoter 2 heures environ, selon l'âge de la poule, jusqu'à ce qu'elle soit tendre. Sortez-la du fait-tout et laissez-la refroidir. Passez et réservez le bouillon. Coupez la viande en petits morceaux.

Pour la sauce, passez les noix deux fois à la grille fine du hachoir en réservant l'huile qu'elles rendent. Faites tremper le pain dans 15 cl environ de bouillon pendant 10 minutes environ, jusqu'à ce qu'il soit ramolli. Exprimez-le et mélangez-le avec les noix hachées, l'oignon et un peu de poivre. Hachez deux fois ce mélange. Délayez progressivement avec 25 cl environ de bouillon pour obtenir une sauce ayant la consistance de la mayonnaise. Mélangez la moitié de cette sauce avec le poulet et étalez uniformément ce mélange sur un plat de service. Couvrez du reste de sauce. Arrosez d'huile des noix réservée et saupoudrez de paprika pour la garniture.

KAY SHAW NELSON
THE EASTERN EUROPEAN COOKBOOK

Poulet à la catalane

Pollo a la Catalana

Pour 4 personnes

Poulet coupé en quartiers	1,200 kg
Sel et poivre	
Huile	10 cl
Prunes	150 g
Raisins secs	75 g
Pignons	50 g
Oignon haché	1
Tomates mûres coupées en morceaux	2
Bouillon *(page 167)* ou eau	25 cl
Amandes mondées et grillées	25 g
Biscuits peu sucrés, émiettés	2
Vin blanc	8 cl

Assaisonnez les morceaux de poulet et faites-les dorer sur toutes leurs faces dans une grande sauteuse contenant l'huile chaude. Réservez-les dans un plat à four.

Dans la même huile et dans la même sauteuse, faites revenir les prunes avec les raisins secs et 40 g de pignons à feu doux. Sortez-les de la sauteuse et mettez-les sur le poulet. Faites dorer l'oignon puis ajoutez les tomates et faites-les revenir. Mouillez avec le bouillon ou l'eau et laissez cuire encore 10 minutes à feu doux. Tamisez cette sauce sur les morceaux de poulet. Mettez le plat sur feu doux et laissez cuire de 30 à 40 minutes.

Pendant ce temps, hachez le reste de pignons, mélangez-les avec les amandes et les miettes de biscuits et mouillez avec le vin. Ajoutez ce mélange 10 minutes avant la fin de la cuisson.

LUIS BETTÓNICA
COCINA REGIONAL ESPAÑOLA

Poulet aux pruneaux et au miel

Pour griller les graines de sésame, mettez-les dans une casserole sèche et remuez sur feu modéré jusqu'à ce qu'elles dorent. Faites-les refroidir sur un plan de travail froid.

Pour 8 personnes

Poulets troussés, abatis réservés	Deux de 1,500 kg
Pruneaux	500 g
Miel épais	4 cuillerées à soupe
Sel	
Poivre	1 cuillerée à café
Safran en poudre	½ cuillerée à café
Bâton de cannelle	2,5 cm
Oignons râpés	2
Beurre	200 g
Cannelle en poudre	1 cuillerée à café
Amandes mondées	200 g
Huile	8 cl
Graines de sésame grillées	1 cuillerée à soupe

Mettre les poulets dans une cocotte avec leurs abats, saler, ajouter poivre, safran, bâton de cannelle, oignons râpés, beurre. Arroser de 60 cl d'eau. Cuire (50 minutes) à couvert sur feu modérément chaud, en retournant les poulets de temps à autre. Ajouter de l'eau si nécessaire en cours de cuisson. Lorsque les poulets sont cuits, que leur chair se détache facilement avec les doigts, les retirer du feu et réserver.

Laver les prunaux et les verser dans la cocotte toujours sur le feu. Au bout de 15 minutes, ajouter la canelle et le miel. Réduire (10 minutes environ) jusqu'à obtention d'une sauce mielleuse. Vérifier l'assaisonnement et remettre les poulets dans la marmite sans écraser les pruneaux. Retirer du feu.

D'autre part, faire frire les amandes à l'huile bouillante quelques minutes avant le repas, et passer au four (préchauffé à 180°C, 4 au thermostat) les graines de sésame (5 minutes). Au moment de servir, réchauffer les poulets sans plus laisser réduire la sauce. Dresser sur un plat, placer les pruneaux sur les poulets. Verser dessus la sauce, décorer avec les amandes frites et les graines de sésame. Servir aussitôt.

LATIFA BENNANI SMIRES
LA CUISINE MAROCAINE

Dindonneau à la sauce aux grenades

Paeta al malgaragno

On prépare généralement ce plat avec un dindonneau qu'on a suspendu trois jours avant comme le gibier à poil, mais ce n'est pas obligatoire. La sauce aux grenades peut aussi accompagner d'autres rôtis, notamment le faisan et le perdreau.

Pour extraire le jus des grenades, pressez les fruits non épluchés sur toute leur surface pour écraser la pulpe rouge qui entoure les pépins et lui faire rendre son jus. Mettez-les ensuite dans un tamis, au-dessus d'une terrine, et coupez la peau avec un couteau aiguisé: le jus coulera dans la terrine.

Pour 8 personnes

Dindonneau, foie réservé	3,500 à 4 kg
Jus de grenades	20 à 25 cl
Sel et poivre	
Lard fumé coupé en tranches	100 g
Huile	5 cuillerées à soupe
Anchois dessalés, levés en filets, rincés, épongés et hachés	2

Salez et poivrez l'intérieur et l'extérieur du dindonneau. Bardez-en la poitrine et bridez-le avec du fil fin. Faites-le cuire dans un plat contenant 3 cuillerées à soupe d'huile au four préchauffé à 190°C (5 au thermostat) de 2 heures à 2 heures 30 minutes, en le tournant et en l'arrosant souvent.

Pendant ce temps, parez le foie réservé, coupez-le en petits morceaux et faites-le revenir dans le reste d'huile 2 minutes environ à feu doux. Ajoutez le jus de grenades et laissez frémir 10 minutes. Réservez la sauce.

Environ 15 minutes avant la fin de la cuisson, enlevez les tranches de lard et hachez-les finement. Quand le dindonneau est cuit, dressez-le sur un plat de service chaud et tenez-le au chaud. Dégraissez le jus de cuisson et ajoutez-le à la sauce aux grenades avec le lard et les anchois. Portez à ébullition, vérifiez l'assaisonnement et servez avec le dindonneau.

GIUSEPPE MAFFIOLI
CUCINA E VINI DELLE TRE VENEZIE

Oie ou caneton à l'orange

Paparo o anatra alla melarancia

Pour 4 personnes

Jeune oie ou caneton	2 kg
Oranges, jus passé et zeste d'une orange détaillé en julienne	2
Huile d'olive	1 cuillerée à soupe
Oignon émincé	½
Cognac	8 cl
Sel et poivre	
Fond de volaille *(page 167)* ou eau chaude	20 cl
Beurre manié avec 1 cuillerée à soupe de farine	15 g

Garniture :

Oranges coupées en tranches fines	2

Mettez la volaille dans une casserole avec l'huile et l'oignon et faites-la dorer sur toutes ses faces à feu vif. Quand elle est bien dorée, mouillez-la avec le cognac salé et poivré. Ajoutez la moitié environ du fond de volaille ou de l'eau. Couvrez et faites-la mijoter à feu doux 50 minutes, jusqu'à ce qu'elle soit tendre.

Pendant ce temps, mettez le zeste d'orange dans une casserole remplie d'eau. Portez à ébullition, égouttez le zeste, remettez-le dans la casserole, renouvelez l'eau et faites reprendre l'ébullition. Répétez encore une fois. Passez le zeste et réservez-le.

Quand la volaille est presque cuite, enlevez-la de la casserole. Dégraissez entièrement le liquide de cuisson et liez-le avec le beurre manié en remuant à feu doux. Remettez la volaille dans la casserole et mouillez-la avec le reste de fond ou d'eau. Ajoutez le zeste d'orange et laissez cuire encore 20 minutes à feu doux.

Juste avant de servir, incorporez le jus d'orange. Servez la volaille garnie de tranches d'oranges et nappée de sauce.

MARIA LUISA INCONTRI LOTTERINGHI DELLA STUFA
DESINARI E CENE

Dinde farcie

Pavo ralleno

Pour farcir une dinde, reportez-vous aux explications page 78. Si vous l'arrosez constamment pendant la cuisson, il est utile de la couvrir d'étamine beurrée. Vous trouverez des petits piments forts de Jalapa en boîte dans les épiceries fines, mais vous pouvez les remplacer par des petits piments forts verts.

Pour 6 à 8 personnes

Dinde	3 à 3,500 kg
Beurre fondu	250 g

Farce :

Saindoux	30 g
Oignon haché menu	1
Gousse d'ail hachée	1
Porc haché	1 kg
Grosse banane ferme ou banane des Antilles épluchée et coupée en rondelles	1
Pomme verte acide, pelée, évidée et hachée	1
Raisins secs	30 g
Amandes effilées, grillées	30 g
Petits piments de Jalapa ou petits piments forts verts épépinés et hachés	1 ou 2
Tomates moyennes pelées, épépinées et hachées	2
Sel et poivre du moulin	

Sauce :

Farine	1 cuillerée à soupe
Fond de volaille *(page 167)*	20 cl
Vin blanc sec	20 cl

Dans une très grande sauteuse à fond épais contenant le saindoux chaud, faites fondre l'oignon avec l'ail. Ajoutez le porc et faites-le dorer sans cesser de remuer. Ajoutez la banane, la pomme, les raisins secs, les amandes et les piments. Dégraissez et incorporez les tomates. Salez et poivrez. Laissez cuire encore quelques minutes. Laissez refroidir et farcissez la dinde.

Trempez deux morceaux d'étamine dans le beurre fondu. Posez la dinde farcie sur la grille d'une lèchefrite, poitrine vers le haut et couvrez-la d'étamine beurrée. Faites-la rôtir au four préchauffé à 170 °C (3 au thermostat) de 2 heures à 2 heures 30 minutes. Vérifiez la cuisson en piquant une brochette dans le haut-de-cuisse : le jus qui s'écoule doit être limpide. Arrosez souvent en cours de cuisson à travers l'étamine avec la graisse de la lèchefrite ou du beurre fondu.

Sortez la dinde du four et tenez-la au chaud. Ne conservez que 2 cuillerées à soupe de graisse dans la lèchefrite. Liez légèrement à feu modéré avec la farine. Mouillez avec le fond préalablement mélangé avec le vin et raclez les sucs caramélisés avec une cuillère en bois. Salez et poivrez selon le goût. Servez cette sauce séparément, dans une saucière.

ELISABETH LAMBERT ORTIZ
THE COMPLETE BOOK OF MEXICAN COOKING

Oie rôtie, farcie aux pommes

Gänsebratten mit Apfeln Gefüllt

Vous pouvez ajouter 250 g de marrons épluchés et cuits aux pommes et aux oignons ou farcir l'oie exclusivement de 750 g de marrons épluchés et cuits. Servez-la avec du chou blanc ou rouge au vinaigre et des pommes de terre sautées.

L'oie est une volaille très grasse. Pour la dégraisser le plus possible pendant la cuisson, percez légèrement la peau sur toute la surface avec une fourchette ou une brochette et faites-la rôtir sur un trépied placé dans un plat à four, en jetant la graisse de temps en temps. L'auteur conseille d'utiliser cette graisse pour des fritures ou d'en tartiner des tranches de pain.

Pour 6 à 8 personnes

Oie	3,500 à 4,500 kg
Pommes	5 à 8
Petits oignons	5 ou 6
Graisse de rôti	30 g
Sel et poivre	
Marjolaine hachée	2 cuillerées à soupe
Cognac	1 cuillerée à soupe

Faites revenir les petits oignons dans la graisse de rôti chaude. Salez l'intérieur et l'extérieur de l'oie, poivrez légèrement l'intérieur, enduisez-le de marjolaine et farcissez de pommes et d'oignons sautés. Recousez l'oie et mettez-la dans un plat à four contenant quelques cuillerées à soupe d'eau, poitrine vers le haut. Faites-la rôtir 20 minutes en la retournant de temps en temps pour la dorer uniformément puis baissez la température du four à 180°C (4 au thermostat) et laissez-la cuire encore 2 heures, jusqu'à ce qu'elle soit tendre, en versant de temps en temps de l'eau dans le plat.

Dix minutes avant la fin de la cuisson, retournez l'oie sur le dos et badigeonnez la poitrine et les cuisses de cognac pour que la peau soit croustillante. Percez les cuisses avec une aiguille. Quand le jus qui coule est limpide, l'oie est cuite. Sortez-la du plat de cuisson et dégraissez. Déglacez le jus de cuisson avec un peu d'eau et portez à ébullition, sans cesser de remuer. Servez ce jus avec l'oie.

HANS GUSTL KERNMAYR
SO KOCHTE MEINE MUTTER

Canard à la sauce aux grenades et aux noix

Faisinjan

L'aristocratie en matière de sauces persanes mijotées — elle se prépare avec des morceaux de canard ou de poulet ou de l'épaule d'agneau coupée en cubes de 2,5 cm de côté. Les ingrédients qui la caractérisent par rapport aux autres sauces servies avec du riz sont les noix pilées et le jus de grenade ou sirop de grenadine. Pour éviter toute amertume, prenez des noix de bonne qualité. Le jus de citron ajouté dans cette recette sert à donner une pointe d'acidité au jus des grenades européennes, plutôt sucrées.

Servez avec du riz basmati cuit à l'eau ou à la manière persane *chilau* (trempé et cuit à l'eau puis passé à la vapeur avec du beurre et de l'huile pour le rendre croustillant).

Pour extraire le jus des grenades, pressez les fruits non épluchés sur toute leur surface pour écraser la pulpe rouge qui entoure les pépins et lui faire rendre son jus. Mettez ensuite les fruits dans un tamis, au-dessus d'une terrine, et coupez la peau avec un couteau aiguisé : le jus coulera dans la terrine.

Pour 4 personnes

Canard ou gros poulet coupé en morceaux, ou 1 à 1,500 kg d'épaule d'agneau coupée en cubes de 2,5 cm de côté	1 kg
Jus de grenades additionné du jus passé d'un citron, ou 4 à 5 cuillerées à soupe de sirop de grenadine	20 à 25 cl
Noix pilées	200 à 250 g
Sel et poivre	
Beurre	90 g
Gros oignons hachés	2
Sucre en poudre	2 cuillerées à soupe
Bouillon de bœuf *(page 167)*	75 cl environ
Cannelle en poudre, muscade râpée et poivre noir	2 pincées de chaque
Stigmates de safran mis à tremper 10 minutes dans 2 cuillerées à soupe d'eau chaude	2 pincées

Assaisonnez la viande. Dans une grande cocotte contenant 60 g de beurre chaud, faites-la revenir à feu doux 30 minutes environ, jusqu'à ce qu'elle soit presque cuite. Dans une casserole contenant le reste de beurre, faites fondre l'oignon. Quand il est doré, incorporez les noix. Mouillez avec le jus de grenade et de citron ou le sirop de grenadine et ajoutez le sucre. Ajoutez ensuite une quantité suffisante de bouillon pour obtenir 75 cl environ de liquide — ce qui signifie que vous en mettrez moins avec le jus de grenade et de citron et plus avec le sirop de grenadine. Ajoutez les épices. Laissez cuire 15 minutes à feu doux, en remuant.

Désossez le canard ou le poulet. Ajoutez la viande à la sauce. Laissez cuire encore 20 minutes, jusqu'à ce que la viande soit tendre et baigne dans une sauce foncée et aigre-douce. Corrigez l'assaisonnement selon le goût.

JANE GRIGSON
JANE GRIGSON'S FRUIT BOOK

139

Oie aux poires

Oca con peras

En général, une oie pèse entre 3 et 4 kg, ce qui permet de servir de 6 à 8 personnes. Doublez alors les quantités indiquées.

Pour 4 personnes

Oie vidée, coupée en morceaux et assaisonnée	Une de 1,200 à 1,500 kg
Petites poires mûres pelées	4
Huile	25 cl
Saindoux	50 g
Oignons hachés	2
Farine	3 cuillerées à soupe
Bouillon *(page 167)*	50 cl
Amandes mondées et grillées	100 g
Gousses d'ail hachées	4
Brins de persil	3
Biscuit peu sucré	1
Vinaigre de vin blanc	2 cuillerées à soupe
Sel et poivre	

Dans une casserole contenant l'huile et le saindoux chauds, faites dorer les morceaux d'oie. Égouttez-les, mettez-les dans une autre casserole et couvrez. Réservez la graisse.

Dans une grande cocotte contenant 4 cuillerées à soupe de graisse réservée et chauffée, faites revenir les oignons. Incorporez 2 cuillerées à soupe de farine et laissez cuire à feu doux. Délayez avec le bouillon et portez à ébullition, sans cesser de remuer, pour obtenir une sauce homogène. Ajoutez les morceaux d'oie en veillant à les immerger dans la sauce. Laissez mijoter de 15 à 20 minutes.

Dans un mortier, pilez les amandes avec l'ail, le persil et le biscuit. Incorporez le vinaigre et ajoutez ce mélange au contenu de la cocotte.

Faites pocher les poires dans de l'eau bouillante de 5 à 8 minutes. Égouttez-les, enduisez-les du reste de farine et faites-les dorer dans le reste de graisse réservée. A mi-cuisson de l'oie, au bout de 20 minutes environ, ajoutez les poires et corrigez l'assaisonnement. Laissez cuire encore 20 minutes environ, jusqu'à ce que l'oie soit tendre. Servez dans la cocotte, en répartissant soigneusement les poires.

ANA MARIA CALERA
365 RECETAS DE COCINA CATALANA

Pintades fermières

Pintada hacienda

Les raisins secs de Malaga sont considérés comme les meilleurs. Vous pouvez cependant les remplacer par toute autre variété.

Pour 4 personnes

Pintades troussées	Deux de 1 kg
Sel et poivre	
Beurre fondu	60 g
Crème fraîche épaisse	50 cl
Raisins secs de Malaga hachés menu	100 g
Bouillon de bœuf *(page 167)*	1 cuillerée à soupe
Porto	10 cl

Salez et poivrez l'intérieur et l'extérieur des pintades. Faites-les rôtir au four préchauffé entre 190 °C et 200 °C (5 à 6 au thermostat) 45 minutes, jusqu'à ce qu'elles soient tendres, en les mouillant de temps en temps avec le beurre fondu.

Pendant ce temps, mélangez la crème avec les raisins secs, le bouillon et la moitié du porto. Salez et poivrez selon le goût. Faites réduire de moitié à feu modéré. Quand les pintades sont cuites, sortez-les du four, dressez-les sur un plat de service chaud et remettez-les au four éteint, en fermant la porte, pour les tenir au chaud.

Dégraissez le jus de cuisson et ajoutez-y le reste de porto et la sauce réduite. Coupez les pintades en quatre et dressez-les sur le plat de service. Vérifiez l'assaisonnement de la sauce et nappez-en les pintades. Servez d'abord les ailes puis les cuisses.

CARLOS DELGADO (RÉDACTEUR)
CIEN RECETAS MAGISTRALES

Pintades braisées aux pommes

Pintada braseada a la manzana

Pour 8 personnes

Pintades	2
Reinettes évidées et coupées en gros morceaux	2
Huile d'olive	15 cl
Oignon haché menu	1
Carotte hachée menu	1
Poireau haché menu	1
Sel	
Farine	1 cuillerée à soupe
Cidre ou vin blanc secs	15 cl
Tomates pelées, épépinées et hachées	500 g

Reinettes pelées, évidées et coupées en tranches fines	2
Œuf battu	1
Farine	
Huile pour friture	

Dans une cocotte contenant l'huile d'olive, faites fondre l'oignon avec la carotte et le poireau hachés 5 minutes environ, sans les laisser dorer. Enlevez-les avec une écumoire, mélangez-les avec les morceaux de pomme et farcissez les pintades. Salez-les et mettez-les dans la cocotte.

Faites cuire 5 minutes à feu vif puis baissez le feu, couvrez et laissez cuire encore 20 minutes. Saupoudrez de farine. Au bout de 10 minutes, incorporez le cidre ou le vin blanc et les tomates. Couvrez et laissez cuire encore 45 minutes environ, jusqu'à ce que les pintades soient tendres.

Quand les pintades sont cuites, enlevez-les de la cocotte et tenez-les au chaud. Sortez les morceaux de pomme de la farce et mettez-les dans la cocotte. Faites cuire cette sauce 5 minutes jusqu'à ce que les pommes soient complètement ramollies et passez-la au moulin à légumes pour obtenir une purée. Passez cette purée au chinois dans une petite casserole.

Pour la garniture, enduisez les tranches de pomme d'œuf battu et de farine et faites-les rapidement dorer dans de l'huile chaude. Salez.

Coupez les pintades en morceaux, dressez-les sur un plat de service chaud et nappez-les de sauce préalablement portée à ébullition. Garnissez de tranches de pommes dorées.

JOSÉ CASTILLO
MANUAL DE COCINA ECONOMICA VASCA

Coqs de bruyère aux coings

Grouse with Quinces

Pour 4 personnes

Coqs de bruyère	2
Coings coupés en 4, évidés et coupés en tranches	4
Tranches fines de lard	4
Beurre	125 g
Jus d'orange	15 cl
Bâton de cannelle (facultatif)	2,5 cm
Sel et poivre	

Ficelez les tranches de lard sur la poitrine des coqs. Faites fondre les coings 15 minutes environ dans 30 g de beurre. Dans une cocotte en fonte, faites fondre le reste de beurre. Quand il commence à mousser, ajoutez les coqs et faites-les revenir sur les deux faces. Ajoutez le jus d'orange, la cannelle si vous en utilisez,

du sel et du poivre. Couvrez et laissez mijoter à feu doux de 1 heure à 1 heure 15 minutes, selon la taille des coqs. En les retournant une fois ou deux pour qu'ils dorent uniformément. A mi-cuisson, ajoutez les coings. Avant de servir, enlevez la cannelle, découpez les coqs et dressez-les sur un plat. Entourez-les de coings et nappez-les de jus.

NATHALIE HAMBRO
PARTICULAR DELIGHTS

Cailles aux raisins

Pour brider les cailles, relevez la peau du cou de manière à faire apparaître la fourchette. Coupez la chair en contournant l'os et dégagez le bout de cartilage qui le relie au bréchet. Retirez la fourchette. Rabattez la peau sur l'orifice du cou. Enfilez une aiguille à brider et piquez-la dans la partie supérieure des ailes afin de les maintenir contre le corps, puis dans les pilons. Faites un nœud et coupez. Bardez les cailles pendant la cuisson pour qu'elles ne se dessèchent pas.

Pour 4 personnes

Cailles vidées	4
Raisins blancs sans pépins, pelés	250 g
Sel et poivre	
Foie gras	4 cuillerées à café
Feuilles de vigne (facultatif)	4
Lard gras coupé en 4 bardes fines	125 g
Beurre	30 g
Armagnac ou cognac	2 cuillerées à soupe

Salez et poivrez légèrement l'intérieur de chaque caille et farcissez-les d'une cuillerée à café de foie gras et d'un ou deux grains de raisin. Si vous avez des feuilles de vigne, enveloppez les cailles dedans. Couvrez la poitrine de chaque caille d'une barde de lard et ficelez-les ou bridez-les.

Dans une petite cocotte contenant le beurre chaud, faites rôtir les cailles 10 minutes environ au four préchauffé à 220°C (7 au thermostat) jusqu'à ce qu'elles soient presque tendres. Sortez la cocotte du four et versez l'armagnac ou le cognac. Faites flamber. Dès que les flammes s'éteignent, ajoutez le reste de raisins et mouillez généreusement les oiseaux. Baissez la température du four à 180°C (4 au thermostat) et laissez cuire encore 5 minutes. Servez directement dans la cocotte.

ALEXANDER WATT
PARIS BISTRO COOKERY

Faisan au raisin en cocotte

Stegt Fasan med Druer

Pour 4 personnes

Faisans	2
Raisin noir ou blanc	350 g
Farine	60 g
Beurre	90 g
Fond de volaille ou fumet de gibier chauds *(page 167)*	25 cl
Sel	1 cuillerée à café
Madère	2 cuillerées à soupe environ

Farcissez les faisans avec la moitié du raisin. Refermez-les avec du fil ou avec des brochettes. Farinez-les. Faites fondre le beurre dans une cocotte assez grande pour les contenir. Faites-les revenir sur toutes leurs faces. Mouillez avec le fond ou le fumet, couvrez hermétiquement et laissez mijoter 45 minutes environ, jusqu'à ce qu'ils soient tendres. Vérifiez la cuisson en enfonçant une brochette fine dans un pilon. Salez-les. Dressez-les sur un plat de service chaud et tenez-les au chaud. Faites réduire le liquide de cuisson à 15 cl, à feu vif et à découvert. Incorporez du madère selon le goût. Nappez les faisans de sauce, garnissez avec le reste de raisin et servez.

NIKA HAZELTON
DANISH COOKING

Râble de lapereau de garenne à la normande

Pour 2 personnes

Râble de lapereau	1
Pommes moyennes pelées, épépinées et émincées	3
Sel et poivre	
Moutarde de Dijon	2 cuillerées à café
Crème fraîche épaisse	6 cuillerées à soupe
Calvados	3 cl

Préparation la veille: assaisonner le râble avec du sel et du poivre. Le tartiner de moutarde. Le mettre en terrine avec les pommes. Recouvrir le tout de (4 cuillerées à soupe de) crème.

Le jour même, sortir d'abord les pommes de la terrine, les mettre à cuire au four (préchauffé à 180°C, 4 au thermostat) avec le reste de la crème (de 10 à 15 minutes).

Faire cuire le râble 3 minutes de chaque côté à la salamandre ou sous le gril du four porte ouverte. Le placer sur les pommes en fin de cuisson et l'arroser du calvados flambé. Achever la cuisson (4 ou 5 minutes). Servir le lapin sur les pommes.

ANDRÉ GUILLOT
LA VRAIE CUISINE LÉGÈRE

Lapin aux pruneaux et aux raisins

Pour 4 personnes

Lapin coupé en 8 morceaux	1
Pruneaux mis à tremper 3 heures dans de l'eau chaude	250 g
Raisins de Corinthe mis à tremper 3 heures dans de l'eau chaude	100 g
Farine	3 cuillerées à soupe
Beurre	60 g
Lard coupé en dés	100 g
Fond de veau *(page 167)*	50 cl
Petits oignons	5
Bouquet garni	1
Sel et poivre	

Passez les morceaux de lapin dans la farine. Faites-les revenir dans le beurre chaud ainsi que le lard. Mouillez avec le fond, ajoutez les oignons et le bouquet garni, salez, poivrez; laissez cuire pendant 40 minutes. Mettez alors les pruneaux et les raisins trempés. Remettez à cuire 15 à 20 minutes.

TANTE MARIE
LA VÉRITABLE CUISINE DE FAMILLE

Lapin aux pruneaux

Pour faire mariner les morceaux de lapin et les braiser avec des pruneaux, reportez-vous à la page 84. L'auteur conseille de les faire mariner un jour ou deux au réfrigérateur.

Pour 4 personnes

Lapin de clapier coupé en 6 ou 7 morceaux	1
Pruneaux	180 g
Huile	1 cuillerée à soupe
Beurre	15 g
Farine	15 g
Vin rouge	20 cl
Fond de volaille *(page 167)*	30 cl
Gousse d'ail écrasée	1
Bouquet garni	1
Sel et poivre	
Persil haché	1 cuillerée à soupe

Marinade :

Vin rouge	15 cl
Gros bouquet garni	1
Oignon grossièrement haché	1
Carotte grossièrement hachée	1
Grains de poivre noir légèrement écrasés	6
Huile	1 cuillerée à soupe

Mettez les morceaux de lapin dans une terrine — n'utilisez pas de récipient en aluminium — et ajoutez les ingrédients de la marinade en couvrant d'huile. Couvrez et laissez-les mariner à température ambiante de 4 à 12 heures, en les tournant de temps en temps. Versez de l'eau bouillante sur les pruneaux, couvrez et laissez-les tremper 3 heures environ.

Égouttez les morceaux de lapin et épongez-les avec du papier absorbant. Réservez les légumes et le liquide de la marinade en jetant le bouquet garni et les grains de poivre. Dans une sauteuse ou un poêlon contenant l'huile et le beurre chauds, faites revenir les morceaux de lapin sur toutes leurs farces. Mettez-les sur un plat. Mettez l'oignon et la carotte de la marinade dans la sauteuse et faites-les revenir 4 minutes, jusqu'à ce qu'ils soient tendres. Saupoudrez de farine et remuez pour lui faire prendre couleur. Incorporez le liquide de la marinade et le vin rouge et portez à ébullition. Ajoutez le fond de volaille, l'ail et le bouquet garni. Salez et poivrez. Remettez le lapin, couvrez et laissez braiser 25 minutes. Mettez le lapin dans un poêlon et passez la sauce dessus, en foulant les légumes. Égouttez les pruneaux, ajoutez-les, couvrez et laissez mijoter de 10 à 15 minutes, jusqu'à ce que le lapin et les pruneaux soient tendres.

Dressez le lapin sur un plat de service et couvrez-le de pruneaux. Si besoin est, faites réduire la sauce jusqu'à ce qu'elle nappe la cuillère, goûtez l'assaisonnement et nappez-en le lapin. Parsemez de persil haché juste avant de servir.

ANNE WILLIAN ET L'ÉCOLE DE CUISINE LA VARENNE
FRENCH REGIONAL COOKING

Perdreaux au verjus

Il vaut mieux peler les raisins avant de les utiliser pour farcir les perdreaux. Pour les peler, reportez-vous à la page 40. Pour obtenir le verjus, passez 500 g de raisins encore verts au presse-fruits. Si vous n'en trouvez pas, mélangez 25 cl de jus de raisins blancs avec le jus passé de deux citrons.

Pour 6 personnes

Perdreaux vidés	6
Raisins verts	450 g
Beurre	60 g
Cognac	4 cuillerées à soupe
Verjus	30 cl

Farcissez les perdreaux avec les raisins et troussez-les. Faites-les dorer dans le beurre à feu vif. Enlevez la casserole du feu, versez le cognac sur les perdreaux et faites flamber en secouant délicatement jusqu'à l'extinction des flammes. Mettez les perdreaux sur une plaque avec leur jus de cuisson et faites-les rôtir 15 minutes au four préchauffé à 200°C (6 au thermostat). Quand ils sont cuits, dressez-les sur un plat de service chaud. Dégraissez la plaque et déglacez avec le verjus. Portez cette sauce à ébullition et versez-la sur les perdreaux.

WALTER BICKEL ET RENÉ KRAMER
GIBIER ET VOLAILLE DANS LA CUISINE INTERNATIONALE

Lapin aux oranges

Conejo con naranja

Pour 6 à 8 personnes

Lapereaux coupés en 6 morceaux chacun	Deux de 1 kg
Grosses oranges	3
Huile	6 cuillerées à soupe
Oignon moyen haché	1
Farine	1 cuillerée à soupe
Vin blanc sec	45 cl
Assortiment d'herbes (ou bouquet garni composé de persil, de laurier, de thym et d'une gousse d'ail)	1 cuillerée à café
Persil haché	1 cuillerée à soupe
Sel	

Faites chauffer l'huile dans une cocotte. Quand elle est chaude, ajoutez l'oignon. Quand il commence à dorer, ajoutez les morceaux de lapin et faites-les revenir. Saupoudrez de farine, remuez avec une cuillère en bois et versez le vin. Pelez deux lanières de 2,5 cm du zeste d'une orange et ajoutez-les avec les herbes. Salez selon le goût. Couvrez et laissez cuire 1 heure à feu modéré. Pressez deux oranges, passez le jus et versez-le dans la cocotte. Couvrez et laissez cuire encore 20 minutes, en remuant de temps en temps.

Pelez la troisième orange, coupez-la en tranches et coupez chaque tranche en deux. Disposez-les en bordure d'un plat de service. Quand le lapin est cuit, mettez les morceaux au centre du plat, enlevez le zeste d'orange et le bouquet garni (si vous en avez mis un) et versez la sauce par-dessus. Parsemez de persil et servez immédiatement.

SIMONE ORTEGA
MIL OCHENTA RECETAS DE COCINA

Losanges d'amandes en sauce

La quantité de sucre dans la sauce peut être réduite ou doublée.

Les amandes utilisées dans cette recette doivent être très sèches: il vaut donc mieux les monder la veille.

Pour 4 personnes

Amandes mondées	250 g
Chapelure (biscottes moulues)	250 g
Sucre semoule	100 g
Levure en poudre	2 cuillerées à café
Cannelle en poudre	½ cuillerée à café
Sucre vanillé	2 cuillerées à soupe
Eau de fleur d'oranger	1 cuillerée à soupe
Œufs battus	5
Beurre coupé en dés	60 g

Sauce:

Viande de mouton coupée en morceaux	500 g
Sachet de safran ou colorant	½
Bâton de cannelle	2,5 cm
Beurre	30 g
Sucre en poudre	2 cuillerées à soupe
Eau de fleur d'oranger	1 cuillerée à soupe

Dans un fait-tout, ou une cocotte, mettez la viande coupée en morceaux, le safran, la cannelle et le beurre. Couvrez d'eau. Laissez cuire (1 heure à tout petit frémissement), en surveillant le niveau de l'eau.

Quand la viande est cuite, ajoutez le sucre et l'eau de fleur d'oranger. (Sortez la viande et tenez-la au chaud.) Laissez mijoter pour réduire la sauce au maximum.

Entre-temps, passez les amandes à la moulinette (disque assez fin). Si elles ne sont pas tout à fait sèches, passez-les quelques minutes au four chaud (préchauffé à 220°C, 7 au thermostat). Ajoutez aux amandes moulues les biscottes moulues également, le sucre, la levure, la cannelle, le sucre vanillé, l'eau de fleur d'oranger et les œufs battus. Mélangez bien le tout. Beurrez un plat allant au four. Répartissez bien le mélange en aplatissant à l'aide d'une cuillère. Ajoutez les dés de beurre dessus. Mettez au four moyen (préchauffé à 180°C, 4 au thermostat) 45 minutes environ, jusqu'à ce que le dessus forme une croûte bien dorée. Retirez du four, coupez en losanges et laissez refroidir. Disposez dans le plat de service la viande d'abord et garnissez de losanges d'amandes. Arrosez de sauce très réduite et bien chaude.

FATIMA-ZOHRA BOUAYED
LA CUISINE ALGÉRIENNE

Bœuf braisé aux prunes

Beef Stew with Plums

Les morceaux de bœuf qui se prêtent le mieux au braisage sont le jarret, la macreuse et le gîte.

Pour 4 à 6 personnes

Bœuf à braiser coupé en morceaux de 3,5 cm	1 kg
Grosses prunes fermes	1 kg
Vin rouge sec	25 cl
Miel (facultatif)	1 à 2 cuillerées à soupe
Beurre	30 g
Huile	2 à 3 cuillerées à soupe
Oignons moyens émincés	3
Quatre-épices	1 cuillerée à café
Vinaigre de vin rouge	2 cuillerées à soupe
Yogourt ou crème aigre	25 cl
Fécule de maïs délayée dans 4 cuillerées à soupe d'eau (facultatif)	1 à 2 cuillerées à soupe
Sel	

Dans une casserole, faites cuire les prunes avec le vin et le miel (si vous en utilisez) 5 minutes environ, jusqu'à ce qu'elles soient tendres. Égouttez-les et réservez le liquide. Laissez-les refroidir et dénoyautez-les.

Dans une sauteuse contenant le beurre fondu avec 2 cuillerées à soupe d'huile, faites revenir les morceaux de viande. Mettez-les dans une cocotte. Ajoutez de l'huile dans la sauteuse si besoin est et faites fondre les oignons. Ajoutez-les à la viande. Déglacez la sauteuse avec le liquide de cuisson des prunes et versez ce jus déglacé sur la viande. Incorporez le quatre-épices et le vinaigre de vin rouge.

Couvrez et faites braiser au four préchauffé à 180°C (4 au thermostat) 1 heure 30 minutes, jusqu'à ce que la viande soit tendre. Quinze minutes avant de servir, incorporez le yogourt ou la crème aigre. Liez la sauce avec la fécule délayée (si vous en utilisez), salez selon le goût et couvrez avec les prunes. Laissez cuire encore 15 minutes à couvert.

NANCY ALBRIGHT
RODALE'S NATURALLY GREAT FOODS COOKBOOK

Longe de veau aux pommes

Contrafilete de ternera con manzanas

Pour que les pommes ne noircissent pas après avoir été pelées, faites-les tremper dans un litre d'eau acidulé.

Pour 4 à 6 personnes

Longe de veau en un morceau	1 kg
Reinettes pelées, évidées et grossièrement émincées	3
Sel et poivre	
Farine	60 g
Oignon émincé	1
Carotte émincée	1
Brins de persil grossièrement hachés	2
Gousses d'ail écrasées	2
Thym	
Huile	50 cl
Vin blanc sec	17 cl
Beurre	100 g
Jaunes d'œufs battus	2

Ficelez solidement la longe, salez-la, poivrez-la et farinez-la. Mettez l'oignon et la carotte sur une plaque à four et ajoutez la longe, le persil, l'ail, un peu de thym et l'huile. Faites rôtir au four préchauffé à 170°C (3 au thermostat) pour que la viande ne dore pas trop. Au bout de 30 minutes, retournez-la et arrosez-la de vin. Laissez-la cuire 2 heures environ. Enlevez-la de la plaque et tenez-la au chaud.

Dans une casserole contenant le beurre fondu, faites fondre et blondir sur les deux faces les pommes, à feu doux. Passez le jus de cuisson de la viande dans une casserole et liez avec les jaunes d'œufs, à l'aide d'un batteur. Tenez cette sauce au chaud au bain-marie. Pour servir, coupez la longe en tranches que vous dressez au centre d'un plat de service ovale chaud. Mettez les pommes le long de la viande, d'un côté. Vérifiez l'assaisonnement de la sauce et nappez-en la viande.

ANA MARIA CALERA
COCINA CASTELLANA

Gigot d'agneau à la moutarde et à l'ananas

Leg of Lamb with Mustard and Fresh Pineapple

Pour 6 à 10 personnes

Gigot d'agneau débarrassé de l'os du quasi	2,500 à 4 kg
Moutarde de Dijon	1 cuillerée à soupe
Ananas frais haché et réduit en purée au mixeur ou au moulin à légumes	300 g
Sel et poivre du moulin	
Beurre	60 g

Salez et poivrez le gigot des deux côtés. Coupez un bout de ficelle de 1,5 mètre environ et ficelez-le en l'enserrant bien complètement. La manière d'opérer la plus simple consiste à nouer la ficelle autour du manche et à la passer autour de la viande jusqu'à ce que la souris soit maintenue. Après chaque tour, ramenez la ficelle dans le nœud pour fixer la boucle.

Pressez la purée d'ananas au tamis dans une petite terrine, en faisant passer le plus de jus et de pulpe possible.

Faites rôtir le gigot sur la grille de la lèchefrite, au four préchauffé à 230 °C (8 au thermostat) pendant 15 minutes. Baissez la température à 190 °C (5 au thermostat) et laissez-le rôtir encore de 1 heure 15 minutes à 1 heure 30 minutes, selon le goût. Vérifiez la température interne avec un thermomètre à viande. Entre 54 °C et 57 °C, la viande est saignante. Entre 60 °C et 65 °C, elle est à point. Au-dessus, elle est bien cuite.

Quand le gigot est convenablement cuit, sortez-le du four, mettez-le sur une planche à découper et laissez-le reposer 15 minutes au moins. Pendant ce temps, dégraissez la lèchefrite et déglacez-la avec 25 cl d'eau à l'aide d'une spatule en bois. Quand le jus est parfaitement limpide, versez-le dans une casserole moyenne. Faites-le réduire de moitié et ajoutez le jus d'ananas. Faites encore réduire de moitié. La sauce doit être assez épaisse et sirupeuse. Ajoutez la moutarde et incorporez au fouet le beurre, à feu très doux. Ajoutez le jus recueilli sur la planche à découper. Hors du feu, salez et poivrez la sauce selon le goût. Faites chauffer des assiettes, versez un peu de sauce dessus et couvrez de tranches de gigot. Servez immédiatement.

MICHÈLE URVATER ET DAVID LIEDERMAN
COOKING THE NOUVELLE CUISINE IN AMERICA

Agneau aux amandes

Cordero con almendras

Pour 6 personnes

Gigot d'agneau coupé en lanières de 5 cm de long et fariné	1 kg
Amandes mondées, hachées et grillées	100 g
Saindoux	125 g
Tête d'ail hachée	1
Oignons hachés menu	200 g
Tomates pelées, épépinées et hachées menu	200 g
Cognac	8 cl
Vin blanc sec	15 cl
Stigmates de safran	12
Persil haché	1 cuillerée à soupe
Thym	1 pincée
Sel et poivre blanc	

Dans une cocotte, faites chauffer le saindoux avec l'ail, les oignons et l'agneau. Faites revenir 10 minutes environ à feu doux et ajoutez les tomates. Mélangez intimement. Mouillez avec le cognac et le vin. Une minute après, ajoutez un litre d'eau. Dans un mortier, pilez la moitié des amandes avec le safran, le persil et le thym. Dès le premier bouillon, ajoutez ce mélange au contenu de la cocotte. Salez, poivrez et laissez cuire 30 minutes environ, jusqu'à ce que l'agneau soit tendre. Parsemez du reste d'amandes. Laissez encore quelques minutes sur le feu pour cuire les amandes et servez très chaud.

CARLOS DELGADO (RÉDACTEUR)
CIEN RECETAS MAGISTRALES

Saté et sauce aux cacahuètes de Ratami

Ratami's Saté and Peanut Sauce

Vous trouverez de la citronnelle, du curry et de la pulpe de tamarin dans les épiceries asiatiques. Pour obtenir le jus de tamarin, faites tremper un morceau de pulpe gros comme une noisette dans 12 cl d'eau chaude jusqu'à ce qu'il soit tendre. Tamisez au-dessus d'une terrine en pressant à plusieurs reprises avec une cuillère en bois.

Pour préparer les oignons frits, faites chauffer une quantité suffisante d'huile d'arachide ou de coprah pour les couvrir. Quand elle est très chaude, jetez-y des oignons lyophilisés hachés et enlevez du feu. Retirez-les avec une truelle à poisson avant qu'ils ne brûlent et égouttez-les sur du papier absorbant.

Dans toutes les sauces indonésiennes, on peut toujours utiliser du beurre de cacahuètes croustillant au lieu de faire griller et de piler les cacahuètes. Malgré tout, ce petit travail supplémentaire en vaut la peine car le résultat y gagne alors en saveur.

Pour 4 personnes

Rumsteck ou gigot d'agneau désossé, coupé en dés de 1 cm de côté	500 g
Sel	½ cuillerée à café
Gousses d'ail écrasées et hachées	2
Jus de tamarin (facultatif)	1 cuillerée à café
Sauce de soja foncée	2 cuillerées à soupe
Oignon d'Espagne râpé	½
Jus de citron	3 cuillerées à café

Sauce aux cacahuètes :

Cacahuètes fraîches dorées dans un peu d'huile et grossièrement hachées ou 125 g de beurre de cacahuètes croustillant	125 g
Oignon d'Espagne râpé ou haché	1
Lait de coco épais *(page 164)*	25 cl
Cassonade	1 cuillerée à soupe
Petit piment fort pilé	1 cuillerée à café
Brin de citronnelle finement émincé ou lanière de 2,5 cm de zeste de citron paré	1
Curry	½ cuillerée à café
Sel et poivre	

Garniture :

Oignons frits	
Jus de citron vert ou jaune	

Pour la sauce, mélangez tous les ingrédients, salez et poivrez selon le goût et portez à ébullition en ajoutant de l'eau si la sauce est trop épaisse. Enlevez du feu et tenez au chaud pendant que vous préparez le *saté*.

Mélangez tous les ingrédients du *saté* sauf la viande. Faites mariner les dés de viande dans cette marinade 30 minutes au moins. Enfilez-les sur des brochettes à 7,5 cm du bout pour pouvoir les tenir. Faites-les griller de 10 à 15 minutes, en les mouillant avec le reste de marinade, sur un barbecue de préférence, mais un gril à gaz ou électrique préchauffé à la température maximale ou même une tôle circulaire placée sur le feu feront aussi bien l'affaire.

Placez les satés (avec les brochettes) sur un grand plat de service chaud et nappez-les de sauce aux cacahuètes. Garnissez d'oignons frits et pressez une goutte de jus de citron par-dessus. Chacun se servira directement dans le plat.

ROSEMARY BRISSENDEN
SOUTH EAST ASIAN FOOD

Boulettes de viande aux cerises
Lahma bil Karaz

Utilisez des cerises noires fraîches et dénoyautées. A défaut, prenez des cerises en conserve ou de la confiture de cerises noires et supprimez le sucre car elles sont déjà assez sucrées.

La pitta est un pain sans levure du Moyen-Orient. Vous en trouverez dans les magasins d'alimentation spécialisés.

Pour 6 personnes

Veau ou agneau maigre, haché	1 kg
Cerises acides ou griottes dénoyautées	500 g
Sel et poivre noir	
Muscade râpée	½ cuillerée à café
Clous de girofle pilés	½ cuillerée à café
Cannelle en poudre	½ cuillerée à café
Huile	10 cl
Sucre en poudre	
Citron, jus passé	½
Pittas coupées en deux dans le sens de la longueur ou 6 tranches fines de pain blanc débarrassées de la croûte	3

Pétrissez la viande hachée pour lui donner une consistance homogène et pâteuse. Salez, poivrez, épicez et pétrissez encore. Façonnez-la en boulettes grosses comme des billes que vous faites revenir dans l'huile à feu doux, en secouant la poêle pour les dorer uniformément.

Faites cuire les cerises dans une grande casserole avec très peu d'eau si vous en utilisez des fraîches. Si vous utilisez des conserves ou de la confiture, ne les faites pas cuire et contentez-vous de les citronner selon le goût. Sucrez et/ou citronnez selon la douceur ou l'acidité des fruits. Ajoutez les boulettes de viande et laissez cuire 10 minutes à feu doux en écrasant les cerises avec une fourchette dès qu'elles sont tendres. Laissez légèrement caraméliser le sucre de la sauce, mais ajoutez un peu d'eau si cela se produit avant que les boulettes soient cuites et les fruits tendres. Laissez refroidir.

Mettez les demi-pittas (côté mie vers le haut) ou les tranches de pain sur un grand plat de service. Couvrez-les de plusieurs boulettes et d'un peu de sauce aux cerises.

CLAUDIA RODEN
PICNIC THE COMPLETE GUIDE TO OUTDOOR FOOD

Noisettes de porc au coulis de figues

Pork Medallions in Fig Coulis

On désigne par « coulis » tout aliment réduit en purée épaisse. Ici, on fait fondre les figues dans du porto et du beurre avant de les réduire en purée. On lie ensuite la sauce avec le coulis obtenu.

N'utilisez pas les pointes de filet. Conservez-les au congélateur : vous les mettrez dans une farce.

Pour 4 personnes

Filet de porc paré de la peau fine et des pointes et coupé en noisettes de 2,5 cm d'épaisseur	1 kg
Figues sèches coupées en 4 à 6 morceaux	4
Porto Tawny	2 cuillerées à soupe
Sel et poivre	
Beurre	100 g
Vinaigre de vin rouge	2 cuillerées à soupe
Echalotes hachées menu	1 cuillerée à soupe
Crème fraîche épaisse	25 cl

Couvrez les morceaux de figue de porto et laissez-les macérer 45 minutes. Mettez-les dans une petite poêle avec le porto, une pincée de sel, 15 g de beurre et 2 cuillerées à soupe d'eau. Couvrez et laissez mijoter 20 minutes environ, jusqu'à ce que les figues soient tendres et aient absorbé presque tout le liquide. Réduisez-les en purée au moulin à légumes ou au mixeur avec 30 g de beurre.

Salez et poivrez légèrement les noisettes de porc. Faites fondre 40 g de beurre dans une poêle de 30 cm de diamètre à feu modéré. Quand le beurre est chaud, ajoutez les noisettes et faites-les revenir 5 minutes sur chaque face — pas plus car elles se dessècheraient. Enlevez-les et tenez-les au chaud sur une assiette en les couvrant d'une feuille de papier d'aluminium.

Déglacez la poêle avec le vinaigre, les échalotes et le reste de beurre. Ajoutez la crème fraîche et le jus de cuisson de la viande, s'il y en a. Faites réduire cette sauce une minute à feu modéré. Éteignez le feu et incorporez au fouet le coulis de figues. Salez et poivrez selon le goût. Tamisez la sauce dans une petite casserole et faites-la réchauffer une minute.

Pour servir, versez la sauce au milieu d'assiettes chaudes et posez les noisettes de porc dessus.

MICHÈLE URVATER ET DAVID LIEDERMAN
COOKING THE NOUVELLE CUISINE IN AMERICA

Noisettes de porc Sonoma Valley

Pour 4 personnes

Filet de porc désossé, entièrement dégraissé et coupé en noisettes de 1 cm d'épaisseur	600 g
Grains de raisin sans pépins pelés et mis à macérer une nuit dans 35 cl de Riesling	250 g
Sel et poivre	
Farine	30 g
Beurre	90 g
Fond de veau *(page 167)*	35 cl

Égouttez les grains de raisin et réservez 12 cl du vin dans lequel ils ont macéré. Salez et poivrez les noisettes de porc et farinez-les très légèrement. Faites chauffer une sauteuse à fond épais et ajoutez 30 g de beurre. Faites dorer les noisettes 3 ou 4 minutes sur chaque face. Mettez-les sur un plat chaud et dégraissez la sauteuse. Déglacez la sauteuse avec le vin réservé et faites réduire le jus du tiers. Ajoutez le fond et laissez réduire et légèrement épaissir. Salez et poivrez. Incorporez au fouet 30 g de beurre coupé en petits morceaux.

Dans une casserole, réchauffez lentement les grains de raisin dans le reste de beurre fondu. Égouttez-les et ajoutez-les à la sauce chaude. Mettez deux noisettes de porc sur chaque assiette chaude, nappez-les de sauce et de raisin et servez.

WOLFGANG PUCK
WOLFGANG PUCK'S MODERN FRENCH COOKING

Jambon désossé farci à la sauce aux fruits

Boneless Stuffed Leg of Pork with Fruit Sauce

Pour 10 à 12 personnes

Jambon désossé	3,500 à 5,500 kg
Figues sèches	175 g
Abricots secs dénoyautés	90 g
Raisins de Corinthe ou raisins secs	90 g
Marrons épluchés et hachés	350 g
Amandes mondées	75 g
Sel et poivre	
Glace de viande *(page 167)*	17 cl
Beurre divisé en 8 morceaux	125 g

Poivrez l'intérieur et l'extérieur du jambon. Dans une terrine, mélangez les fruits secs. Farcissez le jambon de ce mélange et ficelez-le solidement. Faites-le rôtir sur une grille, dans une lèchefrite, au four préchauffé à 200°C (6 au thermostat) de 3 à 4 heures, jusqu'à ce qu'un thermomètre à viande piqué dans le jambon indique 74°C. Mettez le jambon sur une planche à découper et laissez-le reposer pendant que vous préparez la sauce. Avec une cuillère, prélevez le quart environ de la farce que vous réduisez en purée au mixeur. Dans une casserole, mélangez la glace de viande avec cette purée en fouettant à feu modéré. Incorporez au fouet le beurre par morceaux. Enlevez du feu et assaisonnez. Pour servir, enlevez le fil du jambon et coupez-le en tranches de 5 mm d'épaisseur. Incorporez le jus recueilli sur la planche à la sauce que vous servez à part.

MICHÈLE URVATER ET DAVID LIEDERMAN
COOKING THE NOUVELLE CUISINE IN AMERICA

Longe de porc aux pommes

Lomo de cerdo con manzanas

Pour que les pommes ne noircissent pas, immergez-les dans un litre d'eau acidulée avec le jus de deux citrons.

Pour 4 personnes

Longe de porc	750 g
Pommes pelées, évidées et coupées en 8 tranches égales, trognons réservés	500 g
Huile	3 cuillerées à soupe
Oignon émincé	1
Carotte émincée	1
Feuille de laurier	½
Sel	
Grains de poivre	3
Bière	50 cl
Vin blanc sec	17 cl
Sucre en poudre	50 g
Farine	2 cuillerées à soupe
Beurre	50 g

Dégraissez la longe et faites fondre la graisse dans une poêle avec l'huile. Mettez la longe dans une cocotte avec la graisse fondue, l'oignon, la carotte, le laurier, un peu de sel et les grains de poivre. Faites-la dorer 30 minutes au four préchauffé à 220°C (7 au thermostat). Ajoutez la bière et les trognons de pommes (sans les pépins). Couvrez, baissez la température du four à 180°C (4 au thermostat) et laissez cuire 1 heure 30 minutes.

Mettez les tranches de pommes dans une tourtière, arrosez-les de vin, saupoudrez-les de sucre et de farine et parsemez-les de beurre. Faites-les fondre et dorer 20 minutes environ au four. Quand la longe est cuite, sortez-la du four et laissez-la reposer un moment. Passez la sauce et tenez-la au chaud. Pour servir, coupez la viande en tranches que vous dressez sur un plat de service. Nappez de sauce et décorez d'une bordure de pommes.

ANA MARIA CALERA
COCINA CASTELLANA

Épaule de porc au melon

Varkensschouder met meloen

Servez ce plat avec du riz à l'eau et des champignons, des haricots verts ou une salade et un vin rosé léger.

Pour 4 personnes

Epaule de porc	1 kg
Petit melon brodé débarrassé de l'écorce, coupé en 4 puis en tranches épaisses, jus réservé	1
Gousses d'ail écrasées	2
Citron, jus passé	½
Sel et poivre	
Romarin haché	1 cuillerée à café
Beurre (ou 8 cuillerées à soupe d'huile d'olive)	125 g
Eau ou vin blanc sec	25 cl
Rhum	12 cl

La veille (ou le matin), enduisez l'épaule d'ail et de jus de citron. Salez, poivrez, saupoudrez de romarin et laissez mariner 30 minutes. Faites-la dorer sur toutes ses faces 30 minutes dans une sauteuse contenant le beurre fondu ou l'huile chaude, à feu doux, en mouillant souvent et en ajoutant un peu d'eau ou de vin de temps en temps. Sortez-la et mettez-la au frais pour pouvoir la dégraisser quand elle aura refroidi. Dégraissez le jus de cuisson.

Le lendemain (ou le soir-même), faites cuire l'épaule dans le jus dégraissé, à feu doux et à couvert, pendant 30 minutes. Arrosez-la avec le jus de melon. A mi-cuisson, disposez les tranches de melon autour de l'épaule. Juste avant d'enlever l'épaule, faites chauffer le rhum, versez-le dessus et faites flamber. Servez dès que les flammes sont éteintes.

HUGH JANS
BISTRO KOKEN

Côtes de porc aux pruneaux

Pour 4 personnes

Côtes de porc de 2,5 cm d'épaisseur	4
Pruneaux	250 g
Thé ou eau bouillants	75 cl
Huile	1 cuillerée à soupe
Beurre	15 g
Farine	20 g
Vin blanc sec	25 cl
Fond de veau ou de volaille *(page 167)*	25 cl
Gousse d'ail écrasée	1
Bouquet garni	1
Sel et poivre	
Persil haché	1 cuillerée à soupe

Marinade :

Vin blanc	12 cl
Bouquet garni	1
Oignon grossièrement haché	1
Carotte grossièrement hachée	1
Grains de poivre concassés	6
Huile	1 cuillerée à soupe

Mélangez les ingrédients de la marinade et faites mariner les côtes de porc à température ambiante de 4 à 12 heures en les tournant de temps en temps, ou un jour ou deux au réfrigérateur. Versez le thé ou l'eau bouillants sur les pruneaux, couvrez et laissez-les macérer 3 heures environ.

Égouttez les côtes de porc et épongez-les en réservant le liquide et les légumes de la marinade. Dans une sauteuse ou une cocotte peu profonde contenant l'huile et le beurre chauds, faites-les dorer sur les deux faces. Sortez-les de la sauteuse, ajoutez l'oignon et la carotte de la marinade et laissez-les fondre. Saupoudrez-les de farine, mélangez et faites-les dorer. Mouillez avec le liquide de la marinade et le vin et portez à ébullition. Ajoutez le fond, l'ail et le bouquet garni. Salez et poivrez. Remettez les côtes de porc dans la sauteuse et ajoutez les pruneaux préalablement égouttés. Couvrez et laissez mijoter de 35 à 45 minutes, jusqu'à ce que la viande soit tendre.

Dressez les côtes de porc sur un plat de service ou sur des assiettes et couvrez-les de pruneaux. Passez la sauce. Faites-la réduire jusqu'à ce qu'elle nappe légèrement la cuillère, si besoin est. Goûtez l'assaisonnement et versez-la sur le porc. Parsemez de persil avant de servir.

ANNE WILLAN
LA VARENNE'S PARIS KITCHEN

Sauté de porc aux mangues

Pork Mango Sauté

Servez avec des ignames cuits au four ou avec du riz complet.

Pour 4 personnes

Epaule de porc ou jambonneau coupé en bâtonnets de 5 mm d'épaisseur sur 1 cm de large	500 g
Petites mangues (soit 1 kg en tout) épluchées et coupées en tranches	4
Jus de citron vert	4 cuillerées à soupe
Sel	1 cuillerée à café
Poivre noir du moulin	2 pincées
Cacahuètes concassées	150 g
Huile d'arachide	3 cuillerées à soupe
Gousses d'ail hachées	2
Ciboules finement émincées	4

Mélangez la moitié du jus de citron vert, du sel et du poivre. Faites mariner la viande 30 minutes dans ce mélange. Mélangez le reste de jus de citron vert, de sel et de poivre et faites mariner les mangues 30 minutes dans ce mélange.

Faites légèrement dorer les cacahuètes dans l'huile. Égouttez-les sur du papier absorbant. Dans la même poêle, faites revenir l'ail et les ciboules 3 minutes environ, en ajoutant de l'huile si besoin est, sans cesser de remuer. Ajoutez la viande et laissez-la cuire jusqu'à ce qu'elle ait perdu sa couleur rose. Disposez les mangues en couche sur la viande, couvrez, baissez le feu et laissez cuire de 5 à 10 minutes, jusqu'à ce que la viande soit parfaitement cuite.

Garnissez de cacahuètes et servez.

NANCY ALBRIGHT
RODALE'S NATURALLY GREAT FOODS COOKBOOK

Tourte au jambon fumé et aux abricots

Gammon and Apricot Pie

Pour 2 personnes

Belle tranche de jambon fumé de 2,5 cm d'épaisseur	1
Abricots secs mis à tremper 12 heures dans de l'eau froide et égouttés	250 g
Beurre	15 g
Poivre du moulin	
Raisins de Smyrne	30 g
Fond de veau *(page 167)*	30 cl
Pommes de terre coupées en tranches épaisses	6

Dans une poêle contenant le beurre chaud, faites légèrement dorer le jambon sur les deux faces. Mettez-le dans une tourtière. Disposez les abricots égouttés par-dessus. Donnez quelques tours de moulin à poivre sur les fruits, parsemez de raisins de Smyrne et versez le fond. Couvrez de tranches de pommes de terre et mettez une feuille de papier sulfurisé sur la tourtière. Faites cuire 1 heure au four préchauffé à 180°C (4 au thermostat). Servez chaud.

PAUL DINNAGE
THE BOOK OF FRUIT AND FRUIT COOKERY

———————◆———————

Porc farci à la rhubarbe

Rhubarb Stuffed Pork

Pour 4 personnes

Rhubarbe hachée menu	500 g
Filet de porc coupé en 4 morceaux aplatis en tranches très fines	500 g
Petit oignon haché menu	1
Mie de pain émiettée	125 g
Cidre sec	30 cl
Beurre	90 g
Sel et poivre noir du moulin	
Sucre en poudre	1 cuillerée à café
Farine	30 g

Mélangez la rhubarbe avec l'oignon et la mie de pain et mouillez cette farce avec un peu de cidre.

Enduisez chaque tranche de porc de farce, enroulez-les et fixez-les avec un bâtonnet ou ficelez-les.

Dans une poêle contenant 60 g de beurre fondu, faites légèrement dorer ces roulades sur toutes leurs faces. Mettez-les dans une cocotte allant au four, mouillez-les du reste de cidre, assaisonnez-les et sucrez-les. Couvrez et faites-les cuire au four préchauffé à 180°C (4 au thermostat) de 45 minutes à 1 heure, jusqu'à ce qu'elles soient tendres.

Dressez ces roulades sur un plat de service chaud et tenez-les au chaud. Faites fondre le reste de beurre dans une casserole, incorporez la farine et délayez progressivement avec le jus de cuisson pour obtenir une sauce homogène. Laissez bouillir cette sauce une minute et nappez-en les roulades.

PAMELA WESTLAND
A TASTE OF THE COUNTRY

———————◆———————

Lard aux pommes et aux poires séchées

Schnitzen

Pour préparer le schnitzen, *spécialité alsacienne, reportez-vous aux explications données à la page 84. Si le lard est très salé, l'auteur conseille de le mettre dans une casserole d'eau froide que vous portez à ébullition, de le laisser frémir 2 ou 3 minutes puis de l'égoutter, de le rincer à l'eau froide et de l'égoutter encore soigneusement. Pour caraméliser plus facilement les fruits, délayez le caramel avec un peu d'eau chaude avant de l'enlever du feu. Vous pouvez remplacer le fond de veau utilisé pour dissoudre le caramel qui reste dans la casserole par la même quantité de vin blanc sec et, ajouter du vin pour mouiller le plat pendant la cuisson, si besoin est.*

Pour 6 personnes

Lard maigre débarrassé de la couenne et coupé en tranches épaisses	300 g
Pommes séchées, mises à tremper une nuit dans de l'eau froide et égouttées	150 g
Poires séchées, mises à tremper une nuit dans de l'eau froide et égouttées	150 g
Sucre en poudre	60 g
Eau	2 cuillerées à soupe
Fond de veau *(page 167)*	23 cl environ
Pommes de terre coupées en 4	750 g
Sel et poivre	

Préparez un caramel clair: dans une casserole, faites fondre le sucre dans l'eau et laissez bouillir jusqu'à ce que le sirop soit brun. Hors du feu, ajoutez les pommes et les poires et remuez pour les enrober. Foncer une casserole avec le lard et disposez les fruits par-dessus. Faites dissoudre le caramel qui reste dans la casserole avec le fond de veau et ajoutez-le. Couvrez et laissez mijoter de 35 à 45 minutes, jusqu'à ce que les fruits et le lard soient presque tendres.

Ajoutez les pommes de terre, salez et poivrez, couvrez et laissez mijoter encore 30 minutes, jusqu'à ce qu'elles soient tendres, en mouillant si besoin est. Les pommes de terre et les fruits cuits doivent être moelleux sans avoir la consistance d'une soupe. Goûtez l'assaisonnement. Servez le tout dans un plat ou mélangez les pommes de terre et les fruits et couvrez-les de lard.

ANNE WILLIAM ET L'ÉCOLE DE CUISINE LA VARENNE
FRENCH REGIONAL COOKING

Foie d'agneau aux groseilles

Lamb's Liver and Redcurrants

Servez avec du riz brun au beurre et au persil et une salade.

Pour 4 personnes

Foie d'agneau coupé en lanières courtes et fines	750 g
Groseilles	250 g
Beurre	40 g
Oignon moyen, haché menu	1
Vin rouge sec	15 cl
Thym haché	1 cuillerée à soupe

Dans une poêle à fond épais contenant 30 g de beurre fondu, faites revenir la moitié du foie à feu vif. Enlevez-le, réservez-le et faites revenir le reste. Baissez le feu, laissez légèrement refroidir la poêle et faites fondre le reste de beurre. Ajoutez l'oignon, laissez-le fondre puis versez le vin et portez à ébullition à feu un peu plus vif, en remuant et en raclant les sucs caramélisés au fond de la poêle. Incorporez les groseilles et le thym, remettez le foie, couvrez et laissez mijoter pendant 10 minutes à feu très doux.

GAIL DUFF
PICK OF THE CROP

Le péché mignon des conseillers municipaux

Ratsherrn-Platte

Pour 4 personnes

Rognons de porc coupés en 2, parés de graisse intérieure et coupés en tranches	350 à 400 g
Pêches pelées, dénoyautées et coupées en tranches	2 ou 3
Mandarines épluchées et coupées en tranches	1 ou 2
Saindoux ou graisse de rôti de porc	30 g
Farine	1 cuillerée à soupe
Crème aigre	12 cl
Sel	
Beurre	

Faites revenir les rognons 3 ou 4 minutes dans le saindoux ou la graisse chauffés, enlevez-les de la poêle et tenez-les au chaud. Incorporez la farine à la graisse chaude, ajoutez la crème aigre et assaisonnez. Ajoutez les rognons pour les réchauffer dans la sauce et dressez-les sur un plat de service. Faites rapidement revenir les pêches et les mandarines dans du beurre chaud, garnissez-en les rognons et servez.

URSULA GRÜNINGER
COOKING WITH FRUIT

Boudin noir aux pommes

Morcillas salteadas con manzanas

Pour 4 personnes

Boudins noirs	1 kg
Pommes évidées et coupées en morceaux	6
Beurre	60 g
Raisins blancs pelés	125 g
Sel et poivre	

Piquez les boudins avec un aiguille pour qu'ils n'éclatent pas. Faites-les cuire 10 minutes environ dans la moitié du beurre. Dans une autre poêle, faites dorer les pommes dans le reste de beurre préalablement fondu et très chaud. Si la poêle n'est pas assez grande pour contenir toutes les pommes à la fois, faites-les dorer par petites quantités.

Foncez un plat de service chaud avec les pommes. Assaisonnez. Couchez les boudins sur ce lit. Faites chauffer les raisins dans la poêle à la dernière minute et parsemez-en les boudins.

ANA MARIA CALERA
COCINA CASTELLANA

« Anges noirs »

Dark Angels

Pour 4 personnes

Pruneaux mis à tremper et dénoyautés	16
Amandes salées, coupées en 2	8
Sel et poivre de Cayenne	
Tranches fines de lard débarrassées de la couenne	2
Beurre	30 g
Tranches de pain débarrassées de la croûte	4

Remplacez les noyaux des pruneaux par les demi-amandes. Assaisonnez de sel et de cayenne. Enveloppez les pruneaux dans des morceaux de lard coupés aux dimensions requises. Embrochez-les et passez-les sous le gril. Faites chauffer 4 assiettes.

Faites revenir les tranches de pain dans le beurre fondu jusqu'à ce qu'elles soient croustillantes. Mettez-les sur les assiettes chaudes et placez 4 pruneaux sur chaque canapé. Servez.

OSWELL BLAKESTON
COOKING WITH NUTS

Coings farcis au bœuf ou au veau

Dyuli, Pulneni s Meso

Pour 8 personnes

Coings mûrs épongés, couvercle (côté queue) coupé et réservé	8
Bœuf ou veau hachés	400 g
Oignon haché menu	50 g
Huile ou 100 g de beurre	10 cl
Paprika	1 cuillerée à café
Cannelle en poudre	2 pincées
Sel	
Bouillon de bœuf, fond de veau (page 167) ou eau, chauds	
Sucre en poudre	1 ou 2 cuillerées à café
Jus de tomates	8 cl
Jaunes d'œufs fouettés	2

Avec un petit couteau pointu et une cuillère solide, évidez les coings sans toucher à la base et en raclant soigneusement les parties dures qui entourent le trognon, de manière à laisser une ouverture assez grande pour la farce.

Faites dorer l'oignon dans l'huile ou le beurre puis ajoutez la viande avec le paprika, la cannelle et un peu de sel. Faites sauter ce mélange jusqu'à ce que presque tout le liquide se soit évaporé. Goûtez et corrigez l'assaisonnement. Farcissez les coings, remettez les couvercles et placez-les à la verticale dans un plat à four assez grand pour les contenir en une seule couche. Immergez-les au tiers de leur hauteur dans du bouillon, du fond ou de l'eau et ajoutez le sucre et le jus de tomates légèrement salé.

Faites cuire les coings 30 minutes environ à feu modéré et à couvert ou 45 minutes environ au four préchauffé à 180 °C (4 au thermostat), jusqu'à ce qu'ils soient tendres mais encore intacts et que le liquide de cuisson ait réduit de plus de la moitié.

Pour servir, dressez les coings sur des assiettes et tenez-les au chaud. Passez le liquide de cuisson et liez-le progressivement avec les jaunes d'œufs, sans cesser de fouetter. Versez la sauce obtenue dans une petite casserole et faites-la chauffer à feu doux sans laisser atteindre l'ébullition. Répartissez-la sur les fruits et servez immédiatement.

N. TSOLOVA, V. STOILOVA ET SN. EKIMOVA
IZPOLZOUVANE NA ZELENCHOUTSITE I PLODOVETE V DOMAKINSTVOTO

Papayes farcies

Stuffed Papaya

Pour farcir les papayes, reportez-vous aux explications données à la page 76. L'auteur conseille de les servir avec une sauce tomate. Pour la préparer, faites fondre un oignon haché menu dans une cuillerée à soupe d'huile d'olive sans le laisser dorer. Ajouter 750 g de tomates mûres hachées, deux gousses d'ail, une cuillerée à café de thym, une feuille de laurier hachée et une ou deux cuillerées à café de sucre en poudre, selon le goût. Salez, poivrez et laissez mijoter de 20 à 30 minutes, jusqu'à ce que les tomates aient réduit en pulpe épaisse. Tamisez la sauce avant de servir, en la foulant avec un pilon ou une cuillère en bois.

Pour 6 personnes

Papayes vertes pelées, coupées en 2 et épépinées	500 g
Huile	2 cuillerées à soupe
Gros oignon haché menu	1
Gousse d'ail hachée	1
Bœuf maigre haché	500 g
Tomates moyennes, pelées et hachées	3
Petit piment fort rouge ouvert, épépiné et haché	1
Sel et poivre	
Parmesan râpé	4 cuillerées à soupe
Beurre coupé en petits dés	15 g

Faites blanchir les demi-papayes 10 minutes à l'eau bouillante salée. Égouttez-les soigneusement et épongez-les avec du papier absorbant. Dans une poêle contenant l'huile chaude, faites revenir l'oignon et l'ail avec la viande hachée 15 minutes, en remuant de temps en temps pour répartir la viande. Ajoutez les tomates et le piment. Salez et poivrez selon le goût. Laissez cuire quelques minutes en remuant, jusqu'à ce que la farce soit épaisse et homogène. Disposez les demi-papayes dans un plat à four graissé et farcissez-les. Parsemez-les de parmesan râpé puis de beurre et faites-les cuire au four préchauffé à 180 °C (4 au thermostat) de 30 à 40 minutes, jusqu'à ce qu'elles soient parfaitement tendres.

ELISABETH LAMBERT ORTIZ
CARIBBEAN COOKING

Papaye au gratin

Papaja au gratin

Pour obtenir la chapelure blonde, coupez 60 g de pain en tranches, enlevez la croûte et faites dorer la mie 20 minutes au four préchauffé à 180°C (4 au thermostat). Laissez refroidir. Émiettez avec un rouleau à pâtisserie.

Pour 4 personnes

Papayes encore vertes épluchées, coupées en 4, débarrassées des graines et coupées en dés	1 ou 2
Oignon haché menu	1
Beurre	40 g
Tomate concassée	1
Basilic haché	1 cuillerée à soupe
Sel et poivre	
Chapelure blonde	30 g

Faites dorer l'oignon dans 15 g de beurre. Ajoutez la tomate, le basilic et la papaye et faites cuire à feu doux 15 minutes, jusqu'à ce que la papaye soit cuite. Assaisonnez selon le goût et mettez ce mélange dans un plat à four. Couvrez de chapelure dorée, parsemez du reste de beurre et faites gratiner 20 minutes au four préchauffé entre 190°C et 200°C (5 à 6 au thermostat).

E. NAKKEN-RÖVEKAMP
EXOTISCHE GROENTEN EN VRUCHTEN

Farce aux mandarines

Tangerine Stuffing

Pour préparer la farce aux mandarines, reportez-vous aux explications données à la page 78. Pour monder les cerneaux de noix afin que la farce ne soit pas amère, faites-les tremper par petites quantités 2 minutes dans de l'eau bouillante, égouttez-les et laissez-les refroidir avant de détacher la peau brune avec les doigts. Pour écorcer les marrons, reportez-vous aux explications données à la page 62.

Pour farcir une oie ou une dinde de 5,500 kg

Mandarines épluchées et débarrassées de la membrane blanche, divisées en quartiers coupés en 2 dans le sens de la largeur et épépinés	3
Beurre	75 g
Branches de céleri, dont une demie avec les feuilles, coupées en petits dés	2½
Cerneaux de noix hachés menu	90 g
Mie de pain rassis depuis 3 jours, émiettée	250 g
Sauge séchée	1 cuillerée à café
Persil haché	1 cuillerée à soupe
Lait ou eau (facultatif)	1½ à 3 cuillerées à soupe
Sel et poivre noir	
Petit oignon haché menu	½
Marrons écorcés, cuits, égouttés et hachés	300 g
Riz à grain long cuit dans l'eau salée pendant 15 minutes et égoutté	150 g
Thym séché	½ cuillerée à café
Muscade râpée	½ cuillerée à café
Fond de volaille chaud *(page 167)*	8 cl

Dans une petite casserole, faites fondre 30 g de beurre à feu modéré. Dès qu'il ne mousse plus, ajoutez les dés des deux blanches de céleri et faites-les revenir 5 minutes, sans cesser de remuer. Ajoutez les noix et laissez cuire encore 2 minutes. Enlevez du feu et réservez.

Dans une terrine, mélangez la mie de pain avec la sauge et le persil et mouillez avec le lait ou l'eau, selon le goût. Salez et poivrez généreusement.

Dans une autre casserole, faites fondre le reste de beurre à feu modéré. Dès qu'il ne mousse plus, faites fondre l'oignon 10 minutes avec le céleri haché qui reste et ajoutez-les au contenu de la terrine avec les marrons, le riz, le thym et la muscade. Mouillez et liez avec le fond de volaille chaud. Ajoutez les noix et le céleri hachés à l'aide d'une écumoire et incorporez les mandarines. Pour obtenir une farce plus moelleuse, ajoutez le beurre de cuisson des noix et du céleri.

SUPERCOOK

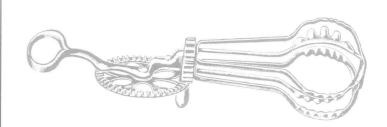

Riz aux marrons

Arròs amb castanyes

Pour 6 personnes

Riz	700 g
Marrons secs mis à tremper 4 heures et cuits à l'eau bouillante 2 minutes, jusqu'à ce qu'ils soient tendres	500 g
Sel	
Côtes de porc découvertes, coupées en petits morceaux	350 g
Saindoux	150 g
Oignons hachés menu	2
Tomates pelées et hachées	6
Pignons	30 g
Gousses d'ail	3
Stigmates de safran	1 pincée

Salez les côtes de porc et faites-les dorer dans une cocotte en terre avec le saindoux. Ajoutez les oignons, faites-les dorer puis ajoutez le riz et les tomates et un peu plus d'un litre d'eau bouillante. Couvrez et laissez cuire 30 minutes.

Pilez les pignons avec l'ail et le safran. Délayez avec un peu de liquide de cuisson et versez le tout dans la cocotte. Ajoutez les marrons 10 minutes avant la fin. Vérifiez l'assaisonnement et servez chaud dans la cocotte.

JOSEP LLADONOSA I GIRÓ
LA CUINA QUE TORNA

———◆———

Riz aux raisins de Smyrne

Kabuni

L'auteur recommande de servir ce plat albanais avec du poulet.

Pour 4 personnes

Riz	200 g
Raisins de Smyrne	150 g
Beurre	60 g
Fond de volaille *(page 167)*	60 cl
Sucre en poudre	2 cuillerées à soupe environ
Cannelle en poudre	1 cuillerée à café

Faites fondre le beurre dans une casserole. Ajoutez le riz et faites-le sauter une ou deux minutes en remuant jusqu'à ce que les grains soient enrobés de beurre. Versez le fond et portez à ébullition. Incorporez les raisins de Smyrne, baissez le feu, couvrez et laissez mijoter 25 minutes environ, jusqu'à ce que le riz soit tendre et ait absorbé tout le liquide. Sucrez selon le goût puis ajoutez la cannelle et mélangez juste avant de servir.

KAY SHAW NELSON
THE EASTERN EUROPEAN COOKBOOK

Pilaf bulgare aux abricots

Pilaf s Maysif

Pour varier, vous pouvez ajouter 100 g de beurre au riz cuit et servir le pilaf chaud. En remplaçant les abricots par 500 g de pommes cuites, pressées au tamis, vous obtiendrez un pilaf aux pommes tout aussi savoureux.

Pour 2 ou 3 personnes

Abricots secs mis à tremper une nuit à couvert dans de l'eau chaude	200 g
Riz à grain long	40 g
Eau	12 cl
Sucre	175 g

Égouttez les abricots et jetez l'eau. Passez-les au hachoir en utilisant la grille à gros trous ou réduisez-les en purée au mixeur. Mettez l'eau et le riz dans une casserole moyenne, couvrez et laissez frémir à feu doux 15 minutes environ, jusqu'à ce que le riz ait absorbé toute l'eau et soit tendre. Hors du feu, incorporez le sucre puis la purée d'abricots. Laissez refroidir. Servez ce pilaf à température ambiante.

SONYA CHORTANOVA ET DR NIKOLAY DZHELEPOV
NASHATA I SVETOVNATA KOUHNYA I RATSIONALNOTO HRANÈNE

———◆———

Poires en légumes

Gruszki na jarsyne

Prenez des poires à cuire fermes comme la variété Conférence. Pour obtenir le bouillon de légumes, hachez une carotte, un poireau, un oignon et un navet et mettez-les dans une casserole avec un bouquet garni et une gousse d'ail écrasée. Couvrez d'eau légèrement salée. Faites bouillir 30 minutes puis passez le bouillon et jetez le bouquet garni et les légumes.

Pour 4 personnes

Poires	1 kg
Beurre	30 g
Farine	2 cuillerées à soupe
Bouillon de viande *(page 167)*	15 cl
Bouillon de légumes	15 cl
Sucre en poudre	1 cuillerée à café
Sel	1 pincée

Faites pocher les poires dans de l'eau 20 minutes, jusqu'à ce qu'elles soient tendres. Pelez-les, coupez-les en quartiers et évidez-les. Faites fondre le beurre dans une casserole. Incorporez la farine. Ajoutez les poires et les bouillons de viande et de légumes. Sucrez, salez et laissez cuire 15 minutes, jusqu'à ce que les poires soient tendres. Servez-les avec leur sauce de cuisson.

IDA PLUCINSKA
KSIAŻKA KUCHARSKA

Pois chiches aux pignons

Garbanzos con piñones

Pour griller le safran, mettez-le dans une poêle à fond épais et remuez une ou deux minutes environ à feu modéré.

Pour 6 personnes

Pois chiches mis à tremper une nuit et égouttés	500 g
Pignons	100 g
Sel	
Huile	4 cuillerées à soupe
Oignon haché menu	1
Gousses d'ail hachées menu	2
Brin de persil haché menu	1
Tomate pelée et hachée	1
Stigmates de safran grillés	¼ de cuillerée à café

Mettez les pois chiches dans une casserole, couvrez-les d'eau chaude salée, ajoutez la moitié de l'huile et faites-les cuire de 2 à 3 heures, jusqu'à ce qu'ils soient tendres. Égouttez-les en réservant l'eau de cuisson. Faites revenir l'oignon, l'ail et le persil dans le reste d'huile chaude et ajoutez la tomate. Quand ce mélange est bien doré, mouillez-le de 15 cl environ d'eau de cuisson réservée et ajoutez-le aux pois chiches avec les pignons. Parsemez de safran et laissez cuire 15 minutes. Servez chaud, dans un plat de service chaud.

MAGDALENA ALPERI
LA COCINA: TRATADO COMPLETO DE COMIDAS Y BEBIDAS

Purée de betteraves à la rhubarbe et à la crème aigre

Buraki ze Śmietana i Rabarbarem

Vous pouvez remplacer la rhubarbe par deux pommes acides. Cette purée est excellente avec de la viande rôtie.

Pour 6 personnes

Betteraves moyennes pelées et grossièrement hachées, jus réservé séparément	5 ou 6
Rhubarbe hachée menu ou râpée	250 g
Crème aigre	10 cl
Farine	1 cuillerée à soupe
Sel	
Sucre en poudre	
Aneth frais haché	

Mettez la betterave râpée dans une casserole, ajoutez un peu d'eau, couvrez et faites cuire 5 minutes à feu vif. Ajoutez la rhubarbe, baissez le feu, couvrez encore et laissez frémir 15 minutes. Délayez la farine dans le jus de betteraves, incorporez cette liaison au contenu de la casserole et laissez frémir encore quelques minutes. Salez et sucrez selon le goût. Incorporez la crème aigre et parsemez d'aneth.

ZOFIA CZERNY ET MARIA STRASBURGER
ŻYWIENIE RODZINY

Chou aux pommes

Kapusta Świeża z Jablkani

Pour 6 personnes

Chou blanc ciselé	1 kg
Pommes acides pelées, évidées et râpées	350 g
Sel	
Oignon émincé	1
Saindoux ou 3 cuillerées à soupe d'huile	30 g
Farine	1 cuillerée à soupe
Graines de carvi	2 cuillerées à café
Sucre en poudre	

Mettez le chou dans un fait-tout et saupoudrez-le de sel. Ajoutez l'oignon et 30 cl d'eau et faites-le cuire 7 minutes à feu vif et à découvert. Dans une petite casserole, faites fondre le saindoux ou chauffer l'huile. Ajoutez la farine et faites-la roussir, sans cesser de remuer. Enlevez du feu et continuez à remuer pour obtenir une pâte homogène. Ajoutez cette pâte au contenu du fait-tout avec les graines de carvi, mélangez intimement et laissez cuire encore 5 minutes.

Quand le chou est cuit, enlevez le fait-tout du feu et incorporez les pommes râpées. Salez et sucrez selon le goût et servez.

ZOFIA CZERNY ET MARIA STRASBURGER
ŻYWIENIE RODZINY

Purée de navets aux pignons

Turnip Purée with Pine-nuts

Je prends des navets assez petits car les gros sont souvent fibreux. La pomme de terre donne du corps à la purée qui serait trop aqueuse autrement. Le goût résiné des pignons ressort davantage quand on les fait légèrement griller.

Pour 4 personnes

Navets coupés en 4	500 g
Pignons	2 cuillerées à soupe
Brin de sauge fraîche	1
Pomme de terre moyenne cuite 15 minutes à l'eau bouillante salée	1
Crème fraîche épaisse	1 cuillerée à soupe
Beurre	15 g
Sel et poivre blanc	

Faites griller les pignons au four préchauffé à 180°C (4 au thermostat) 10 minutes environ, jusqu'à ce qu'ils commencent à dorer. Faites cuire les navets dans de l'eau bouillante salée avec la sauge 20 minutes environ, jusqu'à ce qu'ils soient tendres, en

vérifiant la cuisson avec la pointe d'une brochette. Égouttez-les et jetez la sauge. Passez-les à la grille fine du moulin à légumes ou du mixeur avec la pomme de terre. Incorporez la crème et le beurre et assaisonnez la purée selon le goût. Mettez-la dans un plat à four, couvrez-la d'une feuille de papier d'aluminium et conservez-la au four préchauffé à 130°C (1 au thermostat). Juste avant de servir, parsemez-la de pignons.

NATHALIE HAMBRO
PARTICULAR DELIGHTS

Purée de pommes de terre aux pommes-fruits

Kartoffelmos med Aebler

Ce très vieux plat campagnard accompagne bien le porc.

Pour préparer la sauce aux pommes, pelez 1 kg de pommes acides, évidez-les, coupez-les en 4 et faites-les cuire avec un peu d'eau à feu doux, en remuant de temps en temps, jusqu'à ce qu'elles soient réduites en purée. Hors du feu, incorporez 60 g de beurre coupé en dés.

Pour 4 à 6 personnes

Pommes de terre cuites 20 minutes à l'eau bouillante salée, égouttées, écrasées et tenues au chaud	400 g
Sauce aux pommes	50 cl environ
Beurre	125 g
Sucre en poudre	30 g environ
Muscade râpée	½ cuillerée à café
Sel	½ cuillerée à café environ

Incorporez le beurre aux pommes de terre chaudes. Ajoutez le reste des ingrédients. Goûtez et sucrez et salez davantage si besoin est. Laissez refroidir. Mettez cette purée dans un plat à four beurré. Avec une cuillère, formez des volutes à la surface. Faites légèrement dorer 30 minutes au four préchauffé à 200°C (6 au thermostat).

NIKA HAZELTON
DANISH COOKING

Croquettes salées aux marrons

Crocchette salate di castagne

Pour préparer des croquettes sucrées, faites cuire les marrons dans du lait vanillé (ou dans du lait mélangé avec la même quantité d'eau). Égouttez-les et passez-les au moulin à légumes. Remplacez l'oignon, le laurier, les clous de girofle, le sel et le poivre par du sucre en poudre (selon le goût) et le zeste râpé d'une orange ou d'un citron. Procédez ensuite comme pour les croquettes salées et saupoudrez de sucre avant de servir.

Vous pouvez remplacer les marrons secs par 500 g de marrons frais épluchés et cuits 20 minutes dans de l'eau frémissante.

Pour 4 personnes

Marrons secs mis à tremper 12 heures dans de l'eau froide, égouttés et épluchés	200 g
Lait	25 cl
Beurre	15 g
Mie de pain émiettée	80 g
Oignon râpé	1 cuillerée à café
Feuille de laurier	1
Clous de girofle	4
Sel et poivre	
Œufs battus séparément	2
Chapelure	60 g
Huile de friture	

Mettez les marrons dans une cocotte ou dans une casserole, ajoutez 2 litres d'eau froide et portez à ébullition à feu doux. Couvrez et laissez-les cuire à feu doux de 1 heure à 1 heure 30 minutes, jusqu'à ce qu'ils soient tendres. Égouttez-les et passez-les au moulin à légumes.

Mettez le lait, le beurre, la mie de pain, l'oignon, le laurier, les clous de girofle, du sel et du poivre dans une casserole au bain-marie et faites cuire 10 minutes en remuant de temps en temps jusqu'à ce que le pain ait absorbé tout le lait. Enlevez le laurier et les clous de girofle, ajoutez la purée de marrons et un œuf battu. Mettez cet appareil sur une assiette, lissez la surface et laissez refroidir.

Façonnez l'appareil refroidi en croquettes ou en boulettes grosses comme des noix. Trempez-les dans l'autre œuf légèrement salé, roulez-les dans la chapelure et faites-les frire par petites quantités dans l'huile chaude jusqu'à ce qu'elles soient uniformément dorées. Retirez-les avec une écumoire et égouttez-les sur du papier absorbant. Servez-les très chaudes.

LYDIA B. SALVETTI
CENTO RICETTE SPENDENDO MENO

Sauce aux noix et aux anchois avec des crudités

Walnut and Anchovy Sauce with Crudités

C'est un plat de résistance idéal pour une journée d'été. Servez la sauce dans un bol, au milieu d'un grand plat de service que vous faites trôner sur la table. Tout autour du bol, disposez sur le plat un assortiment de légumes frais et blanchis: carottes, céleri, chou chinois, concombre, endives et tomates crus; haricots verts, mange-tout, bouquets de chou-fleur et brocolis blanchis avec, éventuellement, des œufs durs dans leur coquille.

Pour 12 personnes environ

Noix cassées en morceaux	75 g
Anchois dessalés, levés en filets, rincés et coupés en lanières	6
Gousses d'ail hachées menu	6
Huile d'olive	30 cl
Beurre	250 g
Crème fleurette	30 cl
Poivre du moulin	

Dans une casserole émaillée à fond épais, faites chauffer l'ail avec l'huile et le beurre à feu doux, jusqu'à ce qu'il soit légèrement doré. Ajoutez les noix et les anchois et remuez avec une cuillère en bois. Quand le mélange a légèrement épaissi, ajoutez la crème. Portez à ébullition et enlevez immédiatement du feu pour que la crème ne tourne pas. Poivrez et servez chaud.

NATHALIE HAMBRO
PARTICULAR DELIGHTS

Préparations de base

Crème anglaise

Pour réduire des fruits en purée, reportez-vous aux explications données à la page 23.

Pour 60 cl environ

Jaunes d'œufs	6
Sucre semoule	100 g
Lait chauffé presque jusqu'à ébullition	60 cl

Dans une terrine, battez les jaunes d'œufs avec le sucre au fouet métallique jusqu'à ce que le mélange pâlisse et fasse le ruban. Délayez petit à petit avec le lait chaud, en tournant.

Transférez dans une casserole à fond épais et faites cuire à feu doux, sans cesser de remuer à la cuillère en bois en dessinant un 8. Ne laissez pas atteindre l'ébullition. Dès que l'appareil nappe la cuillère, enlevez la casserole du feu et placez-la dans une terrine remplie de glaçons recouverts d'un peu d'eau, afin d'arrêter la cuisson et pour que la crème ne tourne pas. Pour obtenir une consistance homogène, vannez pendant 5 minutes jusqu'à ce qu'elle tiédisse. Passez la crème afin d'en enlever les grumeaux. Pour la tenir au chaud, mettez-la au bain-marie et remuez de temps en temps. Si vous voulez la servir froide, continuez à remuer de temps en temps sur de la glace.
Crème anglaise à la vanille : mettez une gousse de vanille dans la casserole contenant le lait chaud, couvrez et laissez infuser 20 minutes avant d'enlever la gousse que vous pouvez rincer et utiliser encore une fois. Vous pouvez également remplacer 2 ou 3 cuillerées à soupe de sucre semoule par du sucre vanillé.
Crème anglaise aux fraises : incorporez 30 cl ou plus selon le goût de purée de fraises à la crème anglaise refroidie. Vous pouvez utiliser d'autres baies et fruits tendres en purée de la même façon.

Crème glacée

Pour parfumer cette crème glacée avec de la vanille ou des fruits, suivez les instructions données pour la crème anglaise.

Pour 60 cl environ

Jaunes d'œufs	8
Sucre en poudre	125 à 150 g
Lait chauffé presque jusqu'à ébullition	60 cl

Dans une terrine, battez les jaunes d'œufs avec une quantité de sucre variant selon le goût, jusqu'à ce que le mélange pâlisse et fasse le ruban. Délayez petit à petit avec le lait chaud, sans cesser de remuer. Transférez cet appareil dans une casserole à fond épais que vous mettez au bain-marie ou directement sur feu très doux et remuez sans laisser atteindre l'ébullition, jusqu'à ce qu'il nappe la cuillère. Passez la crème obtenue au tamis placé au-dessus d'une terrine et remuez-la de temps en temps jusqu'à ce qu'elle refroidisse. Mettez la crème dans une sorbetière ou au réfrigérateur dans des bacs à glaçons pendant 3 heures; dans ce cas, fouettez la crème toutes les 30 minutes.

Crème pâtissière

Vous pouvez alléger cette crème en y ajoutant des blancs d'œufs battus en neige ou de la crème fouettée, ce qui vous donnera une crème saint-honoré.

Pour 75 cl

Sucre en poudre	125 g
Jaunes d'œufs	5 ou 6
Farine	40 g
Sel	1 pincée
Lait	50 cl
Gousse de vanille (facultatif)	5 cm

Travaillez le sucre et les jaunes d'œufs avec une cuillère pendant 10 minutes environ, jusqu'à ce que le mélange blanchisse et épaississe. Incorporez progressivement la farine et le sel.

Portez le lait à ébullition avec la vanille si vous en utilisez. Laissez infuser 10 minutes et enlevez la vanille. Sans cesser de remuer, incorporez le lait chaud dans le mélange aux œufs, en mince filet. Remettez l'appareil dans une casserole et faites cuire à feu modéré, en remuant vigoureusement, jusqu'à l'ébullition. Baissez le feu et laissez cuire 2 minutes environ. Passez la crème pâtissière obtenue et laissez-la refroidir en remuant de temps en temps pour empêcher la formation d'une peau. Vous la conserverez deux jours au réfrigérateur, à couvert.

Bavarois

Pour 1,5 litre environ

Jaunes d'œufs	8
Sucre en poudre	200 g
Lait chauffé presque jusqu'à ébullition, infusé 20 minutes avec une gousse de vanille et passé	50 cl
Eau chaude	4 cuillerées à soupe
Gélatine en poudre	15 g
Crème fraîche épaisse	45 cl

Faites une crème anglaise avec les jaunes d'œufs, le sucre et le lait vanillé *(recette page 159)*. Passez-la dans une casserole et tenez-la au bain-marie, en remuant de temps en temps.

Fouettez la crème fraîche. Versez l'eau chaude dans un bol et saupoudrez de gélatine. Quand la gélatine a absorbé l'eau et pris une consistance spongieuse, sortez la crème anglaise du bain-marie et incorporez-y la gélatine délayée.

Remuez jusqu'à ce que la gélatine soit dissoute et versez l'appareil dans une terrine placée sur un récipient contenant de la glace et de l'eau. Dès que l'appareil a pris la consistance d'une crème légèrement fouettée, enlevez la terrine du récipient de glace et d'eau et incorporez la crème fraîche. Mettez ce bavarois dans un moule légèrement huilé de 1,75 litre et faites-le prendre 4 heures au réfrigérateur. Démoulez sur un plat de service.

Pâte à foncer fine

Pour 850 g

Farine	500 g
Sucre semoule ou sucre glace	2 cuillerées à soupe
Beurre ramolli	300 g
Œuf	1
Eau froide	2 à 3 cuillerées à soupe

Tamisez la farine sur un plan de travail froid. Faites un puits au centre et mettez-y le sucre, le beurre, l'œuf et l'eau. Pincez du bout des doigts pour mélanger légèrement les ingrédients. Avec les deux mains, ramenez la farine vers le centre et mélangez pour former une pâte. Pétrissez cette pâte jusqu'à ce qu'elle soit souple et malléable, roulez-la en boule et enveloppez-la dans un linge ou dans un film en plastique. Mettez-la au réfrigérateur ou au frais 30 minutes au moins avant de l'abaisser.

Biscuits à la cuillère

Ces biscuits à la cuillère se conserveront de deux à trois semaines dans un récipient étanche. Pour les aromatiser à l'orange, ajoutez une cuillerée à soupe de zeste d'orange finement râpé en même temps que la farine.

Pour 30 biscuits environ

Gros œufs, jaunes séparés des blancs	3
Sucre semoule	90 g
Farine tamisée avec une pincée de sel	75 g

Beurrez trois plaques à four, foncez-les de papier sulfurisé beurré et saupoudrez-les de farine. Préchauffez le four à 170°C (3 au thermostat).

Dans une terrine, fouettez les jaunes d'œufs avec le sucre jusqu'à ce que le mélange fasse le ruban: cela prendra 5 minutes environ au fouet électrique. Incorporez progressivement la farine. Battez les blancs d'œufs en neige ferme et incorporez-en d'abord le quart pour alléger l'appareil, puis le reste.

Remplissez de cet appareil une poche munie d'une douille unie de 1 cm et couchez des bâtons de 10 cm de long sur les plaques préparées, en laissant un espace de 5 cm entre chaque bâton. Saupoudrez-les légèrement de sucre et passez-les au four 20 minutes, jusqu'à ce qu'ils soient très légèrement dorés. Avec une spatule, détachez soigneusement vos biscuits du papier et faites-les refroidir sur une grille.

Pâte brisée

Pour cuire à blanc une croûte ou un fond de tarte, abaissez la pâte sur 3 à 5 mm d'épaisseur et foncez un moule à tarte ou un cercle à flan. Coupez un morceau de papier sulfurisé ou d'aluminium légèrement plus grand que le moule et pressez-le contre la pâte. Remplissez de pois, de haricots secs ou de riz et faites cuire au four préchauffé à 180°C (4 au thermostat) pendant 15 minutes environ, jusqu'à ce que les bords de la pâte soient légèrement dorés. Enlevez les légumes secs et le papier et laissez cuire 5 minutes pour une croûte qui cuira encore avec la garniture, ou 15 minutes pour un fond que vous garnirez d'une préparation n'exigeant aucune cuisson.

Pour 175 g environ

Farine	125 g
Sel	1 pincée
Beurre raffermi et coupé en dés	60 g
Eau froide	2 à 3 cuillerées à soupe

Dans une terrine, tamisez la farine et le sel. Ajoutez le beurre et amalgamez-le du bout des doigts ou coupez-le dans la farine avec deux couteaux jusqu'à ce que le mélange ait la texture de la semoule. Délayez rapidement avec la moitié de l'eau, à l'aide d'une fourchette. Mouillez davantage si besoin est, de manière à pouvoir rouler la pâte en boule ferme. Enveloppez cette boule dans un film de plastique et mettez-la 30 minutes au réfrigérateur ou 15 minutes environ au congélateur avant de l'abaisser.

Pâte demi-feuilletée

Pour 250 g environ

Farine	125 g
Sel	1 pincée
Beurre raffermi et coupé en dés	125 g
Eau froide	2 à 3 cuillerées à soupe

Dans une terrine, tamisez la farine et le sel. Ajoutez le beurre et coupez-le rapidement dans la farine avec deux couteaux de table jusqu'à ce qu'il soit réduit en morceaux gros comme des petits pois. Délayez rapidement avec la moitié de l'eau, à l'aide d'une fourchette. Mouillez davantage si besoin est, de manière à pouvoir ramasser la pâte avec les mains en boule ferme. Enveloppez cette boule dans un film de plastique ou dans du papier paraffiné et mettez-la 30 minutes au réfrigérateur ou 15 minutes environ au congélateur.

Sortez la boule de pâte du réfrigérateur ou du congélateur, placez-la sur une surface froide farinée et aplatissez-la au rouleau à pâtisserie. Retournez-la pour fariner légèrement l'autre face et abaissez-la rapidement en un rectangle de 30 cm de long environ sur 12 à 15 cm de large. Pliez cette abaisse en ramenant les deux côtés déjà pliés. Abaissez la pâte en rectangle en suivant les plis, repliez-la de la même façon, enveloppez-la dans un film de plastique et mettez-la 30 minutes au moins au réfrigérateur ou 15 minutes au congélateur. Donnez encore deux ou trois tours à la pâte avant de l'utiliser, en la remettant à chaque fois au réfrigérateur ou au congélateur.

Génoise

Pour une génoise de 20 cm de diamètre

Œufs	6
Sucre en poudre	175 g
Farine	150 g
Beurre fondu et refroidi	90 g

Dans une terrine, fouettez légèrement les œufs avec le sucre. Placez la terrine sur une casserole d'eau frémissante qui la contiendra sans qu'elle touche l'eau. Fouettez à feu doux avec un fouet ou au mixeur, de 5 à 10 minutes environ, jusqu'à ce que le mélange forme une masse épaisse, pâle et mousseuse. Hors du feu, continuez à fouetter jusqu'à ce que le mélange ait triplé de volume et fasse le ruban, 20 minutes environ au mixeur. Avec une cuillère en métal, incorporez la farine en alternant avec le beurre fondu, en deux ou trois fois, et amalgamez le tout.

Faites cuire dans un moule profond, beurré et fariné, ou dans deux moules à manqué, au four préchauffé à 180°C (4 au thermostat) en comptant de 35 à 40 minutes pour une génoise épaisse et de 20 à 25 minutes pour deux génoises fines. La génoise est prête quand elle est spongieuse au toucher et se détache du moule.

Posez le moule 5 minutes sur une grille avant de démouler la génoise sur la grille pour la laisser entièrement refroidir.

Pâte à frire

Vous pouvez modifier la consistance de cette pâte en augmentant ou en diminuant les proportions de liquide versé dans la farine. Une pâte légère devient plus croustillante mais s'éparpille dans la friture. Une pâte épaisse tient mieux mais a tendance à être plus lourde. La bière et le cognac peuvent être remplacés par une quantité d'eau plus importante.

Pour 30 cl environ

Farine	125 g
Sel	1 pincée
Sucre semoule (facultatif)	1 cuillerée à café
Beurre fondu	30 g
Bière	4 cuillerées à soupe
Eau tiède	15 cl
Cognac (facultatif)	1 cuillerée à soupe
Gros blanc d'œuf battu au neige ferme	1

Dans une terrine, tamisez la farine avec le sel et le sucre selon le goût. Faites un puits au centre et mettez-y le beurre fondu, la bière et l'eau. Fouettez cet appareil en travaillant du centre vers l'intérieur et en vous arrêtant dès que vous obtenez une pâte homogène. Selon le goût, incorporez un peu de cognac. Couvrez et laissez reposer 1 heure environ dans un endroit chaud. Incorporez le blanc en neige au dernier moment.

Quenelles aux fruits

Vous pouvez préparer ces quenelles avec des prunes, des abricots, des cerises ou des pêches. Pour préparer les prunes et les abricots, incisez-les en suivant le sillon qui sépare les parties charnues de manière à les ouvrir sans les couper en 2. Retirez le noyau avec la pointe d'un couteau et remplacez-le par un morceau de sucre. Refermez-les. Dénoyautez les cerises et utilisez-en deux ou trois par quenelle. Servez avec un peu de beurre fondu ou avec une sauce aux fruits chaude *(recette page de droite)*.

Pour 4 ou 5 personnes

Prunes, abricots ou 16 à 20 cerises, ou 4 pêches environ, préparés	8 à 10

Pâtes aux pommes de terre crues :

Pommes de terre à chair cireuse, épluchées	750 g
Lait	25 cl
Sel	1 cuillerée à café
Beurre	30 g
Semoule	60 g

Garniture :

Chapelure blanche	60 g
Sucre en poudre	60 g
Beurre fondu	60 g

Pour la pâte, râpez les pommes de terre dans une terrine d'eau froide. Faites-les égoutter dans une passoire, mettez-les dans un linge, enveloppez-les et pressez pour les exprimer. Portez le lait à ébullition avec le sel et ajoutez le beurre. Quand le beurre a fondu, ajoutez la semoule. Faites cuire à feu doux, sans cesser de remuer, jusqu'à ce que la semoule forme une boule au centre de la casserole. Laissez légèrement refroidir puis incorporez les pommes de terre râpées et pétrissez.

Sur une planche farinée, abaissez la pâte obtenue sur 3 mm d'épaisseur. Avec un couteau, coupez-la en carrés assez grands pour envelopper un fruit. Enveloppez les fruits dans la pâte et pincez les bords pour les souder.

Faites pocher les quenelles par petites quantités dans de l'eau bouillante légèrement salées de 12 à 15 minutes, jusqu'à ce qu'elles remontent à la surface. Enlevez-les et égouttez-les. Tenez-les au chaud pendant que vous faites pocher le reste.

Dans une casserole, mélangez la chapelure avec le sucre et le beurre fondu. Ajoutez les quenelles et remuez-les à feu doux jusqu'à ce qu'elles soient enrobées d'une garniture dorée.

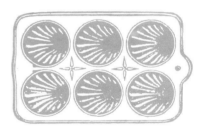

Meringue

Pour 30 meringues

Blanc d'œufs	6
Sucre semoule	275 g

Battez les blancs d'œufs en neige ferme, saupoudrez-les légèrement de sucre semoule et fouettez. Continuez à ajouter le sucre par très petites quantités, sans cesser de fouetter, jusqu'à ce qu'il ait été entièrement absorbé et que l'appareil obtenu garde sa forme. Déposez de petits tas de meringue sur une plaque recouverte de papier paraffiné et faites-les cuire tout en bas du four préchauffé à 50°C (¼ au thermostat) au moins 3 heures. Laissez refroidir les meringues avant de les détacher.

Meringue aux noisettes : préparez un appareil à meringue comme ci-dessus et incorporez progressivement et uniformément 500 g de noisettes pilées. Formez les meringues et faites-les cuire de la même façon que les meringues ordinaires.

Sirop de sucre

Avec les proportions ci-dessous, vous obtiendrez un sirop de sucre moyen. Pour obtenir un sirop de sucre léger, comptez 250 g de sucre par 60 cl d'eau.

Pour 75 cl environ

Sucre en poudre	350 g
Eau	60 cl

Dans une casserole à fond épais, faites fondre le sucre dans l'eau à feu modéré, sans cesser de remuer. Trempez un pinceau à pâtisserie dans de l'eau chaude et utilisez-le pour dissoudre les cristaux qui risquent de se coller contre les parois de la casserole. Dès que le sucre est dissous, arrêtez de remuer, portez à ébullition à feu plus vif et laissez bouillir une minute ou deux.

Sirop parfumé au citron: ajoutez le zeste paré d'un citron au sucre et à l'eau avant de porter à ébullition et incorporez le jus du citron au sirop refroidi. Passez-le avant de l'utiliser.

Caramel clair: diminuez la quantité d'eau à 5 cuillerées à soupe. Quand le sirop a atteint l'ébullition, laissez-le bouillir jusqu'à ce que toute l'eau se soit évaporée et qu'il ait pris une belle couleur dorée ou jusqu'à ce que le thermomètre à sucre marque de 160°C à 170°C. Si vous utilisez un thermomètre à sucre, trempez-le dans de l'eau chaude au préalable pour qu'il ne se brise pas au contact du sirop bouillant. Mettez immédiatement la casserole dans un récipient contenant de l'eau glacée.

Caramel foncé: diminuez la quantité d'eau comme pour le caramel clair et laissez bouillir un peu plus longtemps, jusqu'à ce que le sirop ait pris une belle couleur ambrée et que le thermomètre à sucre indique 165°C à 170°C.

Sauce aux fruits

Vous pouvez préparer cette sauce avec des abricots ou des prunes coupés en deux et dénoyautés, des cerises acides dénoyautées, des grains de cassis ou des groseilles et la parfumer avec du porto ou une eau-de-vie comme du kirsch ou du curaçao. Selon la douceur des fruits utilisés, prenez un sirop de sucre léger ou moyennement épais.

Pour 45 cl environ

Fruits préparés	500 g
Sirop de sucre *(ci-dessus)*	15 cl

Faites pocher les fruits dans le sirop 5 minutes environ, jusqu'à ce qu'ils soient tendres. Passez-les dans un tamis de nylon placé au-dessus d'une terrine et réservez le sirop avec lequel vous délayez la purée obtenue pour lui donner la consistance requise. Si vous voulez servir cette sauce chaude, réchauffez-la dans une casserole propre. Sinon, laissez-la entièrement refroidir et mettez-la au réfrigérateur jusqu'au dernier moment.

Sirop de fraises

Avec cette recette, vous obtiendrez un sirop moyennement épais. Vous pouvez varier la consistance en mettant plus ou moins de sucre. Cette méthode permet de préparer un sirop avec tous les fruits tendres.

Pour 60 cl environ

Fraises mûres	1 kg
Sucre en poudre	500 g environ

Dans une terrine, écrasez les fraises avec un pilon pour obtenir une purée épaisse. Couvrez et mettez une nuit au frais. Garnissez un tamis d'une couche de mousseline et placez-le au-dessus d'une terrine. Passez la purée de fraises au tamis, sans cesser de remuer avec une cuillère en bois. Prenez les quatre coins de la mousseline et tordez-la légèrement pour extraire le plus de jus possible de la purée. Mesurez le liquide recueilli et joutez 500 g de sucre par 30 cl de jus. Versez le tout dans une casserole et faites fondre le sucre à feu doux, en remuant délicatement. Trempez un pinceau à pâtisserie dans de l'eau chaude et utilisez-le pour dissoudre les cristaux qui se sont formés sur les parois de la casserole. Portez à ébullition à feu plus vif. Baissez le feu et mettez la casserole sur le coin du feu. Enlevez l'écume qui se forme sur le côté le plus froid pendant 10 minutes environ, jusqu'à ce qu'il n'y en ait plus. Enlevez du feu et laissez refroidir le sirop.

Placez un entonnoir dans une bouteille propre et sèche et versez le sirop en laissant juste assez de place pour le bouchon. Bouchez hermétiquement et conservez au frais.

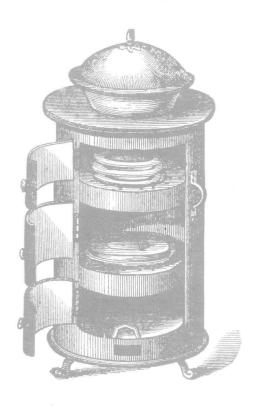

Lait de coco

Moins vous utilisez d'eau, plus le lait sera épais.

Pour 25 cl environ

Noix de coco	1
Eau chaude	

Enlevez l'écorce fibreuse de la surface de la noix de coco. Avec une brochette, percez trois entailles au sommet de la noix de coco. Renversez-la au-dessus d'une terrine et laissez couler le jus par les trous. Réservez. Placez la noix de coco sur une surface dure, maintenez-la fermement à un bout et cognez avec un marteau pour fendre l'écorce. Avec le marteau, cassez la noix en plusieurs morceaux. Avec un couteau pointu, détachez la pulpe de l'écorce et enlevez la peau brune. Râpez grossièrement les morceaux de pulpe avec une râpe ou un moulin à légumes et ajoutez la pulpe râpée au jus réservé. Couvrez d'eau chaude et laissez reposer 1 ou 2 heures.

Garnissez un tamis d'une mousseline humide et placez-le au-dessus d'une terrine propre. Versez la pulpe râpée et le liquide dans le tamis par petites quantités, en veillant à ce que tout le liquide soit passé avant d'en remettre. Quand tout le liquide est passé, prenez les quatre coins de la mousseline et tordez légèrement pour exprimer le plus de lait de coco possible. Jetez la pulpe.

Gelée à l'orange

Pour alterner des couches de gelée avec des fruits, reportez-vous aux explications données aux pages 40 à 43. Pour obtenir une gelée au vin, remplacez le jus d'orange par 60 cl de vin et n'oubliez pas que le vin rouge donne une gelée opaque.

Pour 75 cl environ

Jus d'orange fraîchement pressé et laissé reposer 30 minutes	60 cl
Feuilles de gélatine trempées de 15 à 30 minutes dans de l'eau froide, ou 15 g de gélatine en poudre délayée dans un bol contenant 3 cuillerées à soupe d'eau chaude	8
Sirop de sucre moyen *(page 163)* chaud, préparé avec 60 g de sucre en poudre et 10 cl d'eau	15 cl

Mettez les feuilles de gélatine ramollie dans une petite casserole, couvrez-les d'eau et faites-les dissoudre 5 minutes à feu doux, jusqu'à ce que le liquide soit limpide. Enlevez la casserole du feu. Si vous utilisez de la gélatine en poudre, mettez le bol qui la contient 3 minutes environ au bain-marie, à feu doux, jusqu'à ce que le liquide soit limpide. Enlevez le bol du bain-marie.

Passez le jus d'orange au tamis garni d'une double épaisseur de mousseline humide et placé sur une grande terrine. Jetez la pulpe. Mélangez la gélatine avec le sirop de sucre chaud et incorporez ce liquide au jus d'orange passé, en remuant.

Pour accélérer la gélification, mettez la terrine dans un récipient plus grand contenant de la glace et remuez jusqu'à ce que le liquide soit sirupeux et commence à épaissir. Versez-le dans un moule préalablement rafraîchi et mettez-le au réfrigérateur 4 heures au moins. Pour vérifier si la gelée a pris, sortez le moule du réfrigérateur et inclinez-le: elle doit rester ferme.

Pour démouler, passez la pointe d'un couteau contre le bord du moule et plongez entièrement le moule dans de l'eau chaude. Renversez une assiette dessus et retournez le tout rapidement en maintenant fermement le moule contre l'assiette. Soulevez le moule: si la gelée reste à l'intérieur, secouez le moule et l'assiette — vous sentirez un changement de pression dans le moule quand la gelée se détachera des parois. Remettez-la au réfrigérateur un moment avant de la servir pour raffermir la surface.

Ananas confit

Prunes, abricots, pêches, cerises, oranges, pommes et poires se préparent de la même façon. Les fruits à confire doivent être mûrs mais fermes. La chair tendre des fraises ou des framboises ne supporte pas une longue macération.

Les gros fruits comme les ananas et les oranges sont généralement épluchés et détaillés en morceaux faciles à déguster avec les doigts. Les autres fruits se confisent souvent entiers. On doit toujours les pocher rapidement dans de l'eau pour qu'ils absorbent bien le sucre. S'ils sont fermes, il faut compter 15 minutes de cuisson environ; s'ils sont tendres, 4 minutes au maximum. On ajoute du glucose car les fruits l'absorbent mieux que le sucre et ne se ratatinent donc pas.

Gros ananas	1
Sucre	750 g environ
Glucose	125 g environ

Avec un couteau pointu, coupez le haut et la base du fruit. Épluchez-le. Coupez-le en travers en tranches de 1 cm d'épaisseur. Avec un petit emporte-pièce, enlevez le cœur fibreux de chaque tranche.

Pesez l'ananas et mettez-le dans une casserole en inox ou en cuivre. Ajoutez 30 cl d'eau par livre d'ananas. Faites-le cuire à feu modéré 15 minutes environ, jusqu'à ce qu'il soit tendre. Posez une grille en inox sur un plateau. Sortez les tranchez d'ananas avec une spatule trouée et faites-les égoutter sur la grille. Réservez le liquide de cuisson.

Pour 30 cl de liquide de cuisson réservé, pesez 175 g de sucre, ou 125 g de glucose et 60 g de sucre. Mettez le sucre dans la casserole avec le liquide de cuisson, ajoutez le glucose si vous en utilisez. Mettez à feu modéré et remuez régulièrement jusqu'à ce que le sucre ait fondu.

Mettez les tranches d'ananas dans un grand plat peu profond non métallique. Portez le sirop à ébullition, enlevez la casserole du feu et versez-le sur l'ananas. Posez une feuille de papier sulfurisé sur le sirop pour que les fruits baignent dans le liquide. Laissez macérer 24 heures.

Le lendemain, remettez la grille sur le plateau. Retirez le papier sulfurisé qui recouvre les fruits. Avec une spatule trouée, sortez-les du sirop et mettez-les à égoutter sur la grille. Versez le sirop du plat dans un verre gradué, ajoutez le sirop qui s'écoule des fruits et comptez 60 g de sucre pour 30 cl de sirop. Ajoutez-le au sirop, dans une casserole à fond épais. Mettez à feu modéré et portez à ébullition. Remettez les tranches d'ananas égouttées dans le plat et versez le sirop dessus. Couvrez de papier sulfurisé et laissez encore macérer 24 heures.

Le lendemain et les 5 jours suivants, répétez ces opérations en ajoutant chaque fois 60 g de sucre pour 30 cl de sirop.

Le huitième jour, ajoutez 90 g de sucre pour 30 cl de sirop, portez à ébullition, versez sur les fruits et laissez reposer 48 heures. Le dixième jour, ajoutez encore 90 g de sucre, portez encore à ébullition et versez le sirop sur les fruits.

Couvrez les tranches d'ananas de papier sulfurisé et laissez-les macérer encore quatre jours. Le quatorzième jour, sortez-les du sirop avec une spatule trouée et placez-les sur la grille en inox posée sur le plateau. Faites-les sécher dans un endroit chaud 4 heures au moins dans un four dont vous aurez allumé la veilleuse, ou 3 jours environ dans un endroit chaud et sec dont la température ne doit pas dépasser 48°C. Les tranches d'ananas sont prêtes dès qu'elles ne sont plus collantes au toucher. Coupez-les en morceaux de 3 cm.

Pour les glacer, portez une casserole d'eau à ébullition et retirez-la du feu. Dans une autre casserole, faites un sirop avec 15 cl d'eau et 500 g de sucre. Couvrez le sirop d'un linge humide ou d'un couvercle hermétique et tenez-le au chaud au bain-marie. Plongez les morceaux d'ananas confit dans l'eau, un par un, à l'aide d'une spatule trouée, pendant une seconde.

Faites-les égoutter une seconde ou deux sur une grille en inox. Versez une partie du sirop dans un bol. Avec une cuillère, plongez-les rapidement un à un dans le sirop. Faites-les égoutter sur une grille. Dès que le sirop commence à se troubler, remplacez-le en prélevant dans celui qui reste dans la casserole. Réservez les fruits jusqu'à ce que la surface soit sèche: ils sont alors prêts à être consommés.

Pour les conserver, mettez-les dans une boîte en fer blanc fermant hermétiquement en couches séparées par des feuilles de papier sulfurisé que vous rangez dans un endroit sec. Ils se conserveront très longtemps.

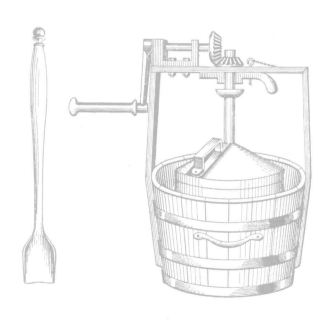

Écorces confites

Les écorces d'agrumes peuvent se confire comme des fruits entiers *(recette page 165)* mais comme elles contiennent moins d'eau et absorbent mieux le sucre, il suffit de les blanchir pour leur enlever toute amertume puis de les laisser frémir 3 heures dans du sirop et de les faire sécher.

Lavez soigneusement les oranges ou les pamplemousses dont vous comptez confire les écorces et frottez-les avec une brosse s'ils présentent la moindre impureté. Ne conservez pas les écorces d'orange confites dans le même bocal que celles de pamplemousse car cela nuirait à leur parfum respectif.

Oranges ou citrons ou 1 pamplemousse, écorces finement parées	2
Sucre	125 g
Glucose	250 g
Eau	60 cl

Faites blanchir les écorces dans de l'eau bouillante 3 minutes environ, jusqu'à ce qu'elles soient tendres. Avec une écumoire, mettez-les dans une terrine d'eau froide. Répétez ces opérations deux fois, en renouvelant l'eau de la casserole et de la terrine chaque fois. Égouttez soigneusement.

Dans une casserole, faites fondre le sucre avec le glucose et l'eau à feu modéré, sans cesser de remuer. Portez le sirop obtenu à ébullition, ajoutez les écorces confites et laissez-les frémir 3 heures. Avec une fourchette, posez-les sur la grille d'une lèchefrite et faites-les sécher 3 heures au four dont vous aurez seulement allumé la veilleuse ou dans un endroit chaud et sec. Vous les conserverez longtemps dans un bocal bien fermé.

Purée de marrons

Pour préparer une purée de marrons sucrée, faites cuire les marrons épluchés dans un litre de sirop de sucre léger *(recette page 163)* ou faites-les pocher dans du lait en sucrant selon le goût 15 minutes environ avant la fin de la cuisson. Ne mettez ni sel ni céleri. On sert généralement la purée de marrons sucrée froide, sans l'enrichir de beurre.

Pour 1 kg environ

Marrons	1 kg
Sel	
Lait	1 litre environ
Branche de céleri (facultatif)	1
Beurre coupé en petits morceaux	175 g

Avec un couteau pointu, incisez l'écorce des marrons en forme de croix. Faites-les blanchir à l'eau bouillante 10 minutes environ pour que l'écorce se détache. Enlevez du feu. Avec une écumoire, sortez-les par petites quantités. Écorcez-les et épluchez-les

pendant qu'ils sont encore chauds. Pour détacher les peaux qui restent collées, remettez-les dans l'eau chaude.

Mettez les marrons épluchés dans une casserole. Salez-les légèrement et couvrez-les de lait. Ajoutez le céleri si vous en utilisez. Portez à ébullition. Baissez le feu, couvrez et laissez frémir 45 minutes environ.

Quand les marrons sont tendres, égouttez-les dans une passoire placée sur une terrine. Jetez le céleri. Réservez le lait pour mouiller la purée. Passez les marrons à la grille à gros trous du moulin à légumes, dans une terrine. Pour rendre la purée obtenue plus homogène, passez-la au chinois placé au-dessus d'une casserole à fond épais, en pressant avec un pilon en bois et en mouillant avec un peu de lait réservé. Assaisonnez selon le goût et faites réchauffer à feu vif, sans cesser de remuer. Hors du feu, incorporez le beurre.

Canard à l'orange

Vous pouvez à la rigueur remplacer les bigarades par une orange et un citron, préparer le fond de veau et la glace de viande deux ou trois jours à l'avance et le fond de braisage la veille du jour où vous comptez servir le canard.

Pour 4 personnes

Canard troussé, ailerons, pattes, cou, cœur et gésier réservés	2 à 2,500 kg
Bigarades, jus passé, zeste d'une bigarade finement paré et coupé en julienne	2
Citron, zeste finement paré et coupé en julienne, jus de la moitié passé	1
Huile d'olive	2 cuillerées à café
Vin blanc	10 cl
Fond de veau *(page de droite)*	1 litre
Carottes émincées	2
Oignon émincé	1
Bouquet garni	1
Glace de viande *(page de droite)*	1 cuillerée à soupe

Mettez le zeste de bigarade et de citron dans une petite casserole, couvrez d'eau, portez à ébullition et faites blanchir 3 ou 4 minutes. Passez cette julienne au tamis et réservez.

Enduisez le canard d'huile d'olive et faites-le rôtir dans un plat peu profond, au four préchauffé à 230°C (8 au thermostat) 10 minutes, puis encore 30 minutes à 190°C (5 au thermostat). Sortez-le du four et mettez-le dans une cocotte. Dégraissez le plat de cuisson et déglacez-le avec le vin blanc, à l'aide d'une cuillère en bois. Versez ce jus déglacé sur le canard.

Pour le fond de braisage, faites frémir le fond de veau avec les abatis du canard, les carottes, l'oignon et le bouquet garni de

2 heures 30 minutes à 3 heures. Passez ce fond sur le canard, couvrez et faites braiser au four préchauffé à 170°C (3 au thermostat) de 40 à 60 minutes, en mouillant de temps en temps avec le fond.

Pour la sauce, versez le reste de fond de braisage dans une petite casserole, portez à ébullition et mettez la casserole sur le coin du feu modéré pour maintenir un frémissement d'un côté tout en dépouillant les impuretés qui se forment sur le côté hors du feu, jusqu'à ce qu'il n'y ait plus de graisse qui monte à la surface. Faites réduire de moitié à feu vif. Incorporez la glace de viande et enlevez la casserole du feu.

Sortez le canard du four et mouillez-le de quelques cuillerées à soupe de sauce. Remettez-le 3 ou 4 minutes au four, ressortez-le, mouillez-le encore, remettez-le au four et recommencez plusieurs fois jusqu'à ce qu'il ait une belle couleur acajou brillante.

Réchauffez la sauce et ajoutez la julienne de zeste blanchi. Sortez le canard du four et dressez-le sur un plat de service. Incorporez le jus de bigarade et de citron à la sauce à la dernière minute. Nappez légèrement le canard de sauce et servez le reste à part, dans une saucière.

Fond de veau

Pour obtenir un fond plus gélatineux, ajoutez un pied de veau nettoyé, fendu et blanchi 5 minutes à l'eau bouillante ainsi que 250 g environ de couennes de porc.

Pour 2 à 3 litres

Jarret de veau scié en morceaux de 5 cm	1
Parures charnues de veau (collet, jarret ou tendrons)	2 kg
Dos, cous, pattes et ailerons de volaille	1 kg
Eau	3 à 5 litres
Bouquet garni avec du poireau et du céleri	1
Tête d'ail	1
Oignons moyens dont 1 piqué de 2 clous de girofle	2
Grosses carottes	4
Sel	

Mettez une grille ronde au fond d'une marmite pour que les ingrédients n'attachent pas. Placez tous les os et les morceaux de volaille dans la marmite et couvrez-les de 5 cm d'eau environ. Portez lentement à ébullition et écumez avec une cuillère, en

ajoutant un verre d'eau froide de temps en temps, pendant 10 à 15 minutes environ, jusqu'à ce qu'il n'y ait plus d'écume qui monte à la surface. Ajoutez le bouquet garni, l'ail, les oignons, les carottes et du sel et écumez encore une fois à la reprise de l'ébullition. Baissez le feu, couvrez à moitié et laissez frémir 6 heures au moins.

Passez le bouillon dans une passoire garnie d'une mousseline humide et placée au-dessus d'une terrine. Laissez-le entièrement refroidir avant d'enlever les dernières traces de graisse avec une écumoire puis d'éponger avec une serviette en papier. Si vous avez mis le bouillon à réfrigérer, enlevez la graisse.

Bouillon de bœuf: ajoutez 2 kg de queue de bœuf, de gîte ou de macreuse et laissez frémir de 6 à 7 heures.

Fond de volaille: doublez les quantités de volaille ou faites pocher une poule dans du fond de veau de 1 heure 30 minutes à 3 heures selon l'âge du volatile.

Fumet de gibier: ajoutez 1 kg de carcasses et parures de gibier au fond de veau ou refaites un bouillon; dans ce cas, remplacez les autres viandes par du gibier et mouillez avec du fond de veau et non pas avec de l'eau.

Glace de viande: préparez le fond de veau en suivant les instructions données ci-dessus, sans saler. Après l'avoir dégraissé, mettez-le dans une casserole juste assez grande pour le contenir et portez à ébullition. Poussez la casserole sur le coin du feu et laissez frémir 1 heure environ, en écumant de temps en temps pour enlever les impuretés qui se forment sur le côté hors du feu, jusqu'à ce que le fond ait réduit de moitié environ. Passez-le au tamis fin dans une plus petite casserole et laissez encore frémir en dépouillant de temps en temps 1 heure environ, jusqu'à ce qu'il ait encore réduit de moitié. Passez-le encore dans une plus petite casserole et laissez-le encore réduire 1 heure. Vous obtiendrez un liquide épais et sirupeux. Versez cette glace dans un bol, laissez-la refroidir et mettez-la au réfrigérateur où vous la conserverez très longtemps.

Index des recettes

Les recettes sont classées par ordre alphabétique, par fruits et par modes de préparation (beignets, compotes, salades etc.). Les titres des recettes étrangères figurent en italique.

Index général/Glossaire

Vous trouverez dans cet index les définitions de nombreux termes culinaires, utilisés dans ce livre. Les recettes de l'Anthologie figurent dans l'index des recettes, page 168.

Sources des recettes

Les sources des recettes qui figurent dans cet ouvrage sont énumérées ci-dessous. Les références indiquées entre parenthèses renvoient aux pages de l'Anthologie où vous trouverez les recettes.

Albright, Nancy, *Rodale's Naturally Great Foods Cookbook.* Copyright © 1977 Rodale Press, Inc. Édité par Rodale Press, Inc., Emmaus. Traduit avec l'autorisation de Rodale Press, Inc., *(pages 131, 145 et 150).*

Alexander, Agnes B., *How to Use Hawaiian Fruit.* Copyright 1974 Petroglyph Press, Ltd. Édité par The Petroglyph Press, Ltd., Hilo, Hawaï. Traduit avec l'autorisation de The Petroglyph Press, Ltd. *(pages 111, 120 et 121).*

Allen, Ida Bailey, *Best Loved Recipes of the American People.* Copyright © 1973 Ruth Allen Castelli. Édité par Doubleday & Company, Inc., New York. Traduit avec l'autorisation de Doubleday & Company, Inc. *(pages 118 et 123).*

Alperi, Magdalena, *La Cocina: Tratado Completo de Comidas y Bebidas.* © Magdalena Alperi Fernandez. Traduit avec l'autorisation de l'auteur, Gijon, Espagne *(pages 124, 125 et 156).*

Aragones Subero, Antonio, *Gastronomia de Guadalajara.* Édité par Institucion de Cultura « Marques de Santillana ». Excma. Diputacion Provincial de Guadalajara, 1973. Traduit avec l'autorisation de l'auteur, Madrid *(page 128).*

Beeton, Mrs., *Mrs. Beeton's All About Cookery.* © Ward Lock Limited 1961. Édité par Ward Lock Limited, Londres. Traduit avec l'autorisation de Ward Lock Limited *(page 113).*

Bettónica, Luís (Rédacteur), *Cocina Regional Española.* © 1981 Ediciones Hymsa (Barcelone) y Arnoldo Mondadori Editore S.p.A. (Milan). Édité par Ediciones Hymsa. Traduit avec l'autorisation d'Arnoldo Mondadori Editore S.p.A., *(pages 95, 134 et 136).*

Bickel, Walter et Kramer, René. *Gibier et volaille dans la cuisine internationale.* Édité aux Éditions Vilo, Paris, 1975, 1976. Reproduit avec l'autorisation de Zomer & Keuning Boeken B.V., Ede, Pays-Bas *(page 143).*

Bize-Leroy, Lalou, *Le Nouveau Guide Gault Millau, connaissance des voyages.* Revue, Septembre 1981. Copyright Agence Presse-Loisirs. Édité aux Éditions Jour-Azur S.A., Paris. Reproduit avec l'autorisation de Jour-Azur S.A. *(page 93).*

Blakeston, Oswell, *Cooking with Nuts.* © Oswell Blakeston. Édité par Pierrot Publishing Limited, Londres, 1979. Traduit avec l'autorisation de l'auteur, Londres *(pages 106, 113, 119 et 152).*

Bouayed, Fatima-Zohra, *La Cuisine algérienne.* © 1978 — l'auteur, et conjointement pour la présente édition avec la S.N.E.D. Alger. Édité par la S.N.E.D. (Société nationale d'édition et de diffusion), Alger. Reproduit avec l'autorisation de l'auteur, Alger *(page 144).*

Brissenden, Rosemary, *South East Asian Food.* Copyright © R.F. et R.L. Brissenden, 1970. Édité par Penguin Books Ltd., Londres. Traduit avec l'autorisation de Penguin Books Ltd. *(page 147).*

Brown, Dorothy (Rédactrice), *Symposium Fare.* © Eileen Hall 1981. Édité par Prospect Books, Londres. Traduit avec l'autorisation de Prospect Books *(page 94).*

Bugialli, Giuliano, *The Fine Art of Italian Cooking.* Copyright © 1977 Giuliano Bugialli. Édité par Times Books, une filiale de Quadrangle/The New York Times Book Co., Inc., New York. Traduit avec l'autorisation de Times Books, une filiale de Quadrangle/The New York Times Book Co., Inc. *(page 132).*

Cabané, Juan et Doménech, Alejandro, *Nuestra Mejor Cocina.* © Juan Cabane y Alejandro Domenech — 1969. Édité par Editorial Bruguera, S.A., Barcelone. Traduit avec l'autorisation d'Editorial Bruguera, S.A. *(page 95).*

Calera, Ana Maria, *Cocina Castellana.* © Ana Maria Calera — 1974. Édité par Editorial Bruguera, S.A., Barcelone. Traduit avec l'autorisation d'Editorial Bruguera, S.A. *(pages 145, 149 et 152).*

Calera, Ana Maria, *365 Recetas de Cocina Catalana.* © Ana Maria Calera. © Editorial Everest. Édité par Editorial Everest, Leon. Traduit avec l'autorisation d'Editorial Everest *(page 140).*

Castillo, Jose, *Manual de Cocina Economica Vasca.* © Copyright de l'auteur. Sixième édition. Traduit avec l'autorisation de l'auteur, Gulpuzcos, Espagne *(page 140).*

Cavalcanti, Ottavio, *Il Libro d'Oro della Cucina e dei Vini di Calabria e Basilicata.* © Copyright 1979 U. Mursia editore S.p.A. Édité par Ugo Mursia Editore S.p.A., Milan. Traduit avec l'autorisation d'Ugo Mursia Editore S.p.A. *(page 120).*

Chortanova, Sonya et Dzhelepov, Dr. Nikolay, *Nashata i Svetovnata Kouhnya i Ratsionalnoto Hranene.* © par les auteurs. Édité par Medizina i Fizkultura, Sofia 1977. Traduit avec l'autorisation de Jusautor Copyright Agency, Sofia *(page 155).*

Costa, Margaret, *Margaret Costa's Four Seasons Cookery Book.* Copyright © Margaret Costa. Édité par Sphere Books Limited, Londres, 1976. Traduit avec l'autorisation de l'auteur, Londres *(page 104).*

Cùnsolo, Felice, *La Cucina Lombarda.* © Copyright Novedit Milano. Édité par Novedit Milano, 1963 *(pages 103, 105).*

Cutler, Carol, *The Six-minute Soufflé and other Culinary Delights.* Copyright © 1976 Carol Cutler. Édité par Clarkson N. Potter, Inc./Publisher, New York. Traduit avec l'autorisation de Clarkson N. Potter, Inc./Publisher *(page 136).*

Cutler, Carol (Rédactrice), *The Woman's Day Low-Calorie Dessert Cookbook.* Copyright © 1980 CBS Consumer Publications, une filiale de CBS Inc. Édité par Houghton Mifflin Company, Boston. Traduit avec l'autorisation de Houghton Mifflin Company *(page 107).*

Czerny, Zofia, *Polish Cookbook.* Copyright © 1961, 1975 Panstwowe Wydawnictwo Edonomiczne. Édité par Panstwowe Wydawnictwo Edonomiczne, Varsovie. Traduit avec l'autorisation d'Agencja Autorska, Varsovie, pour le compte de l'auteur *(page 103).*

Czerny, Zofia et Strasburger, Maria, *Zywienie Rodziny.* Copyright Zofia Czerny et Maria Strasburger. Édité par Czytelnik Spóldzielnia Wydawnicza 1948. Traduit avec l'autorisation d'Agencja Autorska, Varsovie, pour les ayants droits *(pages 107, 156 et 157).*

Daguin, André, *Le Nouveau Cuisinier gascon.* © 1981, Éditions Stock. Édité aux Éditions Stock, Paris. Reproduit avec l'autorisation des Éditions Stock *(page 106).*

David, Elizabeth, *French Country Cooking.* © Elizabeth David 1950, 1951, 1955, 1958, 1965, 1980. Édité en 1980 sous le titre « Elizabeth David Classics » comprenant « A Book of Mediterranean Food » « French Country Cooking » et « Summer Cooking » par Jill Norman Ltd., Londres. Traduit avec l'autorisation de l'auteur *(page 111).*

David, Elizabeth, *French Provincial Cooking.* Copyright © Elizabeth David, 1960, 1962, 1967, 1970. Édité par Penguin Books Ltd., Londres, en collaboration avec Michael Joseph Ltd. Traduit avec l'autorisation de l'auteur *(pages 91, 93).*

David, Elizabeth, *Spices, Salt and Aromatics in the English Kitchen.* Copyright © Elizabeth David, 1970. Édité par Penguin Books Ltd., Londres. Traduit avec l'autorisation de l'auteur *(page 90).*

Delgado, Carlos (Rédacteur), *Cien Recetas Magistrales.* © de la seleccion y el prologo: Carlos Delgado © Alianza Editorial, S.A., Madrid, 1981. Édité par Alianza Editorial, S.A. Traduit avec l'autorisation d'Alianza Editorial, S.A. *(pages 99, 140 et 146).*

Detskoe Pitanie. Édité par Gostorgizdat, Moscou 1958. Traduit avec l'autorisation de VAAP — le Copyright Agency de l'U.R.S.S., Moscou *(page 104).*

Dinnage, Paul, *The Book of Fruit & Fruit Cookery.* Copyright © 1981 Paul Dinnage. Édité par Sidgwick and Jackson Limited, Londres. Traduit avec l'autorisation de Sidgwick and Jackson Limited *(pages 127, 130, 131 et 151).*

Duff, Gail, *Pick of the Crop.* Copyright © 1979 Gail Duff. Édité par Elm Tree Books/Hamish Hamilton Ltd., Londres. Traduit avec l'autorisation de Richard Scott Simon Ltd., Londres, agent de l'auteur *(pages 133, 135 et 152).*

Ellis, Audrey, *Wine Lovers Cookbook.* © Audrey Ellis 1975. Édité par Hutchinson & Co (Publishers) Ltd., Londres. Traduit avec l'autorisation de The Hutchinson Publishing Group Limited *(page 90).*

Gili, Elizabeth, *Apple Recipes from A to Z.* Copyright © Elizabeth Gili 1975. Édité par Kaye & Ward Ltd., Londres. Traduit avec l'autorisation de Kaye & Ward Ltd., *(pages 104, 114 et 129).*

Grigson, Jane, *Jane Grigson's Fruit Book.* © 1982 Jane Grigson. Édité par Michael Joseph Limited, Londres. Traduit avec l'autorisation de David Higham Associates Ltd., Londres *(pages 104, 107 et 139).*

Grüninger, Ursula, *Cooking with Fruit.* © George Allen & Unwin Ltd., 1971. Édité par Mayflower Books Ltd., 1974. Traduit avec l'autorisation de Mary Hahn Kochbuchverlag, Munich *(pages 129, 133, 152).*

Guillot, André, *La Vraie Cuisine légère.* © 1981 Éditions Flammarion. Édité aux Éditions Flammarion, Paris. Reproduit avec l'autorisation de la librairie Ernest Flammarion *(pages 108, 142).*

Hambro, Nathalie, *Particular Delights.* Copyright © Nathalie Hambro 1981. Édité par Jill Norman & Hobhouse Ltd., Londres. Traduit avec l'autorisation de Jill Norman & Hobhouse Ltd. *(pages 90, 141, 157 et 158).*

Hazelton, Nika, *The Continental Flavour.* Copyright © Nika Hazelton, 1961. Édité par Penguin Books Ltd., Londres. Traduit avec l'autorisation de l'auteur *(page 94).*

Hazelton, Nika, *Danish Cooking.* Copyright © Nika Hazelton, 1964. Édité par Penguin Books Ltd., Londres. Traduit avec l'autorisation de Penguin Books Ltd. *(pages 142 et 157).*

lemker, Coen et Zeguers, Jacques, *De Verstandige euken.* © 1978 Uitgeverij Luitingh B.V., Laren N.H. dité par Uitgeverij Luitingh B.V. Traduit avec l'autori-ation de Uitgeverij Luitingh B.V. *(page 125).*

lorvath, Maria, *Balkan-Küche.* Copyright © 1963 Vilhelm Heyne Verlag, München. Édité par Wilhelm leyne Verlag. Traduit avec l'autorisation de Wilhelm leyne Verlag *(page 116).*

lume, Rosemary et Downes, Muriel, *Cordon Bleu Desserts and Puddings.* Copyright © Rosemary Hume t Muriel Downes, 1975. Édité par Penguin Books Ltd., ondres. Traduit avec l'autorisation de Penguin Books d. *(pages 99, 101).*

ames, B, *Wild Fruits, Berries, Nuts & Flowers.* Édité ar The Medici Society Limited, Londres 1952. Traduit vec l'autorisation de The Medici Society Limited *(page 20).*

ans, Hugh, *Bistro Koken.* © 1973 Unieboek B.V., ussum, Holland. Édité par Van Dishoeck, Bussum. raduit avec l'autorisation d'Unieboek B.V. *(page 49).*

ans, Hugh, *Vrij Nederland.* Novembre 1974, juin 978 (revue). Traduit avec l'autorisation de Hugh Jans ages 91, 108).*

ans, Hugh, *Vrij Nederlands Kookboek.* © 1975 nieboek B.V., Bussum — Hollande. Édité par Unie-oek B.V. Traduit avec l'autorisation d'Unieboek B.V. age 101).*

aufman, William I., *The Nut Cookery Book.* © Villiam I. Kaufman 1966. Édité par Faber and Faber imited, Londres. Traduit avec l'autorisation de l'au-ur, Californie, U.S.A. *(page 121).*

ernmayr, Hans Gustl, *So Kochte Meine Mutter.* opyright © 1976 Mary Hahns Kochbuchverlag, erlin-München. Édité par Wilhelm Heyne Verlag, Munich. Traduit avec l'autorisation de Mary Hahns ochbuchverlag, Munich *(page 139).*

ambert, Almeda, *Guide for Nut Cookery,* Copyright, 898, Mrs. Almeda Lambert. Édité par Joseph Lam-ert & Company, Battle Creek, Michigan 1899 *(page 19).*

eith, Prudence et Waldegrave, Caroline, *Leith's Cookery Course.* Copyright © Leith's Farm Ltd. 1979. dité par Andre Deutsch, Londres 1980. Traduit avec autorisation de Fontana Paperbacks, Londres *(page 10).*

emnis, Maria et Vitry, Henryk, *Old Polish Traditions n the Kitchen and at the Table.* © Interpress Publis-ers, Varsovie 1979. Édité par Interpress Publishers, arsovie. Traduit avec l'autorisation d'Agencja Autors-a, Varsovie, pour le compte des auteurs *(pages 95, 14).*

enôtre, Gaston, *Faîtes votre pâtisserie comme Lenô-re.* © Flammarion, 1981. Édité par Flammarion, aris. Reproduit avec l'autorisation de la librairie rnest Flammarion *(page 117).*

evy, Faye, *La Varenne Tour Book.* © 1979 La arenne U.S.A., Inc. Édité par Peanut Butter Publis-ing, Seattle. Traduit avec l'autorisation de Latoque nternational Limited, Gladwyne *(page 100).*

ladonosa i Giró, Josep, *La Cuina Que Torna.* © osep Lladonosa Giró. © Editorial Laia, S.A., 1979. dité par Editorial Laia S.A., Barcelone. Traduit avec autorisation d'Editorial Laia, S.A., *(page 155).*

otteringhi della Stufa, Maria Luisa Incontri, *Desinart Cene.* Copyright 1965. Édité par Editorial Olimpia,

Florence, Italie. Traduit avec l'autorisation d'Editoriale Olimpia *(page 138).*

Macnicol, Fred, *Hungarian Cookery.* Copyright © Fred Macnicol, 1978. Édité par Penguin Books Ltd., Londres. Traduit avec l'autorisation de Penguin Books Ltd. *(pages 100, 120, 129 et 134).*

Maffioli, Giuseppe, *Cucina e Vini delle Tre Venezie.* © Copyright 1972 U. Mursia & C. Édité par Ugo Mursia & C., Milan. Traduit avec l'autorisation d'Ugo Mursia Editore *(page 137).*

Magyar, Elek, *Kochbuch für Feinschmecker.* © Dr. Magyar Bálint, Dr. Magyar Pál. Édité par Corvina, Budapest 1979. Édition originale en 1967 sous le titre « Az Inyesmester Szakacskonyue » par Corvina Verlag, Budapest. Traduit avec l'autorisation du Dr. Magyar Bálint et du Dr. Magyar Pál. *(page 124).*

Marković, Spasenija-Pata (Rédacteur), *Veliki Narodni Kuvar.* Copyright de l'auteur. Première édition « Politi-ka », Belgrade, 1938. Édité par Narodna Knjiga, Belgrade 1979. Traduit avec l'autorisation de la Jugoslovenska Autorska Agencija, Belgrade, pour le compte des ayants droits *(pages 96, 98, 110 et 126).*

Martin, Faye, *Rodale's Naturally Delicious Desserts and Snacks.* Copyright © 1978 Rodale Press, Inc. Édité par Rodale Press, Inc., Emmaus, Pennsylvanie. Traduit avec l'autorisation de Rodale Press, Inc. *(page 93).*

Masson, Madeleine, *The International Wine and Food Society's Guide to Jewish Cookery.* © Madeleine Masson, 1971. Édité par David & Charles, Newton Abbot. Traduit avec l'autorisation de David & Charles *(page 113).*

Ministry of Agriculture, Fisheries and Food, *Domestic Preservation of Fruit and Vegetables.* Bulletin n° 21, 1966. Édité par Her Majesty's Stationery Office, Londres. Traduit avec l'autorisation de Her Majesty's Stationery Office *(page 126).*

Montagné, Prosper, *Nouveau Larousse gastronomi-que.* © 1967, Augé, Gillon, Hollier-Larousse, Moreau et Cie. Édité par la librairie Larousse, Paris. Reproduit avec l'autorisation de la Société encyclopé-dique universelle, Paris *(page 122).*

Nakken-Rövekamp, E. *Exotische Groenten en Vruch-ten.* © 1979 Elsevier Nederland B.V., Amsterdam/ Bruxelles. Édité par Elsevier Nederland B.V. Traduit avec l'autorisation d'Elsevier Nederland B.V., Amster-dam. *(pages 91, 154).*

Nelson, Kay Shaw, *The Eastern European Cookbook.* Copyright © 1973 Kay Shaw Nelson. Édité par Dover Publications, Inc., New York. Traduit avec l'autorisa-tion de Collier Associates, agent littéraire, New York, pour le compte de l'auteur *(pages 135, 136 et 155).*

Nilson, Bee, *The Penguin Cookery Book.* Copyright © Bee Nilson, 1952, 1959, 1972. Édité par Penguin Books Ltd., Londres. Traduit avec l'autorisation de Penguin Books Ltd. *(pages 97, 111 et 130).*

Ochorowicz-Monatowa, Marja, *Polish Cookery.* Tra-duit par Jean Karsavina. © 1958 Crown Publishers, Inc. Édité par Crown Publishers, Inc., New York. Traduit avec l'autorisation de Crown Publishers, Inc. *(pages 111, 125).*

Olney, Richard, *French Menu Cookbook.* © 1975 Richard Olney. Édité par William Collins Sons & Co. Ltd., Glasgow et Londres. Traduit avec l'autorisation de l'auteur, Solliès-Pont *(pages 102, 109, 112 et

116).*

Ortega, Simone, *Mil Ochenta Recetas de Cocina.* © Simone K. de Ortega, 1972. © Alianza Editorial, S.A., Madrid, 1972, 1974, 1975, 1977, 1978, 1979, 1980. Édité par Alianza Editorial, S.A. Traduit avec l'autorisation d'Alianza Editorial S.A. *(pages 98, 128 et 144).*

Ortiz, Elisabeth Lambert, *Caribbean Cooking.* Copy-right © Elisabeth Lambert Ortiz, 1973, 1975. Édité par Penguin Books Ltd., Londres. Traduit avec l'autori-sation de John Farquharson Ltd., Londres, agent de l'auteur *(page 153).*

Ortiz, Elisabeth Lambert, *The Complete Book of Mexican Cooking.* Copyright © 1967 Elisabeth Lam-bert Ortiz. Édité par M. Evans and Company, Inc., New York. Traduit avec l'autorisation de Paul R. Reynolds Inc., agent littéraire, New York *(page 138).*

Parenti, Giovanni Righi, *La Grande Cucina Toscana.* Copyright © Sugar Co Edizioni S.r.l., Milan. Édité par SugarCo Edizioni. Traduit avec l'autorisation de SugarCo Edizioni *(page 115).*

Pareren-Bles, L. Van (Rédacteur), *Allerhande Recep-ten.* Édité par Meijer Pers n.v., Wormerveer, 1967. Traduit avec l'autorisation de Meijer Pers n.v., Amster-dam *(pages 96 et 99).*

Pezzini, Wilma. *The Tuscan Cookbook.* Copyright © 1978 Wilma Pezzini. Édité par J.M. Dent & Sons Ltd., Londres. Traduit avec l'autorisation d'Harold Ober Associates Incorporated, New York *(pages 118, 132 et 133).*

Plucinska, Ida, *Ksiazka Kucharska.* Copyright de l'au-teur. Poznan, 1945. Traduit avec l'autorisation d'Agencja Autorska, Varsovie, pour le compte de l'auteur *(pages 112, 156).*

Poole, Mrs. Hester M., *Fruits and How to Use Them.* Copyright 1889 Fowler & Wells Company, New York. Édité par Fowler & Wells Company *(pages 103, 112).*

Puck, Wolfgang, *Wolfgang Puck's Modern French Cooking for the American Kitchen.* Copyright © 1981 Wolfgang Puck. Édité par Houghton Mifflin Company, Boston. Traduit avec l'autorisation de Houghton Mifflin Company *(pages 108, 124 et 148).*

Puga y Parga, Manuel M. (Picadillo), *La Cocina Práctica.* Copyright Libreria-Editorial Gali. Édité par Libreria-Editorial « Gali », Santiago 1966. Traduit avec l'autorisation de Libreria-Editorial « Gali » *(page 114).*

Ratto, G.B., *La Cuciniera Genovese.* Édité par Tipo-grafia Pagano, Genève. Traduit avec l'autorisation de Industrie Grafiche Editoriali Fratelli Pagano s.p.a., *(page 132).*

Roden, Claudia, *A Book of Middle Eastern Food.* Copyright © Claudia Roden, 1968. Édité par Penguin Books Ltd., Londres. Traduit avec l'autorisation de l'auteur, Londres *(page 92).*

Roden, Claudia, *Picnic.* Copyright © Claudia Roden, 1981. Édité par Jill Norman & Hobhouse Ltd., Lon-dres. Traduit avec l'autorisation de Jill Norman & Hobhouse Ltd. *(pages 98, 147).*

Roggero, Savina, *100 Ricette per Cenare con Gli Amici.* Copyright © G.C. Sansoni S.p.A., Firenze. Édité par G.C. Sansoni Editore Nuova S.p.A. 1973. Traduit avec l'autorisation de G.C. Sansoni Editore Nuova S.p.A. *(pages 105 et 109).*

Salvetti, Lydia B., *100 Ricette del Futuro*. Copyright ©
G.C. Sansoni S.p.A., Firenze. Édité par G.C. Sansoni
Editore Nuova S.p.a. 1973. Traduit avec l'autorisation de G.C. Sansoni Editore Nuova S.p.A. *(page
122)*.

Salvetti, Lydia B., *Cento Ricette Spendendo Meno*.
Copyright © G.C. Sansoni S.p.A., Firenze. Édité par
G.C. Sansoni Editore Nuova S.P.A. Traduit avec
l'autorisation de G.C. Sansoni Editore Nuova S.p.A.
(pages 97, 102 et 158).

Sarvis, Shirley, *Crab and Abalone, West Coast Ways
with Fish and Shellfish*. Copyright © 1968 Shirley
Sarvis et Tony Calvello. Édité par Bobbs-Merrill
Company Inc., Indianapolis. Traduit avec l'autorisation de l'auteur San Francisco. *(page 121)*.

Schindler, Roana et Gene, *Hawaiian Cookbook*.
Copyright © 1970 Roana et Gene Schindler. Édité par
Dover Publications, Inc., New York. Traduit avec
l'autorisation d'Andiron Press Inc., Tamarac, Floride
(pages 114, 126).

Senderens, Alain et Eventhia, *La Cuisine réussie*. ©
1981, Éditions Jean-Claude Lattès. Édité aux Éditions
Jean-Claude Lattès, Paris. Reproduit avec l'autorisation des Éditions Jean-Claude Lattès *(pages 94, 115)*.

Seranne, Ann, *The Complete Book of Desserts*. ©
1952, 1963 Ann Seranne. Édition originale par Faber
and Faber Limited, Londres 1964. Édité également par
Faber and Faber Limited pour The Cookery Book Club,
Londres 1967. Traduit avec l'autorisation de
Doubleday & Company, Inc., New York *(page 106)*.

Serra Suñol, Victoria, *Sabores: Cocina del Hogar*. ©
Victoria Serra Suñol. Édité par Editorial Luis Gili,
Barcelone 1975. Édité également en Angleterre sous le
titre, « Tia Victoria's Spanish Kitchen » par Kaye &
Ward Ltd., Londres 1963. English text copyright ©
Elizabeth Gili 1963. Traduit avec l'autorisation de
Kaye & Ward Ltd., *(page 134)*.

Shepard, Jean H., *The Fresh Fruits and Vegetables
Cookbook*. Copyright © 1975 Jean H. Shepard. Édité
par Little, Brown and Company, Boston. Traduit avec

l'autorisation de l'auteur *(page 128)*.

Smires, Latifa Bennani, *Moroccan Cooking*. Édité par
la Société d'édition et de diffusion AL MADARISS,
Casablanca 1975. Édition originale sous le titre « La
cuisine marocaine » aux Éditions Jean Pierre Taillan-
dier, Paris 1971. Traduit avec l'autorisation de la
Société d'édition et de diffusion AL MADARISS *(page
137)*.

Smolnitska, Sofia, *Izkoustvoto da Gotvim*. © Sofia
Vangelova Smolnitska. Édité par « Tehnika », Sofia
1980. Traduit avec l'autorisation de Jusautor Copyright Agency, Sofia *(pages 93, 128)*.

Sotirov, Natsko. *Sovremenna Kouhnya*. © des
auteurs. Édité par « Tehnika », Sofia 1959. Traduit
avec l'autorisation de Jusautor Copyright Agency,
Sofia *(page 131)*.

Supercook. Revue hebdomadaire Volume 1, part 9.
© Marshall Cavendish Limited 1973. Édité par Marshall Cavendish Limited, Londres. Traduit avec l'autorisation de Marshall Cavendish Limited *(page 154)*.

Supercook. Revue hebdomadaire. Volume 7, part 89.
© Marshall Cavendish Limited 1974. Édité par Marshall Cavendish Limited, Londres. Traduit avec l'autorisation de Marshall Cavendish Limited *(page 154)*.

Tante Marie, *La Véritable Cuisine de Famille*. ©
Éditions A. Taride, Paris, 1978. Édité par les Éditions
A. Taride. Reproduit avec l'autorisation de la SARL
Cartes Taride, Paris *(page 142)*.

Tascon, Jose Gutierrez, *La Cocina Leonesa*. ©
Editorial Everest, S.A., Leon-Espana. Édité par Edito-
rial Everest, S.A. Traduit avec l'autorisation d'Editorial
Everest, S.A. *(page 92)*.

Tsolova, M., Stoilova, V. et Ekimova, Sn., *Izpolzouvane na Zelenchoutsite i Plodovete v Domakinstvoto*. ©
des auteurs. Édité par Zemizdat, Sofia 1978. Traduit
avec l'autorisation de Jusautor Copyright Agency,
Sofia *(pages 124, 127 et 153)*.

Urvater, Michèle et Liederman, David, *Cooking the
Nouvelle Cuisine in America*. Copyright © 1979
Michèle Urvater et David Liederman. Édité par Work-

man Publishing Co., Inc., New York. Traduit ave[c]
l'autorisation de Workman Publishing Co., Inc. *(page
130, 146, 148)*.

Vergé, Roger, *Ma Cuisine du soleil*. © Éditions Robe[rt]
Laffont, S.A., 1978. Édité aux Éditions Robert Laffon[t]
S.A., Paris. Reproduit avec l'autorisation des Éditio[ns]
Robert Laffont *(page 122)*.

Watt, Alexander, *Paris Bistro Cookery*. Premièr[e]
édition par Macgibbon & Kee, Londres 1957. Tradu[it]
avec l'autorisation de Granada Publishing Ltd., S[t]
Albans *(page 141)*.

Westbury, Lord et Downes, Donald, *With Gusto a[nd]
Relish*. © Lord Westbury et Donald Downes 1957[.]
Édité par André Deutsch Limited, Londres. Traduit ave[c]
l'autorisation d'André Deutsch Limited *(pages 92, 96 [et]
97)*.

Westland, Pamela, *A Taste of the Country*. Copyrig[ht]
© Pamela Westland, 1974. Édité par Penguin Book[s]
Ltd., Londres 1976. Traduit avec l'autorisation d[e]
Hamish Hamilton Ltd., Londres *(pages 101, 116, 1[17]
et 151)*.

Willan, Anne et l'École de Cuisine La Varenne, Paris[,]
French Regional Cooking. © 1981 Marshall Editio[n]
Ltd. © 1981 Anne Willan & l'Ecole de Cuisine L[a]
Varenne. Édité par Hutchinson & Co., (Publisher[s]
Mtd., Londres. Traduit avec l'autorisation de Marsha[ll]
Editions Ltd., Londres *(pages 143, 151)*.

Willan, Anne, *La Varenne's Paris Kitchen*. Copyrig[ht]
© 1981 La Varenne U.S.A., Inc. Édité par Willia[m]
Morrow and Company, Inc., New York. Traduit ave[c]
l'autorisation de William Morrow and Company, In[c.]
(page 150).

Wood, Beryl, *Caribbean Fruits and Vegetables*. ©
Longman Group Limited 1973. Édité par Longma[n]
Group Limited, Londres. Traduit avec l'autorisation d[e]
Longman Group Limited *(page 119)*.

Zawistowska, Zofia, *Surówki i Salatki*. Édité pa[r]
Wydawnictwo « Watra », Varsovie, 1979. Tradu[it]
avec l'autorisation d'Agencja Autorska, Varsovie, pou[r]
le compte de l'auteur *(pages 91, 96)*.

Remerciements et sources des illustrations

Les rédacteurs de cet ouvrage tiennent à exprimer leurs
remerciements à Gail Duff, Maidstone, Kent; Ann
O'Sullivan, Deya, Majorque; Anna Maria Perez,
Barcelone; Elisabeth Williams, Londres.

Ils remercient également les personnes suivantes: Alison
Attenborough, Chelmsford, Essex; Mrs. J. Baum, Londres;
Nicola Blount, Londres; Mike Brown, Londres; Nora
Carey, Paris; Josephine Christian, Stoke St. Michael,
Sommerset; Lesley Coates, Ilford, Essex; Emma
Codrington, Richmond, Surrey; June Dowding, Ilford,
Essex; Mimi Errington, Screveton, Nottinghamshire; Sarah
Jane Evans, Londres; Neyla Freeman, Londres; The Fresh
Fruit & Vegetable Information Bureau, Londres; Mary
Harron, Londres; Maggi Heinz, Londres; Hilary Hockman,
Londres; Maria Johnson, Sevenoaks, Kent; Lotte Keeble,
Twickenham, Middlesex; Wanda Kemp-Welch, Nottingham;
Margot Levy, Londres; Katie Lloyd, Londres; Alan Lothian,
Londres; Philippa Millard, Londres; Wendy Morris,
Londres; Rosemary Oates, Londres; Winona O'Connor,

North Fambridge, Essex; Neil Philip, Oxford; Sylvia
Robertson, Surbiton, Surrey; Vicki Robinson, Londres;
Nicole Segre, Londres; Stephanie Thompson, Londres;
Fiona Tillett, Londres; Tropical Products Institute, Londres;
J.M. Turnell & Co., New Covent Garden Market, Londres;
Tina Walker, Londres; Rita Walters, Ilford, Essex.

Photographies de Bob Komar: Couverture, frontispice,
21 — en haut à gauche et à droite, en bas à gauche,
22 — en haut à droite, en bas à gauche, 23 — en haut,
24 — en bas, 25 — en bas au milieu et à droite, 28,
30, 31 — en bas, 32 — en haut, 33, 34 — en haut,
35 — en haut, 36 à 42, 43 — en haut, en bas à droite,
46, 47, 50 à 53, 56 à 59, 60 — en haut, en bas à
droite, 61 à 63, 66 — en haut, 67, 68 — en bas, 69
— en bas, 70, 71 — en haut à droite, en bas, 81 —
en bas à droite, 82, 83, 84 — en bas à droite. Autres
photographes (par ordre alphabétique): Tom Belshaw:
22 — en bas au milieu, 31 — en haut, 48, 49 — en
bas, 74 — en bas, 75 — en bas, 86, 87. John Cook:

20 — en haut à gauche, 22 — en haut à gauche, 24
— en haut, 25 — en haut, 44, 54, 55, 60 — en bas à
gauche et au milieu, 64, 65, 66 — en bas, 74 — en
haut, 75 — en haut, 76, 77 — en haut au milieu et à
droite, en bas, 78 — en haut, 79, 80, 81 — en haut,
en bas à gauche et au milieu. Alan Duns: 20 — en haut
à droite, en bas à droite, 21 — en haut au milieu, en
bas au milieu et à droite, 22 — en bas à droite, 23 —
en bas. John Elliott: 25 — en bas à gauche, 32 — en
bas, 34 — en bas, 35 — en bas, 43 — en bas à gauche[,]
68 — en haut, 69 — en haut, 71 — en bas à gauche,
72, 77 — en haut à gauche, 78 — en bas, 84 — en
haut, en bas à gauche, 85, 88. Louis Klein: 2. Aldo
Tutino: 20 — en bas à gauche, 22 — en haut au milieu,
49 — en haut.
Illustrations: Josephine Martin, The Garden Studio: 8, 9,
14, 15. Anna Pugh, Staplefield, Sussex: 12, 13, 18, 19.
Andrew Riley, The Garden Studio: 7, 10, 11, 16, 17.
Tous les dessins proviennent de la photothèque de Mary
Evans et de sources privées.

Quadrichromies réalisées par Scan Studios — Dublin, Irlande
Composition photographique par Photocompo Center, Bruxelles, Belgique
Imprimé et relié par Brepols S.A. Turnhout, Belgique.
Dépôt légal: Février 1983.